Tom Hanks
Schräge Typen

Tom Hanks

Schräge Typen

Stories

Aus dem amerikanischen Englisch
von Werner Löcher-Lawrence

PIPER

Mehr über unsere Autoren und Bücher:
www.piper.de/literatur

Die Originalausgabe erschien 2017 unter dem Titel
»Uncommon Type« bei Alfred E. Knopf, New York.

Mit Fotografien von Kevin Twomey.

»Alan Bean plus vier« erschien zuerst in *The New Yorker*,
24.10.2014.

MIX
Papier aus verantwor-
tungsvollen Quellen
FSC® C014496
www.fsc.org

ISBN 978-3-492-05717-2
Copyright © 2017 by Clavius Base, Inc.
© der deutschsprachigen Ausgabe:
Piper Verlag GmbH, München, 2018
Satz: Kösel Media GmbH, Krugzell
Gesetzt aus der Monotype Bell
Druck und Bindung: GGP Media GmbH, Pößneck
Printed in Germany

Für Rita und alle Kinder.
Wegen Nora.

Inhalt

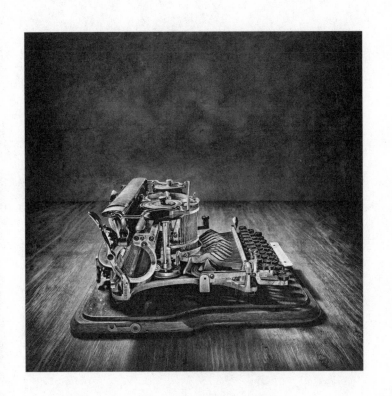

Drei erschöpfende Wochen

1. Tag

Anna sagte, es gebe nur eine Möglichkeit, ein bedeutungsvolles Geschenk für MDash zu finden: das Antikkaufhaus im alten Lux Theater, das weniger ein Ort für alte Kostbarkeiten als eine Tauschbörse für Ausrangiertes ist. Wie viele Stunden habe ich in dem ehemals großartigen Kino gesessen und Filme angesehen, bevor Netflix, HBO und 107 andere Auswüchse der Unterhaltungsindustrie das Lux bankrottgehen ließen. Jetzt reiht sich hier Verkaufsstand an Verkaufsstand mit sogenannten Antiquitäten. Anna und ich klapperten sie alle ab.

MDash sollte eingebürgert, ein regulärer Staatsbürger der Vereinigten Staaten werden, was für uns eine ebenso große Sache war wie für ihn. Steve Wongs Großeltern waren in den 1940ern zu Amerikanern geworden, mein Dad in den 1970ern den kommunistischen Schmalspurgangstern Osteuropas entkommen, während Annas Vorfahren bereits ewig früher über den Nordatlantik gepaddelt waren, um zu erbeuten, was es in der Neuen Welt zu erbeuten gab. In Annas Familie wird erzählt, dass sie Martha's Vineyard entdeckten.

Mohammed Dayax-Abdo sollte so amerikanisch werden wie durchwachsener Speck, und deshalb wollten wir ihm etwas Altes schenken, ein patriotisches *Objet*, das für die Tradition und den Humor seines neuen Landes stand. Ich hielt den Radio-Flyer-Bollerwagen gleich am zweiten Stand für perfekt. »Wenn er mal amerikanische Kinder hat, kann er denen das Ding schenken«, sagte ich.

Aber Anna wollte nicht gleich das erste alte Stück kaufen, das wir sahen. Also suchten wir weiter. Ich erstand eine amerikanische Flagge aus den 1940ern mit achtundvierzig Sternen. Die Flagge würde MDash daran erinnern, dass sein neues Land nie aufhört, sich weiterzuentwickeln, und gute Bürger einen Platz auf seiner fruchtbaren Erde finden, genau wie sich weitere Sterne in das blaue Feld über den rot-weißen Streifen einfügen. Anna stimmte zu, suchte aber weiter. Sie wollte ein noch viel besondereres Geschenk, etwas Einzigartiges, nicht weniger als ein absolutes Unikat. Nach drei Stunden entschied sie, dass der Bollerwagen tatsächlich eine gute Idee war.

Als wir in meinem alten VW-Bus vom Parkplatz auf die Straße bogen, fielen die ersten Regentropfen. Wir mussten langsam fahren, da meine Wischblätter so alt waren, dass sie das Wasser in breiten Streifen über die Windschutzscheibe schmierten. Es goss bis in den Abend hinein, und so blieb Anna bei mir, statt nach Hause zu fahren, hörte die alten Mixtapes meiner Mutter (die ich von Kassetten auf CDs überspielt hatte) und wusste sich kaum einzukriegen über ihren wilden Geschmack, über die Pretenders, die O'Jays und Taj Mahal.

Als Iggy Pops *Real Wild Child* kam, fragte sie: »Hast du nichts aus den letzten zwanzig Jahren?«

Ich machte Burritos mit Pulled Pork. Sie trank Wein, ich Bier. Sie feuerte meinen Franklin-Ofen an und sagte, sie fühle sich wie eine Siedlerin in der Prärie. Wir saßen auf meinem Sofa, die Nacht brach herein, und das einzige Licht kam vom Feuer und von den Tonpegelanzeigen der Musikanlage, die vom grünen in den orangefarbenen und gelegentlich in den roten Bereich hochzuckten. Fernes Wetterleuchten flammte am Himmel auf.

»Weißt du was?«, sagte sie. »Es ist Sonntag.«

»Ich weiß«, sagte ich. »Ich lebe ganz im Hier und Jetzt.«

»Das bewundere ich an dir. Klug. Einfühlsam. Locker wie ein Faultier.«

»So werden aus Komplimenten Beleidigungen.«

»Mach aus dem *faul* ein *wohlig*«, sagte sie und nippte an ihrem Wein. »Was ich sagen will, ist: Ich mag dich.«

»Ich dich auch.« Ich fragte mich, wohin diese Unterhaltung führen sollte. »Flirtest du mit mir?«

»Nein«, sagte Anna. »Ich baggere dich an. Das ist was völlig anderes. Flirten ist wie Fischen. Vielleicht schleppst du jemanden ab, vielleicht auch nicht. Anbaggern ist der erste Schritt zum Deal.«

Zu sagen ist, dass Anna und ich uns seit der Highschool kennen. (Der St. Anthony Country Day! Los doch, Kreuz-fahrer!) Wir hatten nie was miteinander, gehörten aber zur selben Clique und mochten uns. Nach ein paar Jahren College und noch einigen, während deren ich mich um meine Mom kümmerte, machte ich meine Maklerlizenz und tat so, als verdiente ich mein Geld mit Immobilien. Eines Tages dann kam Anna in mein Büro marschiert, weil sie Räume für ihr Grafikdesignbüro suchte. Ich war der einzige Makler, dem sie vertraute, war ich doch mal mit einer ihrer Freundinnen zusammen gewesen und hatte mich bei der Trennung nicht als Arschloch erwiesen.

Anna war immer noch sehr hübsch. Sie hatte nie den schlanken, straffen Körper der Triathletin verloren, die sie tatsächlich einmal gewesen war. Einen ganzen Tag lang zeigte ich ihr verfügbare Räumlichkeiten, die sie alle nicht wollte, ohne dass ich wirklich kapiert hätte, warum. Es war offensichtlich, dass sie immer noch so getrieben, so fokussiert und angespannt war wie an der St. Anthony Country Day. Sie beschäftigte sich zu intensiv auch noch mit dem kleinsten Detail, drehte jeden einzelnen Stein um, inspizierte, notierte und wollte alles ausgetauscht sehen, was ihrer Ansicht nach ausgetauscht werden sollte. Anna, die Erwachsene, war anstrengend, war nicht mehr mein Typ, als es Anna, der Teenager, gewesen war.

Komisch, dass wir dennoch so gute Freunde wurden, weit bessere, als wir es je gewesen waren. Ich gehöre zu diesen lahmärschigen Einzelgängern, die einen Tag komplett verbummeln können, ohne das Gefühl zu haben, auch nur eine Sekunde zu verschwenden. Tatsächlich ließ ich, nachdem ich das Haus meiner Mutter verkauft und den Ertrag investiert hatte, mein vorgebliches Büro hinter mir und richtete mich im *Besten Vorstellbaren Leben* ein. Gib mir ein paar Wäscheladungen zu waschen und ein Hockeyspiel im NHL-Channel, und mein Nachmittag ist gesichert. In der Zeit, die ich mit Weiß- und Buntwäsche verplempere, vertäfelt Anna ihren Speicher mit Gipsplatten, bereitet ihre Steuererklärung vor, macht frische Pasta und gründet eine Kleidertauschbörse im Internet. Von Mitternacht bis zum Morgengrauen schläft sie, schreckt hoch, schläft und schreckt hoch und hat doch die Energie, den ganzen Tag Vollgas zu geben. Ich schlafe wie ein Toter, so lange es geht, und lege nachmittags um halb drei zusätzlich noch ein Nickerchen ein.

»Ich küsse dich jetzt.« Anna tat, was sie gesagt hatte.

Wir hatten uns noch nie geküsst, sieht man von den flüchtig hingehauchten Küsschen ab, die mit kurzen Umarmungen einhergehen. Plötzlich ließ Anna eine völlig neue Version ihrer selbst erkennen, und ich verkrampfte mich verblüfft.

»He, entspann dich«, flüsterte sie. Ihre Arme lagen um

meinen Hals. Sie roch verdammt gut und schmeckte nach Wein. »Es ist Sabbat. Der Tag des Ausruhens. Das hier artet nicht in Arbeit aus.«

Wir küssten uns wieder, und ich wurde zum gefassten, engagierten Teilnehmer. Meine Arme legten sich um sie und zogen sie fest an mich. Wir drückten uns aneinander und wurden lockerer, fanden unsere Hälse und den Weg zurück zu unseren Lippen. So hatte ich fast ein Jahr lang keine Frau mehr geküsst, nicht seit *Die Üble Freundin* Mona mich nicht nur abserviert, sondern auch noch das Geld aus meiner Brieftasche hatte mitgehen lassen. (Mona hatte ihre Probleme, aber küssen? Da war sie fabelhaft gewesen.)

»Bestens, Baby«, seufzte Anna.

»Was für ein friedvoller Sabbat«, seufzte ich zurück. »Das hätten wir vor Jahren schon tun sollen.«

»Ich denke, ein bisschen Zeit mit Haut auf Haut täte uns gut«, flüsterte Anna. »Zieh dich aus.«

Das tat ich. Als sie es mir nachmachte, war ich erledigt.

2. Tag

Mein Frühstück am Montagmorgen bestand aus Buchweizenpfannkuchen, Chorizos, einer großen Schüssel Beeren und Filterkaffee. Anna fand eine Schachtel Kräutertee hinten in meiner Vorratskammer und aß ein winziges Schüsselchen Nüsse, die sie mit meinem Wiegemesser zerkleinerte. Um ihr nahrhaftes Frühstück abzurunden, zählte sie zusätzlich acht Blaubeeren ab. Ich sollte nicht erzählen, dass wir beim Frühstücken nichts anhatten, weil es uns wie Nudisten erscheinen lässt, Tatsache ist jedoch, dass wir ohne alle Hemmungen aus dem Bett gefallen waren.

Während sie sich anzog, um zur Arbeit zu gehen, erklärte sie mir, dass wir einen Tauchkurs belegen würden.

»Tun wir das?«, fragte ich.

»Jepp. Wir erwerben eine Lizenz«, sagte sie. »Und du musst dir ein paar Sportsachen kaufen. Laufschuhe und so weiter. Geh zum Footlocker in der Arden Mall, und komm gleich danach zum Mittagessen zu mir ins Büro. Bring den Bollerwagen und die Fahne für MDash mit. Dann packen wir beides ein.«

»Okay«, sagte ich.

»Ich koche heute Abend für uns. Bei mir. Anschließend sehen wir uns eine Dokumentation an, und dann tun wir in meinem Bett, womit wir die letzte Nacht in deinem verbracht haben.«

»Okay«, wiederholte ich.

3. Tag

Am Ende ging Anna mit mir in den Footlocker, sorgte dafür, dass ich fünf verschiedene Paar Schuhe anprobierte (am Ende einigten wir uns auf Cross Trainer) sowie vier Laufhosen und Laufhemden (Nike). Anschließend kauften wir Essen und Getränke für die Party, die Anna für MDash geben wollte. Sie sagte, mein Haus sei der einzig geeignete Ort für so eine Sause.

Gegen Mittag war MDash einer der tausendsechshundert zukünftigen Amerikaner auf dem Feld der Sports Arena, die Amerika mit gehobener Rechter die Treue schworen und wahren, schützen und verteidigen würden, was jetzt genauso sehr ihre Verfassung wie die des Präsidenten der Vereinigten Staaten war. Steve Wong, Anna und ich saßen auf der

Tribüne und beobachteten MDashs Einbürgerung inmitten dieses Meers aus Menschen aller erdenklicher Hautfarben. Es war ein herrlicher Anblick, der uns alle schrecklich sentimental machte, besonders Anna. Sie weinte und drückte ihr Gesicht an meine Brust.

»Es ist ... so ... wunderschön«, schluchzte sie immer wieder. »Gott, wie ich ... dieses Land ... liebe.«

MDashs Kollegen aus dem Home Depot, die freibekommen hatten, brachten eine Menge billige, mit Mitarbeiterrabatt gekaufte amerikanische Flaggen zum Fest bei mir mit. Steve Wong baute eine Karaoke-Anlage auf, und MDash musste Songs mit »America« im Text singen. *American Woman. American Girl.* In *Spirit of America* von den Beach Boys geht es eigentlich um ein Auto, aber wir ließen ihn das Lied dennoch singen. Den Radioflyer benutzten wir als riesigen Eiskübel, und sechs von uns stellten die 48-Sterne-Flagge auf, wie die Marines auf Iwojima, mit MDash in vorderster Front.

Die Party ging ewig, bis nur noch wir vier da waren, den Mond aufgehen sahen und die amerikanische Fahne flattern und gegen ihre Stange schlagen hörten. Ich holte noch ein Bier aus dem Eiswasser des Bollerwagens und öffnete es, aber Anna nahm es mir aus der Hand.

»Easy, Baby«, sagte sie. »Du solltest im Vollbesitz deiner Kräfte sein, sobald die beiden Herren da nach Hause gegangen sind.«

Eine Stunde später machten sich Steve Wong und MDash davon, der frischgebackene amerikanische Staatsbürger sang *A Horse With No Name* (von der Band America). Kaum dass Steves Wagen aus der Auffahrt war, nahm Anna mich bei der Hand und führte mich hinten in den Garten. Sie breitete ein paar Kissen auf dem weichen Gras aus, wir legten uns darauf, küssten uns und, nun, Sie wissen schon, stellten meine Kräfte auf den Prüfstand.

4. Tag

Anna geht laufen, wann immer sie ein paar Kilometer in vierzig Minuten quetschen kann, was sie auch mir zur Gewohnheit machen wollte. Sie nahm mich auf eine ihrer Strecken mit, einen Pfad hinauf um den Vista Point und zurück. Sie wollte vorauslaufen und auf dem Rückweg wieder mit mir zusammentreffen, da sie wusste, dass ich nie mit ihr mithalten könnte.

Mein eigenes Trainingsprogramm ist eine rein optionale Angelegenheit. Gelegentlich fahre ich mit meinem alten Dreigangrad zu Starbucks oder spiele ein paar Runden Frisbee-Golf (früher mal in der Liga). An diesem Morgen nun schnaufte ich den unbefestigten Weg hinauf, Anna war schon so weit voraus, dass ich sie aus den Augen verloren hatte. Die neuen Cross Trainer drückten (Notiz an mich selbst: bitte eine halbe Nummer größer), das Blut wallte mit ungewohnter Wucht durch meinen Körper, Schultern und Nacken verspannten sich, und in meinem Kopf pochte es. Als Anna vom Vista Point zurückkam, klatschte sie in die Hände.

»Bestens, Baby!«, rief sie im Vorbeilaufen. »Ein guter erster Versuch!«

Ich drehte um und folgte ihr. »Meine Waden brennen!«

»Die rebellieren noch«, rief sie über die Schulter zu mir hin. »Aber die geben bald schon nach.«

Während ich duschte, reorganisierte Anna meine Küche. Ihrer Meinung nach standen meine Töpfe samt Deckeln in den falschen Schränken, und warum war meine Besteckschublade so weit von der Spülmaschine entfernt? Ich hatte keine Antwort darauf. »Beeilen wir uns. Wir dürfen nicht zu spät zu unserer ersten Tauchstunde kommen.«

Die Tauchschule roch nach nassen Neoprenanzügen und Chlorwasser. Wir füllten Formulare aus, bekamen Lehrbücher zum Durcharbeiten, einen Zeitplan für den Theorieunterricht und mögliche Termine für unsere Prüfung im offenen Wasser. Anna deutete auf einen Sonntag in vier Wochen und reservierte uns Plätze auf einem Boot.

Zu Mittag gingen wir ins Viva Verde Salad Café und bestellten einen Salat mit Beilagensalat, danach wollte ich nach Hause, um ein Schläfchen zu halten. Aber Anna sagte, sie brauche Hilfe dabei, ein paar Dinge in ihrem Haus umzuräumen, sie habe es schon viel zu lange hinausgeschoben. Das konnte man so nicht sagen, es stimmte schlicht nicht. In Wahrheit wollte sie, dass ich ihr beim Tapezieren ihrer Diele und ihres Arbeitszimmers half, was bedeutete, dass ich Computer, Drucker, Scanner und Grafikausrüstung wegräumen und den ganzen Nachmittag ihren Anweisungen folgen durfte.

An diesem Abend schaffte ich es nicht mehr nach Hause. Wir aßen bei ihr, Gemüselasagne mit Gemüsebeilage, und sahen uns auf Netflix einen Film über kluge Frauen mit idiotischen Freunden an.

»Sieh doch, Baby«, sagte Anna. »Das sind wir.« Dann gackerte sie und fasste mir in die Hose, ohne mich vorher zu küssen. Entweder war ich der glücklichste Mann der Welt, oder ich gab hier den Trottel. Als sie mich in ihre Hose fassen ließ, war ich immer noch nicht sicher, was denn nun zutraf.

5. Tag

Anna musste ins Büro. Sie beschäftigt vier Frauen, alle sachlich und kühl, dazu eine Praktikantin, eine als gefährdet geltende Highschoolschülerin. Im letzten Jahr hatte sie einen Auftrag mit einem Fachbuchverlag an Land gezogen, sichere Arbeit, aber langweilig, als müsste man vom Tapezieren leben. Ich sagte, ich wolle nach Hause.

»Warum?«, fragte sie. »Du hast heute nichts zu tun.«

»Ich will laufen gehen«, sagte ich aus einem Impuls heraus.

»Bestens, Baby«, sagte sie.

Ich fuhr nach Hause, zog meine Cross Trainer an und joggte durch unser Viertel. Mr Moore, ein pensionierter Polizist, dessen Garten hinten an meinen angrenzt, sah mich und rief: »Was zum Teufel ist denn in Sie gefahren?«

»Eine Frau«, rief ich zurück, und das stimmte nicht nur, sondern es fühlte sich auch gut an, es auszusprechen. Wenn ein Mann an eine Frau denkt und sich darauf freut, ihr zu sagen, dass er vierzig Minuten gerannt ist, also, Junge, dann hat er eine Freundin.

Ja. Ich hatte eine Freundin, und eine Freundin verändert einen Mann von den Schuhen, in denen er Sport treibt, bis hin zur Art, wie er die Haare trägt (das kam am nächsten Tag, mit Anna bei meinem Friseur). Da waren aber auch ein paar Änderungen fällig. Vom Adrenalin der Romantik irregeleitet, joggte ich länger, als mein Körper es vertrug.

Anna rief in dem Moment an, als ich es aufgab, mein Schläfchen halten zu wollen. Meine Waden schmerzten, sie waren hart wie Bierdosen. Anna sagte, ich solle zu ihrem

Akupunkteur gehen. Sie werde ihn anrufen und eine Sofortbehandlung vereinbaren.

Die East Valley Wellness Oasis ist ein Mini-Mall-, Praxen- und Bürogebäude mit Tiefgarage. Da mit meinem VW-Bus ohne Servolenkung von Ebene zu Ebene zu kreisen war durchaus anstrengend, den richtigen der vielen Aufzüge aufzuspüren ebenfalls nicht leicht, und als ich schließlich den Eingang zu 606-W gefunden hatte, musste ich erst einmal einen fünfseitigen Wellnessfragebogen ausfüllen. Dabei saß ich neben einem Zimmerbrunnen, dessen Pumpe lauter war als das Platschen des Wassers.

Sind Sie mit der Praxis der Visualisierung einverstanden? Klar, warum nicht? *Sind Sie offen für eine geführte Meditation?* Ich sehe nicht, wie das schaden könnte. *Erklären Sie die Gründe, aus denen Sie Hilfe suchen. Bitte seien Sie genau.* Meine Freundin hat gesagt, ich soll meine armen müden, verkrampften Beinmuskeln hertragen, die sich nach Lockerung sehnen.

Ich gab meine Antworten ab und wartete. Am Ende rief ein Mann in einem weißen Laborkittel meinen Namen und brachte mich in einen Behandlungsraum. Während ich mich bis auf die Unterhose auszog, überflog er meinen Fragebogen.

»Anna meint, Ihre Beine machen Ihnen Schwierigkeiten?«, sagte er. Anna kam seit drei Jahren hierher.

»Ja«, sagte ich. »Meine Waden und noch ein paar andere Muskeln, die rebellieren.«

»Demnach zu urteilen«, sagte er und klopfte auf seine Unterlagen, »ist Anna ihre Freundin.«

»Eine neue Entwicklung«, erklärte ich ihm.

»Na, dann viel Glück. Legen Sie sich auf den Bauch.« Als er die Nadeln in mich steckte, kribbelte mein ganzer Körper, und die Waden zuckten unkontrollierbar. Bevor er den Raum verließ, drückte er die Play-Taste eines alten Gettoblasters für meine geführte Meditation. Ich hörte eine Frauenstimme, die mir sagte, ich solle an nichts mehr denken, nur noch an einen Fluss. Das machte ich etwa eine halbe Stunde lang und hoffte darauf einzuschlafen, konnte es aber nicht, weil die Nadeln in mir steckten.

Anna wartete bei mir zu Hause. Sie hatte uns etwas gekocht, aus Blattgemüse, mit Körnern und schmutzfarbenem Reis. Hinterher massierte sie mir die Beine so fest, dass ich aufheulte, und erklärte mir, seit dem College nicht mehr mit jemandem fünf Nächte hintereinander im Bett gewesen zu sein, aber sie wolle den Versuch wagen.

6. Tag

Sie hatte den Wecker ihres Telefons auf 5:45 Uhr gestellt, weil sie eine Menge zu tun hatte. Mich weckte sie ebenfalls, erlaubte mir eine Tasse Kaffee und sagte, ich solle meine Laufsachen anziehen.

»Meine Waden tun immer noch weh«, sagte ich.

»Nur weil du dir sagst, dass sie noch wehtun.«

»Ich will heute Morgen nicht laufen«, beschwerte ich mich.

»Da hast du Pech, Baby.« Sie warf die Laufhose in meine Richtung.

Der Morgen war kalt und neblig. »Perfekt für einen Straßenlauf«, meinte sie und zwang mich, in meiner Einfahrt ihre zwölfminütigen Dehnübungen mitzumachen. Den Timer ihres Telefons stellte sie so ein, dass es alle dreißig Sekunden klingelte. Es gab vierundzwanzig Positionen, die ich zu halten hatte, mit jeder wurde eine Sehne oder ein Muskel in mir gedehnt, jedes Mal schmerzte es aufs Neue, ich fluchte, und mir wurde schwindelig.

»Bestens, Baby«, sagte sie und erklärte mir die Strecke, die wir durch mein Viertel laufen würden, sie dreimal, ich zweimal. Mr Moore holte gerade seine Morgenzeitung herein, als ich vorbeikam.

»War das die Frau? Die vor einer Minute hier vorbeigerauscht ist?«, rief er. Ich keuchte und konnte nur nicken. »Was zum Teufel sieht die in Ihnen?«

Ein paar Minuten später überrundete mich Anna und gab mir einen Schlag auf den Hintern. »Bestens, Baby!«

Ich war wieder zu Hause unter der Dusche, und sie kam dazu. Wir küssten uns ausgiebig und berührten uns an unseren wunderbaren Stellen. Sie zeigte mir, wie ich ihren Rücken schrubben sollte, und sagte, ich solle mittags zu ihr ins Büro kommen, um für den Tauchkurs zu lernen. Ich war noch nicht über die ersten Seiten des Buches hinausgekommen, sie hatte ihres schon halb durchgearbeitet. Wann sie die Zeit dafür gefunden hatte, übersteigt mein Vorstellungsvermögen.

Den Nachmittag verbrachte ich in ihrem Büro, beantwortete Multiple-Choice-Fragen zur Tauchausrüstung und ihrer Verwendung, sah durch verschiedene Immobilienlisten (ich stümpere immer noch ein bisschen herum) und versuchte, die ernst über ihre Grafikarbeiten gebeugten Frauen zum Lachen zu bringen. Keine Chance. Währenddessen hielt Anna eine ewig lange Telefonkonferenz mit einem Kunden in Fort Worth, Texas, entwarf neue Titelseiten für eine Sachbuchreihe, las drei Projekte Korrektur, half ihrer gefährdeten Praktikantin bei ihren Geometrieaufgaben, räumte einen Materialschrank auf und beendete auch die zweite Hälfte unserer Tauchkursaufgaben. Unser erster Theorieunterricht stand noch aus.

Aber das machte nichts. Wir waren die einzigen Kursteilnehmer. Wir sahen uns ein paar Videos über die herrliche Unterwasserwelt an und gingen in den Pool. Im flachen Wasser stehend, erklärte uns Vin, unser Lehrer, jedes einzelne Teil unseres Druckluftauchgeräts. Das nahm einige Zeit in Anspruch, nicht zuletzt, weil Anna mindestens je fünf Fragen zu den verschiedenen Teilen hatte. Am Ende ließ Vin uns unsere Mundstücke (mit den Atemreglern) in den Mund nehmen, auf die Knie und mit den Köpfen unter Wasser gehen, die metallisch schmeckende Druckluft einatmen und Blasen ausstoßen. Der Unterricht endete mit einem Wasserfitnesstest, für den wir zehn Längen zu schwimmen hatten. Ich schwamm gemächlich Brust und kam als Zweiter ins Ziel, lange nach der Ersten.

Hinterher fuhren wir zur East Village Market Mall und trafen Steve Wong und MDash auf einen Milkshake im Ye Olde Sweet Shoppe. Anna nahm eine kleine Schüssel zucker- und milchfreien, mit echtem Zimt bestäubten Joghurt. Während wir dort beieinandersaßen und unsere Leckereien genossen, legte Anna ihre Hand in meine, eine Geste der Zuneigung, die nicht unbemerkt blieb.

Abends in ihrem Bett scrollte sich Anna ein letztes Mal durch ihr iPad, als ich eine Textnachricht von Steve Wong bekam.

SWong: bumst du A???

Ich tippte meine Antwort.

Moonwalker7: was geht dich das an?
SWong: ja/nein?
Moonwalker7: 😂

SWong: bist du irre???
Moonwalker7: 🏎️ 🏃 🚀 🎯 🏹 !! 🏁 😌

MDash gesellte sich zu uns.

FACEOFAMERICA: 😮
Moonwalker7: wurde verführt
FACEOFAMERICA: »wenn köche vögeln brennt gulasch an«
Moonwalker7: wer sagt das? der dorfschamane?
FACEOFAMERICA: »wenn trainer vögelt verliert mannschaft« vince lombardi

Und so ging es weiter. Steve Wong und MDash sahen nichts Gutes in der Verbindung von Anna und mir. Da hatten sie Pech! An diesem Abend trieben Anna und ich es wie die Brezelbäcker in Green Bay, Wisconsin, süchtig nach Lust.
😌

7. Tag

»Sollten wir mal über unsere Beziehung sprechen?«

Die Frage kam von *mir*. Ich stand in Annas kleiner Küchenecke, nach dem Duschen nur in ein Badetuch gehüllt, und drückte den Filter ihrer Schweizer Cafetiere herunter, um mir mein gewohntes Morgenelixier zu bereiten. Sie war schon seit einer Stunde auf und in ihren Laufsachen. Zum Glück lagen meine Cross Trainer bei mir zu Hause. Heute also kein Marathontraining für mich.

»*Willst* du über unsere Beziehung sprechen?«, fragte sie und fegte ein paar Kaffeemehlkrümel zusammen, die auf ihrer klinisch reinen Arbeitsfläche gelandet waren.

»Sind *Wir* ein Thema?«, fragte ich.

»Was denkst *du?*«, fragte sie zurück.

»Siehst du mich als deinen *Freund?*«

»Siehst du mich als deine *Freundin?*«

»Wird hier einer von uns was Definitives sagen?«

»Woher soll *ich* das wissen?«

Ich setzte mich und nahm einen Schluck Kaffee, der zu stark geraten war. »Kann ich etwas Milch haben?«, fragte ich.

»Glaubst du, dieses Zeugs ist gut für dich?« Sie gab mir eine kleine Flasche mit nicht pasteurisierter Mandelmilch, die in ein paar Tagen aufgebraucht werden muss und als Milch verkauft wird, tatsächlich aber aus verflüssigten Nüssen besteht.

»Könntest du vielleicht richtige Milch kaufen? Für meinen Kaffee?«

»Warum bist du so anspruchsvoll?«

»Ist der Wunsch nach Milch anspruchsvoll?«

Sie lächelte und nahm mein Gesicht in die Hände. »Bist du der richtige Mann für mich?«

Anna küsste mich. Ich wollte etwas Definitives sagen, aber sie setzte sich auf meinen Schoß und öffnete das Badetuch. Sie ging nicht laufen.

8. bis 14. Tag

Mit Anna zusammen zu sein war, als trainierte ich für meine Aufnahme bei den Navy Seals und arbeitete gleichzeitig während der Tornadosaison im Amazon-Logistikzentrum von Oklahoma. Jede einzelne Minute des Tages war verplant. Meine 14:30-Uhr-Schläfchen gehörten der Vergangenheit an.

Ich trainierte regelmäßig, joggte morgens, schwamm im Tauchkurs, dehnte mich yogamäßig (am Ende fast eine halbe Stunde lang) und ging mit Anna zum Hot-Room-Spinning, was so anstrengend war, dass ich mich übergeben musste. Was wir alles erledigten, war der Irrsinn und folgte keiner Aufgabenliste oder App, die wir abarbeiteten, sondern wurde aus dem Moment geboren, *ad hoc*. Unablässig. Wenn sie nicht gerade arbeitete, trainierte oder mich im Bett auspumpte, ruhte Anna nicht, sondern suchte nach etwas anderem, fragte, was es hinten im Laden noch gebe, fuhr zu einer Haushaltsauflösung am anderen Ende der Stadt oder ging zu Home Depot, um Steve Wong nach einem Bandschleifgerät für mich zu fragen, da die Platte des Redwood-Picknicktisches hinten in meinem Garten abgeschliffen werden musste. Jeden Tag (den ganzen Tag!) folgte ich ihren Anweisungen – auch ihren genauen Fahrinstruktionen.

»An der nächsten links. Fahr da vorne nicht runter. Nimm die Webster Avenue. Warum fährst du *hier* rechts? Nicht an der Schule vorbei! Es ist fast drei, da kommen die Kinder alle raus!«

Sie organisierte ein Probeklettern für Steve Wong, MDash und mich in einem neu eröffneten Abenteuer-Superstore, wo es nicht nur eine Kletterwand, sondern auch einen Indoor-Wildbach zum Kanufahren und eine Fallschirmkammer gab, in der der behelmte Kunde auf einem von einem riesigen Propeller erzeugten Luftkissen lag und das Gefühl des freien Falls erlebte. Muss ich sagen, dass wir an dem Abend alles ausprobierten? Wir waren da, bis sie zumachten. Steve Wong und MDash fühlten sich wie echte Kerle, nachdem sie den ganzen Tag in ihren Home-Depot-Schürzen herumgelaufen waren, ich mich vor allem ausgelaugt, folgte ich doch schon zu lange Annas überladenem Terminplan. Ich brauchte unbedingt ein Schläfchen.

Zwischendurch hatten wir Zeit für einen Proteinsnack am Energy-Stand, und Anna verschwand kurz auf der Toilette.

»Wie ist es?«, wollte MDash wissen.

»Wie ist was?«, sagte ich.

»Mit dir und Anna. Im Baum sitzen, *K-N-U-T-S-C-H-E-N*.«

»Hältst du's aus?«, fragte Steve Wong. »Du wirkst erschöpft.«

»Na ja, ich war gerade Fallschirmspringen.«

MDash warf seinen nur halb gegessenen Proteinriegel in den Müll. »Früher hab ich immer gedacht, der Kerl hat's raus. Hat ein süßes kleines Haus mit einem hübschen Garten hinten und arbeitet nur für sich selbst. Er könnte sogar seine Uhr wegwerfen, weil er nie irgendwann irgendwo sein muss. Für mich warst du immer das Amerika, in dem ich mal leben wollte. Und jetzt katzbuckelst du vor einer Chefin.«

»Wie ging noch das Sprichwort, das du mir erklärt hast«, wollte Steve wissen.

»Noch was vom Dorfschamanen?«, fragte ich.

»Nein, diesmal vom Englischlehrer des Dorfes«, sagte MDash. »*Um die Welt zu umrunden, braucht ein Schiff nur ein Segel, ein Ruder, einen Kompass und eine Uhr.*«

»Weise Worte in einer von Land umgebenen Nation«, sagte ich. MDash ist südlich der Sahara aufgewachsen.

»Anna ist der Kompass«, erklärte mir MDash. »Du bist die Uhr, und indem du dich nach ihr ausrichtest, kommst du von der Bahn ab. Du zeigst nur noch zweimal am Tag die richtige Zeit an, und wir erfahren nie, wo wir wirklich sind.«

»Bist du sicher, dass Anna nicht das Segel ist?«, sagte ich.

»Warum kann ich nicht das Ruder sein und Steve der Kompass? Ich kapier die Analogie nicht.«

»Dann lass es mich in Worte fassen, die du verstehst«, sagte Steve. »Wir sind eine ethnisch bunt besetzte Fernsehserie. Er ist der Afrikaner, ich bin der Asiate, du der hellhäutige Bastard, Anna die entschlossene Frau, die sich von keinem Mann einen Stempel aufdrücken lässt. Dich und sie zusammenzubringen ist, als wollte der Sender die Serie in Staffel sieben mit Gewalt weiter am Leben erhalten.«

Ich sah MDash an. »Verstehst du diese popkulturelle Metapher?«

»Das Wesentliche. Ich hab einen Kabelanschluss.«

»Wir vier«, erklärte Steve, »sind das perfekte Quadrat. Dass du mit Anna ins Bett steigst, bringt die Geometrie durcheinander.«

»Wie?«

»Sie sorgt dafür, dass in unseren Leben was passiert. Sieh uns an. Es ist fast Mitternacht, und wir haben an Felsen gehangen, gerudert und sind Fallschirm gesprungen. Was ich sonst nie unter der Woche tun würde. Sie ist unser Katalysator.«

»Ihr habt's mit Segelbooten, Fernsehsendungen, Geometrie und Chemie versucht, trotzdem kapier ich nicht, warum ich nicht mit Anna zusammen sein sollte.«

»Ich sage Tränen voraus«, verkündete MDash. »Für dich, für Anna, für uns alle. Tränen, die uns nur so aus den Augen schießen.«

»Hört zu«, sagte ich und schob meinen Protein-Brownie weg, der tatsächlich wie ein Brownie schmeckte. »Zu einer der folgenden Möglichkeiten wird es zwischen mir und meiner Freundin kommen. Ja, meiner *Freundin*.« Ich warf einen

Blick zu ihr hinüber. Anna stand weit entfernt an einer Theke mit einem großen Schild, auf dem zu lesen war: »IN ABENTEUER INVESTIEREN!«, und redete mit einem Angestellten. »Erstens: Wir heiraten, bekommen Kinder, und ihr werdet ihre Paten. Zweitens: Wir trennen uns öffentlich, tief verletzt und mit schweren gegenseitigen Vorwürfen. Dann müsst ihr Stellung beziehen, schlagt euch auf meine Seite oder bleibt gegen die bestehenden Geschlechterregeln mit ihr befreundet. Drittens: Sie lernt jemand anderen kennen, serviert mich ab, und ich werde zu einem melancholischen Loser, und sagt jetzt *nicht*, dass ich das schon bin. Viertens: Sie und ich, wir trennen uns gütlich und beschließen, *Freunde* zu bleiben, wie wir's aus dem Fernsehen kennen. Was in jedem Fall bleibt, sind die Erinnerungen ans Klettern und Wildwasser und für mich an den tollsten Sex, den ich je hatte. Damit können wir alle leben, weil wir große, erwachsene Jungs sind. Und gebt's zu: Wenn Anna mit euch tun wollte, was sie mit mir tut, wärt ihr beide Feuer und Flamme.«

»Und du wärst der, der Tränen voraussagt«, ergänzte Steve Wong.

In dem Moment kam Anna mit einem Grinsen auf dem Gesicht zurück und wedelte mit einem dicken, farbig glänzenden Katalog. »Hallo, Leute!«, sagte sie. »Wer kommt mit in die Antarktis?«

15. Tag

»Wir brauchen die richtige Ausrüstung.« Anna tauchte einen Beutel der Rainbow Tea Company in ihre Tasse heißes Wasser. Sie trug ihre Laufsachen, und ich zog gerade meine

Cross Trainer an. »Lange Unterhosen. Anoraks und Jacken. Fleecepullover. Wasserdichte Stiefel. Wanderstöcke.«

»Handschuhe«, fügte ich hinzu. »Mützen.« Die Fahrt in die Antarktis war noch drei Monate, etliche Zeitzonen und Tausende Kilometer entfernt, und Anna befand sich bereits voll im Planungsmodus. »Wird da am Südpol nicht Sommer sein?«, fragte ich.

»Bis zum Pol schaffen wir es nicht. Bis zum Polarkreis vielleicht, aber nur, wenn Wetter und Meer mitspielen. Und selbst dann gibt's immer noch jede Menge Eis und Wind.«

Wir gingen hinaus, um uns vorn auf dem Rasen fünfundvierzig Minuten lang zu dehnen, befeuchteten unsere nach unten sehenden Hunde und Kobras mit Tau, und *bing!*, der Timer meldete sich, und ich versuchte, meine Stirn auf die Kniescheiben zu legen. Na dann.

Anna war in der Lage, sich wie ein Kartentisch zusammenzufalten. »Du weißt doch«, sagte sie, »dass die Apollo-Astronauten in der Antarktis waren, um die Vulkane dort zu erforschen.« Anna wusste um meine Sucht nach allem, was mit bemannter Raumfahrt zu tun hatte. Was sie nicht wusste, war, wie gut ich mich tatsächlich auskannte.

»Sie haben auf Island trainiert, junge Dame. Wenn irgendwelche Astronauten in der Antarktis waren, dann lange nachdem sie sich zur Ruhe gesetzt, dem Tod in den Raumschiffen der NASA eins ausgewischt und den Gang des menschlichen Schicksals verändert hatten.« *Bing.* Ich versuchte meine Fersen zu umfassen und steckte meine armen Waden wieder mal in Brand.

»Wir werden Pinguine, Wale und Forschungsstationen sehen«, sagte Anna. »Und den B15k.«

»Was ist das?«

»Ein Eisberg von der Größe Manhattans, so groß, dass man seinen Weg via Satellit verfolgt. Er ist 2003 vom Ross-Schelf abgebrochen und bewegt sich gegen den Uhrzeigersinn um die Antarktis. Wenn das Wetter es zulässt, können wir einen Hubschrauber mieten und darauf landen!«

Bing. Auch die letzte Übung war geschafft. Anna lief los. Ich versuchte mitzuhalten, doch das war nicht möglich, nicht bei der Energie, die ihre Begeisterung über den B15k entfachte.

Als ich an Mr Moores Haus vorbeitrabte, setzte er sich gerade mit einer Thermostasse ins Auto. »Ihre Freundin ist hier vor 'ner Minute vorbei. Die hat übel Gas gegeben.«

Nach der Dusche und einem Frühstück mit Avocado auf getoastetem Dinkelbrot nahm Anna den bei Steve Wong gekauften Bandschleifer und machte sich daran, meinen Picknicktisch von Farbe zu befreien. Ich kam ihr mit Schmirgelpapier zu Hilfe.

»Wenn das Holz sauber ist, musst du es neu streichen. Hast du den richtigen Lack?« Hatte ich. »Bis heute Abend solltest du damit fertig sein. Dann kommst du zu mir, wir essen und rocken das Bett.« Nichts dagegen, dachte ich. »Ich muss jetzt zur Arbeit.« Bevor sie ging, deutete sie noch auf ein paar andere hölzerne Dinge, die geschliffen und neu gestrichen werden mussten: eine Bank, die Küchentür zum Garten und den alten Schuppen, in dem ich meine Rasenspielzeuge und meine Sportausrüstung aufbewahre. Damit war ich für den Rest des Tages beschäftigt.

Ich war völlig verschwitzt, verstaubt und voller Farbe, als Anna eine Nachricht schickte.

AnnaGraphicControl: essen in 15

Ich brauchte eine halbe Stunde, musste aber vor dem Essen noch duschen. Wir aßen in ihrem Wohnzimmer – große Schüsseln mit vietnamesischer *Pho* – und sahen uns zwei Folgen von *Unsere gefrorene Erde* auf Blue Ray an. Über drei Stunden lang erfuhren wir alles über Zügelpinguine und Krabbenfresser-Robben, die es nur, ratet mal, auf was für einem Teil unseres Planeten gibt.

Ich schlief ein, bevor es zu irgendwelchem Sex kam.

16. Tag

Anna hatte eine frühmorgendliche Tauchstunde vereinbart, ohne es mir vorher zu sagen.

Vin ließ uns in voller Ausrüstung, mit Flaschen, Gewichten und allem, auf dem Grund im tiefen Wasser des Beckens knien, und wir mussten jedes Teil unseres Tauchgeräts abnehmen, einschließlich unserer Masken, den Atem anhalten und alles wieder anlegen. Danach sagte Vin, ich sei mit den Aufgaben aus dem Lehrbuch stark im Rückstand und müsse sehen, wie ich das aufholen wolle.

»Warum bist du damit noch nicht durch?«, wollte Anna wissen.

»Ich hatte eine Verabredung mit einem Bandschleifer.«

Auf der Fahrt nach Hause fühlte ich ein kreidiges Kratzen hinten im Hals, als bekäme ich eine Erkältung.

»Sag nicht, dass du krank wirst«, sagte Anna. »Wenn du sagst, dass du krank wirst, *erlaubst* du dir, krank zu werden.«

Ihr Telefon klingelte, und sie antwortete über die Freisprechanlage. Es war einer ihrer Kunden aus Fort Worth. Ein Bursche namens Ricardo machte Witze über Farbmuster und brachte Anna zum Lachen. Sie bog in meine Einfahrt und blieb im Auto sitzen, um das Gespräch zu beenden. Ich ging ins Haus.

»Wir müssen nach Fort Worth«, verkündete sie, als sie endlich in die Küche kam. Ich machte gerade eine Nudelsuppe mit Huhn aus der Tüte heiß.

»Warum?«, fragte ich.

»Ich muss Ricardo bei einer Präsentation die Hand halten. Das ist übrigens keine Suppe, das ist reines Natrium.«

»Ich erlaube mir, krank zu sein. Da hilft Suppe.«

»Der Dreck bringt dich um.«

»Muss ich mit nach Fort Worth?«

»Warum nicht? Du hast nichts vor. Wir bleiben über Nacht und besuchen die Sehenswürdigkeiten.«

»Von Fort Worth?«

»Es wird ein Abenteuer.«

»Meine Nase läuft, und ich habe das Gefühl, in meinem Kopf summt ein ganzer Bienenschwarm.«

»Das hört auf, wenn du aufhörst, darüber zu reden«, sagte sie.

Zur Antwort nieste ich, hustete und putzte mir die Nase. Anna schüttelte nur den Kopf.

17. Tag

Und das gab es in Fort Worth zu sehen:

Den riesigen Flughafen. Voll mit so vielen Leuten, dass man den Eindruck haben könnte, die texanische Wirtschaft sei zusammengebrochen und die Bevölkerung fliehe.

Die Gepäckausgabe. Wurde gerade umgebaut. Die Folge: Chaos und die Gefahr von Handgreiflichkeiten. Anna hatte drei Koffer aufgegeben, die ganz zuletzt die Rampe herunterkamen.

Einen Bus. Rundum voll mit riesigen Buchstaben: PO-NYCAR PONYCAR PONYCAR. *PonyCar* war eine neue Beförderungsmöglichkeit, neben Uber und den Mietwagenfirmen. Anna hatte einen Gutschein für ein Wochenende – woher, kann ich nicht sagen. Der Bus brachte uns zu einem Parkplatz voller winziger Autos, auf denen ebenfalls *PonyCar* stand. Ich habe keine Ahnung, wo die Dinger hergestellt werden, aber sie sind eindeutig für kleine Leute gemacht. Wir zwei und unser Gepäck mussten in einem Innenraum untergebracht werden, der eigentlich allenfalls für uns und ein Drittel unseres Gepäcks gereicht hätte.

Das DFW Sun Garden Hotel. Weniger ein Hotel als eine Ansammlung von Sparsuiten und Verkaufsautomaten, um Reisende mit limitierten Spesenkonten zu beherbergen. Als wir in unser kleines Zimmer kamen, legte ich mich gleich hin, während sich Anna geschäftsmäßig kleidete und mit Ricardo telefonierte. Sie winkte mir zum Abschied zu und war auch schon aus der Tür, ihren Firmenrollkoffer im Schlepp.

Die Erkältungswatte in meinem Kopf sorgte dafür, dass ich den Fernseher nicht in Gang bekam. Ich kannte das Menü des Kabelprogramms nicht. Der einzige Kanal, den ich herbekam, war der des Sun-Garden-Hotels, der die Herrlichkeiten und Wunder der Sun-Garden-Hotels rund um die Welt präsentierte. Neue Hotels sollten bald eröffnet werden, in Evansville, Indiana; Urbana, Illinois, und Frankfurt. Auch das Telefonsystem erschloss sich mir nicht. Ich blieb immer wieder im selben Stimmauswahlmenü hängen. Hungrig, wie ich war, schleppte ich mich in die »Lobby«, um mich an den Verkaufsautomaten mit Essbarem zu versorgen.

Die Automaten standen in einem eigenen kleinen Raum, zusammen mit einem schmalen Büfetttisch mit Äpfeln und Müslispendern. Ich bediente mich an allem. In einem der Automaten gab es Pizzastücke, in einem anderen Toilettenartikel und Erkältungsmittel. Nach vier vergeblichen Versuchen, meinen zerknitterten Zwanzig-Dollarschein hineinzufüttern, erstand ich ein paar Kapseln, ein paar Tabletten, ein paar Einzeldosen Tropfen und ein Fläschchen mit der Aufschrift *Boost-Blaster!*, das sich mit superhoch dosierten Antioxidantien und Enzymen rühmte und was sonst noch so Gutes in Mangold und Fisch steckt.

Zurück in meinem Zimmer, riss ich Verpackungsfolien herunter, drehte kindergesicherte Verschlüsse auf, machte mir einen Cocktail aus je zwei Einheiten von allem und spülte das Ganze mit *Boost-Blaster!* herunter.

18. Tag

Ich wachte auf und hatte keine Ahnung, wo ich war. Ich hörte jemanden duschen, sah einen Lichtspalt unter der Tür und einen Stapel Bücher auf dem Nachttisch. Die Badezimmertür flog auf, und hell leuchtender Dampf blendete meine Augen.

»Er lebt!« Eine nackte Anna trocknete sich ab. Sie war bereits laufen gewesen.

»Ach ja?« Ich fühlte mich keinen Deut besser. Wirklich gar keinen. Nur noch benommener.

»Hast du all dieses Zeugs genommen?« Sie zeigte auf den kleinen Schreibtisch, der mit den Überbleibseln meiner Selbstmedikation übersät war.

»Ich bin immer noch krank«, sagte ich schwach.

»Das zu sagen sorgt dafür, dass du immer noch krank bist.«

»Ich fühle mich so mies, dass deine Logik sogar vernünftig klingt.«

»Du hast was verpasst, Baby. Wir waren gestern Abend noch bei einem Biomexikaner. Ricardo hatte Geburtstag. Etwa vierzig Leute waren da, und es gab eine Piñata. Hinterher sind wir noch auf einen Rennkurs und mit kleinen Hot-Rods gefahren. Ich hab versucht, dich anzurufen, und Nachrichten geschickt, vergeblich.«

Ich nahm mein Telefon. Zwischen 18:00 und 1:30 Uhr gab es dreiunddreißig verpasste Anrufe und Textnachrichten von *AnnaGraphicControl.*

Anna zog sich an. »Du musst packen. Wir checken aus, fahren in Ricardos Büro zu einer Besprechung und dann gleich zum Flughafen.«

Anna steuerte das *PonyCar* in einen Industriepark irgendwo in Fort Worth, Texas. Ich setzte mich in den Empfangsbereich, fühlte mich schrecklich, putzte mir wieder und wieder die Nase und versuchte, mich auf ein Buch auf meinem Kobo-Reader zu konzentrieren, war aber zu benebelt. Ich spielte ein Handy-Game, das 101 hieß und bei dem ich Multiple-Choice-Fragen zu beantworten hatte. Richtig oder falsch: Präsident Woodrow Wilson hatte im Weißen Haus eine eigene Schreibmaschine. Richtig! Im Zwei-Finger-Adler-Suchsystem tippte er auf seiner Hammond-Type-o-Matic eine Rede, in der er um Unterstützung für den Ersten Weltkrieg warb. Nachdem ich ewig lange so dagesessen hatte, brauchte ich frische Luft und unternahm einen vorsichtigen Spaziergang durch den Industriepark. Alle Gebäude sahen gleich aus, und ich verlief mich. Glücklicherweise entdeckte ich dann aber ein *PonyCar*, der sich als unseres entpuppte.

Anna war da, stand sich mit ihren Kunden die Beine in den Bauch und wartete. »Wo warst du?«

»Sightseeing«, sagte ich. Sie stellte mich Ricardo und dreizehn weiteren Fachbuchmanagern vor. Ich gab keinem von ihnen die Hand, nicht mit meiner Erkältung.

Das *PonyCar* zurückzugeben war so einfach wie versprochen, nur ließ der Bus zum Abflugterminal auf sich warten. Um unseren Flug noch zu erwischen, mussten Anna und ich durch den DFW-Flughafen rennen wie zwei Figuren aus einem Film, die wahlweise ein irres Liebespaar auf dem Weg in den Urlaub oder FBI-Agenten waren, die einen Terrorangriff verhindern wollten. Wir schafften es gerade noch, aber nicht mehr rechtzeitig, um zwei Plätze nebeneinander zu bekommen. Anna saß vorne, ich ganz hinten. Beim Start schmerzten meine verstopften Ohren ganz fürchterlich, bei der Landung noch mehr.

Auf dem Weg nach Hause hielt Anna an einem Schnapsladen und kaufte eine kleine Flasche Brandy. Ich musste einen ziemlichen Schluck daraus nehmen, dann packte sie mich ins Bett, zog das Kissen zurecht und gab mir einen Kuss auf die Stirn.

19. und 20. Tag

Ich war schlicht und einfach krank, und Bettruhe und viel Trinken waren das Einzige, was half, wie es bei Erkältungen eben ist, seit der erste Neandertaler niesen musste.

Anna hatte ihre eigenen Vorstellungen. Zwei Tage lang war sie im Einsatz, um mich schneller gesund zu bekommen. Nackt musste ich mich auf einen Stuhl setzen und die Füße in eine Schüssel mit kaltem Wasser stellen. Dann verkabelte sie mich mit so etwas wie einem EKG-Gerät, ich musste alles Metall ablegen, trug sowieso keins, und sie drückte einen Schalter. Ich spürte nichts.

Aber nach einiger Zeit wurde das Wasser um meine Füße trüb, dann braun und schließlich sogar fest, bis es wie der unappetitlichste Wackelpudding aussah, den man sich vorstellen konnte. Es wurde so dick, dass ich, als ich die Füße herauszog, das Gefühl hatte, sie steckten in schwerem Schlick. Und es stank!

»Das ist das schlechte Juju aus dir«, sagte Anna, als sie das Zeugs die Toilette hinunterspülte.

»Aus meinen Füßen?«, fragte ich.

»Ja, das ist erwiesen. Das ist das ganze schlechte Essen, die Körpergifte und Fette. Sie kommen aus deinen Füßen.«

»Darf ich jetzt zurück ins Bett?«

»Bis zu deiner Dampfdusche.«

»Ich habe keine Dampfdusche.«

»Doch. Wart's nur ab.«

Anna installierte eine Reihe Plastikvorhänge in meiner Dusche und einen tragbaren Dampfautomaten, den sie auf volle Kraft einstellte. Ich saß auf einem Hocker und schwitzte, bis ich drei große Flaschen mit irgendeinem schwachen Tee getrunken hatte. Das dauerte, da der Tee wie Abwasser schmeckte und die Blase eines Mannes nun mal nur eine gewisse Menge Abwasser aufzunehmen vermag.

Ein Heimtrainer wurde angeliefert. Anna setzte mich alle anderthalb Stunden darauf, und ich musste exakt zwölf Minuten in die Pedale treten und meine Körpertemperatur so weit hochtreiben, dass ich zu schwitzen begann.

»So kochst du den Schleim aus dir heraus«, sagte sie.

Drei Mahlzeiten hintereinander fütterte sie mich schüsselweise mit einem wässrigen Eintopf voller Rüben- und Sel-

leriebröckchen und ließ mich einstündige, langsame Dehnübungen machen, wobei ich die Instruktionen des Lehrers
auf ihrem iPad genau zu befolgen hatte.

Zuletzt stöpselte sie einen Apparat ein, der wie ein elekt-
risches Stück Seife aussah, einen Summton von sich gab und
vibrierte. Die Schachtel war ausschließlich russisch beschriftet. Ich musste mich nackt auf den Boden legen, und sie rieb
mit dem Ding, was immer es sein mochte, über meinen ganzen Körper, die Vorder- und Rückseite. Die Kommunisten-
maschine machte verschiedene Geräusche, je nachdem, über
welche Teile meines Körpers sie fuhr.

»Bestens, Baby!«, sagte Anna. »Bald haben wir es!«

Ich gönnte mir heimlich ein paar Nyquils und Sudafeds,
bevor ich zurück ins Bett krabbelte und ins Reich der Träume
entschwand.

21. Tag

Am nächsten Morgen fühlte ich mich besser. Das Bettzeug
war so durchgeschwitzt, dass ich es wie ein Fensterleder
hätte auswringen können.

Anna hatte eine Nachricht auf meine Kaffeemaschine
geklebt.

*Als ich ging, hast du tief und fest geschlafen. So mag ich
dich. Wenn du die Suppe aus dem Kühlschrank isst, hast du es
hinter dir. Trink sie kalt am Morgen, heiß am Mittag. Und setz
dich am Vormittag zweimal auf den Heimtrainer und dehne
dich eine Stunde nach dem Link, den ich dir gemailt habe. Hinterher noch eine DAMPFDUSCHE, bis du drei Flaschen des-
tilliertes Wasser getrunken hast! Schwitz das Kochsalz aus dir
raus! A.*

Ich war allein in meinem Haus und konnte meinen eigenen Regeln folgen, ignorierte Annas Instruktionen und trank Kaffee mit heißer Milch. Ich las die *Times*, die richtige, gedruckte Ausgabe, nicht die Onlineversion, die Anna bevorzugte, weil die Papierverschwendung eine Versündigung an unserer Erde war, Recycling hin oder her. Ich gönnte mir ein nahrhaftes Frühstück mit Eiern und gebratenen *Linguiça*-Scheiben (das ist eine portugiesische Wurst), einer Banane, einer Erdbeer-Pop-Tart, Papayasaft aus dem Tetra-Pak und einer großen Schüssel Cocoa Puffs.

Kein Dehnen. Kein Heimtrainer und auch keine Plastikkabinen-Dampfdusche. Annas E-Mail-Link klickte ich weg. Stattdessen verbrachte ich den Vormittag mit Waschen, vier Ladungen, einschließlich der Bettwäsche. Währenddessen hörte ich meine Mixtape-CDs und sang mit. Ich genoss es, nicht einer von Annas Anweisungen zu folgen. Es war das *Beste Denkbare Leben.*

Was die Antwort auf die Frage war, die mir Anna zwei Wochen zuvor gestellt hatte: Nein, ich war nicht der richtige Mann für sie.

Als sie anrief, um zu fragen, wie es mir ging, gestand ich, ihre Anweisungen nicht befolgt zu haben. Ich sagte auch, dass ich mich gesund fühlte, ausgeruht und wieder ganz wie ich selbst. Und für wie wundervoll ich sie auch hielte und für was für eine Pflaume mich selbst, *bli bla bla, bli bla blubb* …

Bevor ich die richtigen Worte fand, sprach Anna es aus.

»Du bist nicht der richtige Mann für mich, Baby.«

Da lag kein Fitzelchen Groll in ihrer Stimme, keine Verurteilung oder Enttäuschung. Sie sprach es so einfach und offen aus, wie ich es nie gekonnt hätte. »Es ist mir schon eine Weile klar«, sagte Anna und kicherte. »Ich hab dich mürbe gemacht und hätte dich auf Dauer verschlissen.«

»Wann wolltest du es mir sagen?«

»Wenn du bis Freitagmorgen nicht selbst damit herausgekommen wärst, hätten wir *Das Gespräch* geführt.«

»Warum gerade Freitagmorgen?«

»Weil ich Freitagabend zurück nach Fort Worth fliege. Ricardo geht mit mir Ballon fahren.«

Ein Teil meines männlichen Stolzes hoffte gleich, dass auch Ricardo nicht der Richtige für Anna war.

———

Er war es nicht. Anna hat mir nie gesagt, warum.

Nur der Vollständigkeit halber: Meinen Tauchschein habe ich gemacht. Anna und ich sind mit Vin und einem Dutzend anderer Leute ins Seetanggebiet vor der Küste gefahren. Wir haben unter Wasser geatmet und sind durch Tang geschwommen wie durch einen riesigen Meereswald. Es gibt ein tolles Foto von ihr und mir hinterher an Bord, wie wir unsere Tauchanzugarme umeinandergelegt haben und mit unseren kalten, nassen Gesichtern breit in die Kamera lächeln.

Nächste Woche geht es in die Antarktis. Anna hat einen Großeinkauf organisiert und dafür gesorgt, dass wir alle die notwendige Ausrüstung haben. Mit MDash ist sie noch mal extra los, damit er auch wirklich genug dabeihat, um nicht auszukühlen. Er war noch nie an einem Ort, der kalt genug für Zügelpinguine und Krabbenfresser-Robben war.

»Südlicher Polarkreis, wir kommen!«, rief ich und führte meinen grünen Parka samt zusätzlicher Außenhaut vor. Anna lachte.

Wir werden nach Lima in Peru fliegen, die Flugzeuge wechseln, und weiter geht es nach Punta Arenas in Chile, wo wir auf ein Schiff steigen, um von Südamerika zur alten Forschungsstation in Port Lockeroy überzusetzen, unserem ersten Halt. Das Meer in der Drakestraße kann ganz schön rau und ungestüm werden, heißt es. Aber mit einem Segel und einem Ruder, einem Kompass und einer guten Uhr wird sich unser Schiff schon hindurchschneiden, zur Antarktis und zu tollen Abenteuern.

Oh, ja, und zum B15K.

Heiligabend 1953

Virgil Beuell schloss den Laden erst kurz vor dem Abendessen, als leichter Schneefall einsetzte. Die Straße zurück nach Hause war glatt und wurde immer noch glat-
ter, also fuhr er langsam, was in seinem Plymouth mit dem
PowerFlite-Automatikgetriebe herrlich leicht ging. Keine
Kupplung, kein Schalten, ein Wunderwerk der Ingenieurskunst. Von der Straße zu schlittern und im Schnee stecken
zu bleiben wäre heute Abend eine Katastrophe. Im Kofferraum des Plymouth lagen all die Schätze, die der Weihnachtsmann am nächsten Morgen bringen sollte, versteckt
und unentdeckt, seit die Kinder ihre Wünsche vor Wochen
aufgeschrieben hatten. Die Geschenke mussten in ein paar
Stunden unterm Baum liegen, und sie aus dem Kofferraum
eines im Schnee feststeckenden Autos in die Fahrerkabine
eines Abschleppwagens schaffen zu müssen würde den Heiligen Abend fürchterlich durcheinanderbringen.

Die Fahrt nach Hause dauerte länger als gewöhnlich, ja,
doch das machte Virgil nichts aus. Nur die Kälte hasste er.
PowerFlite hin oder her, wie oft verfluchte er die Leute bei
Plymouth, weil sie nicht in der Lage waren, ein Auto mit
einer Heizung zu bauen, die etwas taugte. Als er langsam vor
dem Haus vorfuhr, das Gelb der Scheinwerfer über die Ver-
kleidung der hinteren Veranda wischte und das Knirschen
der Reifen auf dem Kies der Einfahrt verstummte, spürte er
die Kälte schmerzhaft in den Knochen. Virgil musste besonders aufpassen, um auf dem Weg zur Tür nicht auszurut-

schen, wie es ihm schon viel zu oft passiert war. Trotzdem gelangte er so schnell ins Haus, wie es ein arbeitender Mann konnte.

Er trat sich den Schnee von den Überschuhen, hängte die verschiedenen Schichten warmer Kleidung an die Garderobe, und sein Körper taute in der durch die Gitter aus dem Keller dringenden Wärme langsam wieder auf. Nach dem Kauf des Hauses hatte er selbst einen neuen Heizkessel installiert, der für ihr bescheidenes Zuhause weit überdimensioniert war. Daneben hatte er einen wahren Koloss von einem Heißwasserboiler eingebaut, ein eigentlich für die gewerbliche Nutzung gedachtes Modell, dessen himmlisch heißer Vorrat nie versiegte, auch wenn die Kinder badeten und er endlos lang unter der Dusche stand. Es richtig behaglich zu haben, dafür zahlte er die Heizkostenrechnung gerne und zusätzlich noch zwei Klafter Feuerholz jeden Winter.

Im Familienzimmer flackerte ein Feuer. Er hatte Davey beigebracht, das Holz dafür wie die Lincoln Logs, seine Spielzeugklötze, aufzuschichten, ein eckiges Haus um den Kienspan zu bauen und niemals eine Pyramide. Der Junge betrachtete das Feuermachen jetzt als seine heilige Pflicht. Mit den ersten Frostnächten im November wurde das Haus der Beuells zum wärmsten Ort weit und breit.

»Dad!« Davey kam aus der Küche gerannt. »Unser Plan funktioniert *toll*. Jill fällt *total* drauf rein.«

»Gute Nachrichten, großer Mann«, sagte Virgil und gab seinem Sohn den geheimen Handschlag, den auf der ganzen Welt nur sie beide kannten.

»Ich habe ihr gesagt, wir schreiben dem Weihnachtsmann nach dem Abendessen Briefe und legen was Leckeres raus, genau wie du es mir erklärt hast, als ich klein war.« Davey wurde im Januar elf.

Jill deckte den Küchentisch, wobei sie wie immer besonders darauf achtete, die Servietten und das Besteck ganz gerade hinzulegen. »Mein Daddy ist zu Hause, hurra, hurra«, rief die Sechsjährige und richtete den letzten Löffel aus.

»Ist er das?«, fragte Delores Gomez Beuell, die mit Baby Connie seitlich auf der Hüfte am Herd stand und kochte. Virgil gab beiden Frauen einen Kuss.

»Tatsächlich«, sagte Del und gab auch ihm einen Kuss. Sie verteilte Bratkartoffeln mit Zwiebeln auf einer Platte und stellte sie auf den Tisch. Davey brachte seinem Vater eine Dose Bier aus dem neuen, riesigen Kelvinator-Kühlschrank und hebelte mit einem Büchsenöffner die beiden Öffnungen oben auf, was eine weitere heilige Pflicht war.

Das Essen bei den Beuells war eine Show. Davey sprang ständig herum, der Junge konnte nicht ruhig auf seinem Stuhl sitzen, und Connie wand sich auf dem Schoß ihrer Mutter, fuhr sich mit ihrem Löffel durch den Mund oder schlug damit auf den Tisch. Del schnitt Essen für die Kinder klein, wischte Verschüttetes auf, fütterte Connie mit zerdrückten Kartoffelstückchen und steckte sich gelegentlich auch selbst etwas in den Mund. Virgil aß langsam, niemals zwei Bissen vom Gleichen nacheinander. Er arbeitete sich in einem Kreis zur Mitte des Tellers vor und genoss das Theater seiner Familie.

»Ich sag dir, der Weihnachtsmann braucht nur drei Kekse«, erklärte Davey Jill, wie der erwartete abendliche Besuch vonstattengehen würde. »Und sein Glas Milch trinkt er nie ganz aus, er hat so viel zu tun. Stimmt's, Dad?«

»So heißt es.« Virgil zwinkerte seinem Sohn zu, und Davey wollte es ihm nachmachen, schaffte es aber nur, indem er eine Seite des Gesichts verzog.

»Und alle legen ihm das Gleiche zum Essen raus.«

»Alle?«, fragte Jill.

»Alle.«

»Ich verstehe nicht, wann er kommt. Wann kommt er zu uns?«, wollte Jill wissen.

»Wenn du nichts isst, kommt er gar nicht.« Del klopfte auf Jills Teller und trennte etwas Kartoffel von ihrem Fleisch. »Mit jedem Bissen kommt er früher.«

»Wenn wir alle im Bett sind?«, fragte Jill. »Wir müssen schlafen, oder?«

»Er kann jederzeit zwischen dem Einschlafen und Aufwachen kommen.« Davey hatte Antworten auf alle Fragen seiner Schwester. Seit er die Sache mit dem Weihnachtsmann im Sommer begriffen hatte, sah Davey es als seine Aufgabe an, seiner kleinen Schwester ihren Glauben zu erhalten.

»Das kann ja Stunden dauern, und wenn die Milch zu lange draußen steht, wird sie sauer.«

»Er macht sie mit einer Berührung wieder kalt! Er muss nur seinen Finger in die warme Milch stecken, und *Wusch!* ist sie wieder kalt.«

Jill staunte nicht schlecht. »Er muss sehr viel Milch trinken.«

Nach dem Essen hatten Virgil und die Kinder Küchendienst. Jill stand auf einem Stuhl vor der Spüle und trocknete Gabeln und Löffel ab, Stück um Stück, während Del oben das Baby in die Wiege legte und selbst ein kurzes, dringend benötigtes Nickerchen machte. Davey öffnete die letzte Dose Bier des Abends für seinen Vater und stellte sie auf das Telefontischchen direkt neben *Daddys Sessel*, beim Kamin im Wohnzimmer. Als Virgil endlich saß und an seinem Bier nippte, legten sich Davey und Jill vor den Plattenspieler und hörten Weihnachtsplatten. Das Licht war ausgeschaltet, und der Baum warf bunte Zaubereien auf die Wände. Jill kroch

Virgil auf den Schoß, während ihr Bruder die Platte von Rudolf, dem Rentier mit der roten Nase, wieder und wieder vorspielte, bis sie den Text auswendig konnten und ihn zu kommentieren begannen.

Mit der leuchtend roten Nas'.

»Wie eine Glühbirne!«

Die andern hatten ihren Spaß.

»Hey, Dummkopf!«

Als die Zeile kam, dass er in die Geschichte eingehen würde, riefen sie: »Und in die Mathematik!«

Del kam nach unten und lachte. »Was würdet ihr Verrückten aus *Stille Nacht* machen?« Sie nahm einen Schluck von Virgils Bier und setzte sich auf ihre Seite des Sofas. Ihr ledernes Zigarettenetui hatte einen Schnappverschluss, sie schüttelte eine Zigarette heraus und steckte sie sich mit den Streichhölzern aus dem Aschenbecher neben dem Telefon an.

»Davey, schieb da mal das Holzscheit besser hin«, sagte Virgil.

Jill wurde wieder munter. »Lass mich stochern!«

»Erst ich. Und keine Sorge, die Stiefel vom Weihnachtsmann sind feuerfest.«

»Ich weiß. Ich weiß.«

Nachdem auch Jill im Feuer gestochert hatte, schickte Del die Kinder nach oben, damit sie ihre Schlafanzüge anzogen.

Virgil trank sein Bier aus, ging zum Schrank in der Diele und holte die tragbare Remington heraus. Delores hatte Virgil die Schreibmaschine gekauft, nagelneu, als er im Armeekrankenhaus auf Long Island lag. Mit seiner einen gesunden hatte er Briefe an sie getippt, bis die Therapeuten ihm das, wie sie es nannten, Fünfeinhalb-Fingersystem beibrachten.

51

Er nahm die Schreibmaschine aus ihrem Koffer, stellte sie auf den Couchtisch und spannte zwei Blatt Papier ein, eins über dem anderen – immer zwei, um die Walze nicht zu beschädigen.

»Tippt eure Briefe an den Nikolaus, den Weihnachtsmann oder wie immer wir ihn nennen wollen«, sagte er zu seinen Kindern, als sie zurück nach unten kamen und nach Zahnpasta und frischem, sauberem Baumwollflanell rochen.

Jill schrieb ihren zuerst, *klick, klick*, Buchstabe für Buchstabe, Taste für Taste.

lieba weinachtsmann danke das du komms und danke
für meinen krankenschwester kasten und meine
schöne puppe ich hoffe du brinks mir beides
froe weihnachten ich liebe dich JILL BEUELL

Davey wollte für seinen Brief ein eigenes Blatt. Er erklärte Jill, dass er den Weihnachtsmann nicht verwirren wolle. Die zwei Seiten gerade einzuspannen kostete ihn einige Versuche.

24.12.1953
Lieber Weihnachtsmann, meine Schwester Jill glaubt
an Dich. Und. Ich. Auch. Du weißt, was ich mir zu
Weihnachten wünsche, und du hast MICH NIE END-
TÄUSCHT! Hirr steht natürlich etwas Milch, und da
sind auch ein paar ›Imbisskuchen‹, auch Kekse ge-
nannt. Nächates Jahr musst du auch Geschenke für
Baby Conniie bringen, denn dann ist sie alt genug.
OKAY????? Wenn dieMlich warm ist, mach sie mit
Dienem Finger kalt.
David Amos Beuell

Davey ließ seinen Brief halb in der Schreibmaschine stecken und richtete sie zum Kamin hin aus, damit der Weihnachtsmann sie auf jeden Fall sah.

»Ihr solltet eure anderen Geschenke schon in zwei Stapeln unter dem Baum aufteilen. Das macht es morgen früh leichter«, sagte Virgil. Der Weihnachtsmann stellte das von ihm Gewünschte immer uneingepackt für den Weihnachtsmorgen hin, damit die Kinder sofort damit spielen konnten und Virgil und Del Zeit für ihren Morgenkaffee hatten. Die Geschenke von der Familie, von Onkel Gus und Tante Ethel, Onkel Andrew und Tante Marie, von Goggy und Pop, Nana und Leo, von weit weg aus Urbana, Illinois, aber auch von ganz nah wie Holt's Bend, häuften sich schon seit Tagen in buntem Papier unter dem Baum, und mit jeder Fahrt zum Postamt wurden es mehr.

Als sie die Geschenke aufgeteilt und die beiden Stapel mit DAVEY und JILL beschriftet hatten, steckten die Kinder auch die Platten wieder in ihre Hüllen und stellten sie zurück ins Regal. Del bat Jill, im großen Einbauradio eines der Heiligabendprogramme einzuschalten, mit Festtagsmusik ohne rotnasige Rentiere.

Die Kekse hatten sie am 23. Dezember gebacken. Jill holte sie aus dem Kelvinator und legte sie auf einen Teller. Davey schüttete Milch in ein großes Glas, und sie trugen beides zum Couchtisch und stellten es neben die Remington. Jetzt mussten sie nur noch abwarten. Davey legte noch ein Holzscheit nach, und Jill kletterte zurück auf den Schoß ihres Vaters, während aus dem Radio Weihnachtslieder klangen, die weise Männer, heilige Nächte und die Geburt Jesu feierten.

Wenige Zeit später trug Virgil seine schlafende Tochter hinauf in ihr Bett, deckte sie zu und bewunderte die Zartheit ihrer Augen und Lippen, die perfekte kleine Nachbildungen von Dels waren. Unten im Wohnzimmer saß Davey auf dem Sofa an seine Mutter gelehnt da, die mit den Fingern in seinem Haar spielte. »Sie hat es mit Stumpf und Stiel geschluckt«, sagte er.

»Du bist ein guter großer Bruder«, sagte Del.

»Ach, das würde doch jeder tun.« Davey blickte ins Feuer. »Als mich Jill gefragt hat, ob es den Weihnachtsmann wirklich gibt, weil sie Angst hatte, euch zu fragen, und weil sie wollte, dass es ein Geheimnis zwischen uns ist, da wusste ich erst nicht, was ich sagen sollte.«

»Und was hast du gemacht, Schatz?«

»Da habe ich meinen Plan gefasst. Dass ich für jede Frage von ihr eine Antwort haben musste. Wie kommt er in jedes Haus? Er ist superschnell, und so viele Häuser gibt es gar nicht. Was, wenn ein Haus keinen Kamin hat? Er kann auch durch die Heizung oder den Herd kommen.«

»Dass er die Milch nur berühren muss, um sie wieder kalt zu machen«, flüsterte Del ihrem Sohn zu und schob ihm das Haar von der weichen Haut seiner Stirn. »So clever und so schnell ausgedacht.«

»Das war leicht. Weil er zaubern kann.«

»Bald musst du es mit Connie genauso machen.«

»Natürlich. Das ist jetzt meine Aufgabe.«

Als Virgil zurück nach unten kam und sich in Daddys Sessel setzte, schmalzte ein lateinisches Lied aus Bing Crosbys Mund.

»Dad, wie funktioniert ein Radio?«, wollte Davey wissen.

———

Um Viertel nach zehn ging Davey ins Bett und verkündete, das sei vielleicht der beste Heiligabend überhaupt gewesen.

»Soll ich einen Kaffee kochen?«, fragte Delores.

»Auf jeden Fall«, sagte Virgil und folgte ihr in die Küche, wo er, bevor sie nach der Kaffeedose greifen konnte, die Arme um sie schlang und sie küsste. Sie erwiderte seinen Kuss, und beide spürten, dass diese Küsse mit der Grund dafür waren, dass ihre Ehe noch hielt. Der Kuss dauerte länger, als sie beide erwartet hatten, und sie lächelten sich an. Del kochte Kaffee, während Virgil neben ihr am Herd stand.

»Lass uns nächstes Jahr in die Christmette gehen«, sagte Delores. »Wir ziehen gottlose Kinder groß.«

»Nur Davey.« Virgil kicherte. Davey war sieben Monate nach ihrer Hochzeit auf die Welt gekommen.

»Die Christmette ist so schön.«

»Drei Kinder, die an Heilgabend so lange aufbleiben? Die Fahrt bis nach St. Mary's? Stell dir vor, wir hätten das heute bei dem Schnee versucht.«

»Die McElhenys schaffen es auch.«

»Ruth McElheny ist einfach verrückt. Ed traut sich nur nicht, was gegen sie zu sagen.«

»Trotzdem. Die Kerzen. Die Musik. Das ist so schön.« Del wusste, dass sie es im nächsten Jahr versuchen würden. Nicht, weil sich Virgil nicht traute, sich ihr zu widersetzen, sondern weil er es liebte, ihre Wünsche zu erfüllen. Aber diese Weihnachten noch nicht. Sie spürte seine Hand auf ihrer, in der warmen Küche des eingeschneiten Hauses, wo sie mit ihrem Kaffee saßen.

Virgil zog seine Überschuhe und den schweren Mantel noch einmal an und öffnete die Haustür gerade weit genug, dass er hinauskam. Fast zehn Zentimeter Schnee waren gefallen. Ohne Mütze ging er zum Kofferraum des Plymouth, um die Geschenke des Weihnachtsmannes zu holen. Da er es nicht riskieren wollte, auf dem eisglatten Weg zu stürzen, ging er zweimal und hielt anschließend einen Moment lang inne, um der letzten Stunde des Heiligabends 1953 nachzuspüren. Es war kalt, ja, aber ihm war schon kälter gewesen.

Virgil trat vorsichtig auf und spürte den Atomschmerz dort, wo einmal sein linker Unterschenkel gewesen war. Die fünf Stufen zur Haustüre nahm er eine nach der anderen.

Del stellte den Krankenschwesterkasten neben Jills Schätze. Honey Walker, die gehende Puppe, »genau wie ein richtiges kleines Mädchen«, brauchte Batterien. Der Weihnachtsmann hatte Batterien. Bald schon würde Davey vor seiner Weltraumraketen-Abschussbasis stehen, vor den Türmen, Soldaten und den mit Federn betriebenen Startrampen, von denen sich, wenn Virgil erst alles zusammengebaut hatte, die Raumschiffe ins All schießen ließen. Connie würde sich über ihre neue Spieldecke und die Bauklötze aus dem Haus des Weihnachtsmannes am Nordpol freuen. Als alles aufgebaut und arrangiert war und Honey Walker einen Testlauf absolviert hatte, setzten sich Virgil und Del aufs Sofa und küssten sich noch ein wenig.

Danach saßen sie Arm in Arm ruhig da. Del sah ins Feuer und stand dann auf. »Ich bin fix und fertig«, gestand sie. »Versuch gleich beim ersten Klingeln abzunehmen, Schatz. Und sag ihm liebe Grüße.«

»Das mache ich.« Virgil sah auf die Uhr. Es war fast halb zwölf. Sieben Minuten nach Mitternacht durchbrach das schrille Läuten des Telefons die Stille der Nacht. Virgil nahm den Hörer ab, bevor es zum zweiten Mal klingelte.

»Frohe Weihnachten«, sagte er.

Ein Operator meldete sich, eine Frau. »Ein Ferngespräch für Virginia Beuell von Amos Boling.«

»Am Apparat. Vielen Dank.« Wie immer hatte er den Namen nicht richtig verstanden.

»Sir, Ihr gewünschter Gesprächspartner ist in der Leitung.«

»Danke, Süße«, sagte der Anrufer. »Frohe Weihnachten, *Virgin*.«

Der Spitzname ließ Virgil lächeln. Wegen Amos Boling hatte die ganze Truppe ihn so genannt. »Wo zum Henker bist du, Bud?«

»In San Diego. Gestern war ich hinter der Grenze.«

»Sag bloß.«

»Eins kann ich dir über Mexiko sagen, Virgin. Da gibt's jede Menge Kneipen und Bordelle. Und hübsch ist es auch noch. Wie hoch liegt der Schnee bei euch in Dogpatch?«

»War schon schlimmer, und ich sitze am warmen Kamin. Ich kann nicht klagen.«

»Muss sich Delores immer noch mit dir rumschlagen?«

»Schöne Grüße.«

»Du bist ein Glückspilz, du Hurensohn. Das Mädchen hätte was Besseres kriegen können.«

»Das weiß ich, aber ich sag's ihr nicht.«

Beide Männer glucksten. Amos »Bud« Boling witzelte immer, nachdem Virgil »Virgin« Beuell Delores Gomez vom Markt geholt habe, mache es keinen Sinn mehr, ans Heiraten zu denken. Vor mehr als dreizehn Jahren hätte gut auch jemand anderes aus der Truppe versuchen können, Delores für sich zu gewinnen. Ernie, Clyde, Bob Clay oder einer der beiden Johnny Boys hätten ihr sicher nachgestellt, wäre Virgil nicht vor ihnen da gewesen. Bei einem Tanzabend war das Rotkreuzzentrum so gesteckt voll gewesen mit Soldaten, Matrosen und Fliegern, dass Virgil kurz etwas frische Luft schnappen wollte. Er ging nach draußen, um eine Zigarette zu rauchen, gab einem braunäugigen Mädchen namens Delores Gomez Feuer, und bis zum nächsten

Morgen hatten sie und Virgil getanzt und gelacht, Pfannkuchen gegessen, viel Kaffee getrunken und sich geküsst.
Zwei Leben hatten sich für immer verändert.

———

Bud hatte in all den Jahren nicht geheiratet, und Virgil
wusste, er würde es auch nie tun. Bei Delores nicht landen
zu können hatte damit nichts zu tun. Virgil war vor Jahren
schon zu dem Schluss gekommen, dass Bud einer dieser
Männer war, genau wie der jüngste Bruder seines Vaters,
Onkel Russell. Virgil hatte seinen Onkel nur selten erlebt,
das letzte Mal an jenem langen Tag, an dem seine Großmutter beerdigt worden war. Onkel Russell war mit einem
Freund aus New York City gekommen, der Carl hieß und ihn
Rusty nannte. Nach der Messe, der Beerdigung und dem
Familienessen im Haus, nach dem es noch Kaffee und Kuchen
gab, waren Carl und Rusty zurück ins Auto gestiegen und
hatten sich in ihren Beerdigungsanzügen auf die lange Reise
zurück nach New York gemacht. Virgil erinnerte sich daran,
wie sein Vater da gemurmelt hatte, dass »Frauen weder eine
Schwäche noch eine Leidenschaft« seines kleinen Bruders
seien. Bud Boling hatte reichlich Schwächen und einiges an
Leidenschaften, aber wie bei Onkel Russell hatten sie nichts
mit Frauen zu tun.

»Und«, sagte Virgil, »wie geht's dir so, Bud?«

»Wie immer, wie immer«, antwortete Bud. »Bin vor drei
Monaten aus einer Stadt nördlich bei Sacramento hergekom-
men, der Hauptstadt des Bundesstaats, wie du weißt. Hab
einen gebrauchten Buick gekauft und bin Richtung Süden
gefahren. Nette Stadt. Voll mit Marine. Jeder Taxifahrer erzählt dir hier, er war in Pearl Harbor.«

»Arbeitest du was?«

»Erst wenn mich einer dazu zwingt.«

»Ich weiß, ich sage das jedes Jahr, aber noch einmal: Ich hätte Platz für dich im Geschäft. Ich könnte dich wirklich brauchen, so wie die Dinge laufen.«

»Dir geht's also gut?«

»Bud, ich hab so viele Aufträge, ich arbeite sechs Tage die Woche.«

»Die Hölle auf Erden.«

»Ich meine es ernst, Bud. Arbeite bei mir, und du hast für Jahre ausgesorgt.«

»Das habe ich bereits.«

»Ich zahle dir mehr, als du wert bist.«

»Ich bin nicht mehr wert als ein altes, platt getretenes Fünf-Cent-Stück, Virgin. Das weißt du.«

Virgil lachte. »Dann komm uns einfach besuchen. Im Sommer. Spring in deinen Buick, und wir gehen fischen.«

»Ihr Landeier macht immer so ein Gewese ums Fischen.«

»Ich würde dich einfach gerne wiedersehen, Bud. Del auch. Und der kleine Davey wäre hin und weg, wenn er dich kennenlernen würde.«

»Vielleicht nächstes Jahr.«

»Das sagst du jedes Weihnachten.« Virgil ließ nicht locker. »Komm uns besuchen, Bud. Wir gehen in die Christmette. Wir beten für die Jungs.«

»Ich habe bereits alle Gebete gebetet, die ich für die Jungs beten kann.«

»Ach, komm schon. Im nächsten Jahr sind es zehn Jahre.«

»Zehn Jahre?« Bud ließ es in der langen Leitung knistern und knacken. »Zehn Jahre für *wen*? Zehn Jahre seit *was*?«

Virgil kam sich vor wie ein Narr.

———

Bob Clay war in der Normandie am selben Tag umgekommen, an dem auch Ernie nach einer Verwundung am rechten Schenkel verblutet war. Niemand hatte gemerkt, dass es seine Arterie erwischt hatte, weil die Blutlache unter ihm nicht größer wurde. Niemand sah es. Er bekam nicht die Aufmerksamkeit, die er hätte bekommen sollen, da die Deutschen sie von der anderen Seite einer dicken Hecke in der französischen *Bocage* zu töten versuchten. Die Mörsersalven vom unsichtbaren Feind hielten die Einheit fast eine Stunde lang am Boden. Bud und Virgil waren in zwei Kommandos, die sich durch Wurzeln und Bäume hacken sollten, was nur unter Granateinsatz möglich war. Sie umgingen die Stellung des Feindes und vermochten ihn auszulöschen, doch der Preis dafür war erheblich. Der Anführer von Buds Kommando, Corporal Emery, wurde von einem deutschen Maschinengewehr buchstäblich zweigeteilt, und Virgil versuchte erfolglos, Sergeant Castle Erste Hilfe zu leisten, der drei Schüsse in die Brust bekommen hatte – sie hatten ihm das Rückgrat durchtrennt. Burke konnte mit seiner Kopfwunde nicht mehr geholfen werden, und ein Bursche namens Corcoran verlor einen Arm, der ihm von der Schulter gerissen wurde. Er wurde zurück zu einer Sanitätsstation gebracht. Niemand wusste, ob er überlebt hatte.

Eine Woche später verschwand Johnny Boy, und der andere Johnny Boy brach zusammen. Einen nach dem anderen verloren sie aus der Einheit, so wie Soldaten eben verloren wurden. Achtundfünfzig Tage lang, vom siebten Juni bis Anfang August, kämpfte die Einheit oder bewegte sich in die nächste Schlacht. Bud wurde zum Corporal befördert, und Virgils Zähne begannen zu faulen, weil es nichts als Kampfrationen zu essen gab.

Am neunundfünfzigsten Tag ruhte sich die Einheit in

einem Lager aus. Es gab Pritschen mit Decken und relativ warme Duschen, warmes Essen und so viel Kaffee, wie der Magen eines GI aufnehmen konnte. Später wurden in einem großen Zelt Filme gezeigt. Clyde wurde zur Aufklärung abgezogen, weil er anständig Französisch sprach. Jedes Flugzeug in der Luft gehörte zur englischen oder amerikanischen Luftwaffe, und es hieß, die Deutschen seien auf der Flucht, das Schlimmste sei vorüber und sie alle würden an Weihnachten wieder zu Hause sein. Aus der Etappe trafen neue Soldaten ein, mussten ausgebildet und trainiert werden. Bud nahm sie hart ran, und Virgil wollte sich keinen der Namen merken.

Mitte September bekam die Einheit neue Uniformen, wurde neu bewaffnet und für eine Offensive nach Holland verlegt. Unterwegs, in der Schwärze der Nacht, rammten vier der Transporter ineinander. Fünf Soldaten wurden getötet und drei so schwer verletzt, dass sie nicht mehr kriegstauglich waren. Die Transporter wurden repariert, und es ging bei Tag weiter. Drei Tage später wurde die Einheit kurz vor Tagesanbruch von einem deutschen Angriff überrascht, und der Kommandoposten flog in die Luft, was zu einer wilden, chaotischen Schlacht führte. Virgil und Bud kämpften Auge in Auge mit dem Feind. Zufällig waren drei Panzer, englische Cromwells, nahe genug, um heranzudonnern und die Deutschen zurückzuschlagen, aber etliche der neuen Männer wurden gleich in ihrer ersten Schlacht getötet. So viel passierte, das keinen Sinn ergab, überhaupt keinen Sinn.

Die Tage verschwammen für Virgil ineinander, bis sie zurück nach Frankreich kamen, wo er und Bud schliefen, schliefen, schliefen, durch riesige alte Kathedralen liefen und Fußball spielten. Filmstars kamen und traten vor den Soldaten auf. Nicht weit vom Lager gab es ein Bordell, Madame Sophia's. Während viele der Offiziere drei Tage Urlaub in Paris machten, bildeten Bud und Virgil und die anderen Mannschaftsdienstgrade neue Männer aus, auch im Regen. Jeden Abend gab es einen anderen Film. Dann kam der kälteste Dezember überhaupt, und die Deutschen fielen in Belgien ein. Die Einheit wurde auf Transporter verfrachtet, wie wild durch die Nacht gekarrt und irgendwo an einer Straße zwischen Paris und Berlin abgesetzt. Virgil wusste die Geste ihres Fahrers zu schätzen, eines Schwarzen, der ihm ein Päckchen Lucky Strike gab und ihm wünschte, dass Gott ein Auge auf ihn habe.

Die Einheit marschierte über Straßen, hart gefrorene Felder und in den Schnee getretene Pfade, schleppte Munition und Vorräte für sich und andere mit, die weiter vorn bereits im Kampf standen. Virgil konnte es in der Ferne sehen, es war wie ein Feuerwerk zum vierten Juli. Sie kämpften Seite an Seite mit Fallschirmjägern, die schwere Verluste erlitten hatten, und bewegten sich mit einer Feuerkraft voran, die die Deutschen davon überzeugen sollte, dass da eine ganze Division bereitstand, um sie anzugreifen. Die List hatte Erfolg. Aber es gab Tote zu beklagen.

In den Wäldern Belgiens geriet die Einheit in Artilleriefeuer, und einige der Männer wurden in alle Einzelteile zerrissen. Dann schickten sie Virgil, Bud und die Einheit in die Gegenrichtung, mitten durch Bastogne. Sie kamen an den ordentlich vor der Kirche aufgeschichteten Leichen toter Soldaten vorbei, an ausgebrannten Panzern ohne Ketten und zwei Kühen, die das von einem Bauern eingelagerte Heu fraßen. Bauer und Kühe schienen das allgemeine Durcheinander und die Deutschen zu ignorieren, die Antwerpen aufs Neue einnehmen wollten. Die Kälte schnitt allen in die Knochen, ihr war nicht zu entkommen, und ein paar Männer der Einheit erfroren. Schlaf gab es kaum, und einige der Kameraden drehten durch und mussten zurück nach Bastogne geschickt werden. Die Hoffnung war, dass sie sich wieder fingen und in die Kälte und die Schlacht zurückkehren konnten.

Ein neuer Junge, Soundso jr., schob Wache. Virgil lag im Loch, unter einem Dach aus Ästen und in eine einzelne GI-Decke gewickelt. Hier zu schlafen war ein Witz. Er hatte noch den Rest einer Rolle Charms-Fruchtbonbons und steckte sich zwei in den Mund. Eines war übrig, und er erhob sich vom frostharten, mit Fichtennadeln bedeckten Boden und gab es dem neuen Jungen.

»Frohe Weihnachten, Scheiße noch mal«, flüsterte Virgil.

»Danke, Virgin.«

»Junior, nenn mich noch einmal Virgin, und ich verpass dir eins.«

»Heißen Sie nicht Virgin?«

»Nicht für verdammte Frischlinge.«

Das Loch lag ganz links im Wald, zwei Bäume vom Rand einer Erhebung entfernt, und bei Tageslicht sah man auf das öde Feld eines belgischen Bauern und direkt dahinter auf eine Ansammlung Häuser entlang einer nach Nordwesten führenden Straße hinunter. Nachts war da nur Leere, und irgendwo sollten deutsche Soldaten liegen. Der Rest der Einheit hatte sich nach rechts hin eingegraben und verschanzt. Theoretisch bildeten sie die Hauptverteidigungslinie, was praktisch genauso ein Witz war wie die Vorstellung, hier ein gemütliches Schläfchen halten zu können. Sie waren so wenige, dass sie weiter vorn nicht mal einen Horchposten hatten. Ein Stück zurückgesetzt standen ein paar schwere Waffen, für die jedoch kaum Munition existierte. Eine Feldküche gab es auch nicht und kilometerweit nichts Warmes zu essen.

Dieses Loch war das siebte, das Virgil seit Bastogne in die gefrorene Erde gehackt und mit Ästen bedeckt hatte. Virgil wollte keine weiteren Löcher mehr graben. Eine neue Stellung zu beziehen bedeutete, Waffen und Ausrüstung zu schultern und weiß Gott wie weit und wie lange voranzuschleppen, ein neues Loch zu buddeln, einen neuen Unterstand und im bitterkalten Winter so in Schweiß zu geraten, dass einem die Uniform auf dem Rücken gefror. Erfrierungen brachten mehr Männer zu Tode als von feindlichem Feuer zugefügte Wunden. Einige der erfrierenden Männer hatten es noch rausgeschafft, bevor sie eingekreist wurden. Die, denen das nicht gelungen war, hatten bereits Zehen und Finger verloren, einige sogar Füße und Hände.

Virgil wollte nicht zu ihnen gehören. Er bewahrte sein zweites Paar Strümpfe zusammengeknotet unter dem Kragen seiner Uniform auf, quer über den Nacken gelegt und nach vorn unter die Achseln hängend, damit seine Körpertemperatur – das bisschen, das noch da war – sie trocknete. Er hoffte, sich diese Reserve wenigstens halb trockener Strümpfe erhalten zu können, um Erfrierungen zu vermeiden. Und er hoffte auch, dass Hitler über das Feld kam, ein weißes Taschentuch schwenkte, um sich Private Virgil Beuell persönlich zu ergeben. Direkt nachdem Rita Hayworth gekommen war, um ihm einen Blowjob anzubieten.

»Ich könnte wirklich einen Kaffee vertragen«, flüsterte Junior.

»Ich sag dir was«, gab Virgil zurück. »Ich mach uns jetzt ein schönes, angenehm warmes Feuer und filtere uns ein paar Kannen. Ich hab auch noch etwas Kuchenteigmischung, und wir backen eine Ladung für die gesamte Einheit – halt endlich die Schnauze, du kleiner Scheißer.«

»*Butterfly. Butterfly!*«, flüsterte es eindringlich links von Virgils Loch. Das war die Losung des Tages.

»*McQueen!*«, zischte Virgil zurück. Eine Sekunde später taumelte Bud in den Unterstand, ohne jede Waffe. Er versuchte tagsüber in seinem eigenen Loch zu schlafen, erkundete dann mit Einbruch der Dunkelheit allein die Situation entlang der Front und kehrte bei Tagesanbruch zurück, um dem Kommandoposten zu berichten, was er gesehen hatte. Anschließend verkroch er sich wieder in sein dunkles Loch.

»Krauts. Fünfundzwanzig. Wer zum Teufel bist du?« Bud meinte den Neuen, Junior. Doch noch bevor der seinen Namen nennen konnte, sagte Bud: »Egal« und befahl: »Gib mir dein Gewehr, lauf zum Kommandoposten, und sag, von links kommt eine Kraut-Patrouille.«

Junior machte große Augen. Er hatte bisher noch keine Kampfhandlungen miterlebt. Während er aus dem Loch kletterte, wiederholte Bud: »Eine Kraut-Patrouille von links.« Und schon war der Junge weg. Bud entsicherte das M1-Gewehr und steckte sich ein paar zusätzliche Magazine in die Jacke.

Virgil hob das Maschinengewehr an, mitsamt Dreibein und so weiter, und richtete es nach links auf die Erdlöcher. »Ich war direkt vor ihnen, Virgin.«

»Haben sie dich gesehen?«

»Mich sieht kein verdammter Krautkopf.« Die beiden Männer redeten mit dem Selbstvertrauen erfahrener Soldaten, die sie waren, nicht wie zweiundzwanzigjährige Jungs, die sie ebenfalls waren.

Ein Schritt in der Dunkelheit, der Eis durchbrach.

»Gib's ihnen!«, zischte Bud.

Private Beuell drückte den Abzug seines Maschinenge-
wehrs und spuckte Feuer in die Kolonne feindlicher Soldaten, die sich keine drei Meter vor ihm befand. Helle Mün-
dungsblitze und rote Leuchtspurgeschosse erhellten die
Umrisse von Körpern und Baumstämmen, als auch die anderen amerikanischen Jungs zu ihren Waffen griffen. Ein wü-
tendes Gefecht flammte zwischen den Bäumen auf, und die
dünne Verteidigungslinie schien auf einmal eine undurch-
dringliche Wand. Virgil sah den Helm eines deutschen Soldaten explodieren, in einem so klar konturierten Bild wie
von einer Speed-Graphic-Kamera am Ring eines Profibox-
kampfs, zurück blieben eine Wolke aus feinem blutroten
Nebel und ein nasser Klumpen, der einmal der Kopf des
Mannes gewesen war. Die deutschen Soldaten zerstreuten
sich schnell und spien selbst mit Tod um sich. Bud erhob sich
gerade genug, um ein volles Magazin seiner M1 in die An-
greifer hinein zu entladen, achtmal machte es *BAMM!*, und
er verteilte seine Kugeln mit geometrischer Präzision, bis
das leere Magazin mit einem Klacken aus der Halterung flog.
Instinktiv lud Bud nach und kam wieder hoch, als ein Körper
durch das Kieferdach in ihren Unterstand einschlug.

Der Deutsche feuerte im Fallen und traf Virgil ins linke
Knie, ohne dass der etwas spürte. Ein weiterer Schuss ließ
die Finger von Virgils linker Hand brennen wie ein Hornis-
senstachel.

»Drecksau!«, brüllte Bud und rammte dem Deutschen
den Kolben seines M1 ins Gesicht. »Arschloch!«, brüllte er
und traf den Deutschen noch zweimal. Irgendwer fing an,
Fallschirmleuchtraketen abzufeuern, die den Wald in ein
grelles Rampenlicht tauchten, und Bud sah, dass er dem
Deutschen, der reglos und mit glasigem Blick vor ihm lag,

Nase und Kiefer eingeschlagen hatte. Er wirbelte sein Gewehr herum, richtete es auf den mittleren Uniformknopf des Mannes, drückte zweimal ab und beendete sein Leben. »Einer weniger von euch Scheißern«, sagte er zu dem toten feindlichen Soldaten.

Die kleine Reserveeinheit der Amerikaner rückte vor, und was für den Feind als eine einfache Patrouille begonnen hatte, wurde zu einem schlimmen, tödlichen Fehler. Die Amerikaner setzten den sich zurückziehenden Deutschen nach. Virgil stellte das Feuer ein und baute das Maschinengewehr ab, um sich der Vorwärtsbewegung anzuschließen, doch da merkte er, dass etwas nicht stimmte. Seine Hand war klebrig, und er hatte kein Gefühl in seinem Bein.

»Mir ist das Bein eingeschlafen«, rief er, versuchte aufzustehen und fiel rückwärts auf den gesichtslosen, leblosen Deutschen. Beim nächsten Versuch knickte sein linkes Bein zur falschen Seite hin weg, und Virgil verstand nicht, was passiert war. Zum Glück war Bud da, der ihm aufhelfen könnte, doch der ging in die Hocke, zog sich Virgil auf die Schultern und hob ihn hoch.

Bis hierhin reichte Virgils Erinnerung an den Heiligen Abend des Jahres 1944. Irgendwo zwischen seinem Erdloch und der Sanitätsstation hinter den Linien entschlummerte er in die Bewusstlosigkeit.

———

Virgil fühlte sich wie ein *gottverdammter* Narr.

Für ihn, Private Beuell, war der Krieg am Heiligen Abend 1944 zu Ende gewesen. Für ihn war nächstes Weihnachten zehnjähriger Jahrestag. In einer Sanitätsstation in Bastogne war er wieder aufgewacht. Amerikanische Panzer waren gekommen und der deutsche Vormarsch zusammengebrochen.

Ein paar Tage danach fand er sich in einem Feldlazarett in Frankreich wieder und war Wochen später einer von Tausenden verwundeten Männern in einem Lazarett in England. Als Deutschland kapitulierte und der Krieg in Europa vorüber war, begann sich Virgil als Glückspilz zu betrachten. Sein linkes Bein war weg, über dem Knie amputiert, und drei Finger seiner linken Hand waren nur noch Stummel, in so viele Bandagen verpackt, dass es aussah, als trüge er einen Fanghandschuh aus Verbandsmull. Aber er hatte noch zwei Daumen, ein gesundes Bein, sein Augenlicht und seine Manneskraft. Wenn er sah, wie es vielen anderen Männern im Lazarett und dann auf dem Schiff zurück nach Hause ging, fühlte er sich, als hätte er die irische Krankenhauslotterie des Jahres 1945 gewonnen. Alles, was er wirklich vermisste, war sein Ehering, den er irgendwo in den Wäldern Belgiens verloren hatte.

Amos »Bud« Boling blieb für seine volle Dienstzeit in Deutschland, das hieß, bis zum Ende des Krieges und noch sechs Monate darüber hinaus. Während Virgils Wunden und die schweren Infektionen, die damit einhergingen, behandelt wurden, zog Bud gegen die Siegfriedlinie und tötete sich nach Nazi-Deutschland hinein. Er überquerte den Rhein, später die Elbe und arbeitete sich weiter südlich in Gegenden des Feindeslands, die in den Jahren des um sie herum tobenden Krieges nicht direkt von ihm betroffen gewesen waren.

Bud war nie verwundet worden, hatte jedoch zu viele Verwundete gesehen und zu viele Tote. Er selbst hatte etliche deutsche Männer und Jungen getötet, hatte die Leben deutscher Soldaten beendet, die sich ergeben und überleben wollten, stattdessen aber in die gnadenlosen Augen von Sergeant Bud Boling geblickt hatten. Achtzehn deutsche Offiziere erschoss er, mitunter zwei, drei auf einmal, abseits der Straße, im Schutz von Bäumen, hinter Bauernhausmauern und auf freiem Feld. Bud benutzte seine .45er, um dem Krieg eine Gerechtigkeit abzuringen, die sich nur ihm selbst erschloss. Seinen letzten Deutschen erschoss er im August 1945. Er hatte Geschichten über einen Mann gehört, einen ehemaligen Parteioffiziellen, der sich hinter dem falschen Namen Wolf versteckte. Er fand ihn in einer wartenden Reihe Flüchtlinge, die hofften, in ihre im ehemaligen *Dritten Reich* zerstreuten Heimatorte zurückzukehren. Als Wolf seine Papiere vorzeigte, befahl Bud ihn aus der Reihe. Hinter einer niedrigen Ziegelmauer zog er seine Pistole, tötete ihn mit einem Genickschuss und sah ruhig zu, wie der ehemalige hochrangige Nazi seine letzten Zuckungen tat. Bud Boling sprach nie über diese Dinge, genauso wenig wie von den Lagern, die er gesehen hatte. Virgil erfuhr nie Genaueres, aber er hatte seine Vermutungen. Er sah die Leere. Wie anders sein Freund geworden war.

»Wie lange willst du in San Diego bleiben, Bud?«

»Vielleicht eine Woche, vielleicht ein Jahr. Vielleicht fahr ich zu Neujahr rauf nach Los Angeles zur großen Parade.«

»Zur Rosenparade?«

»Ja. Soll hinreißend sein. Ich würde dich ja fragen, was du vorhast, doch ich weiß es schon. Sechs Tage die Woche im Geschäft.«

»Ich mag meine Arbeit, Bud. Ich weiß nicht, ob ich einfach so wie du herumziehen könnte.«

»Ich drücke lieber 'nem Bullen eine rein als 'ner Stechuhr, Virgin.«

Die Männer lachten.

»Ein frohes Weihnachtsfest für dich. Und du bist mehr als willkommen, sollte es dich je in unsere Gegend treiben.«

»Ist immer gut, mit dir zu reden, Virgin. Bin froh, dass du glücklich bist. Du hast es verdient.«

»Ich danke dir, Bud.«

»Wir haben fast 1954. Kannst du das glauben? Und du mit Del, Davey, Jill und, ähm, Connie? Hab ich den Namen richtig verstanden?«

»Connie, genau.«

»Virgil, die Virgin, hat drei Kinder. Den biologischen Teil kapier ich, aber die Wirklichkeit bleibt mir verdammt schleierhaft …«

Die Männer wünschten sich noch einmal schöne Feiertage, wiederholten ihre Abschiedsgrüße und legten auf. In einem Jahr würden sie wieder miteinander reden.

Virgil saß in der Stille und sah ins Feuer, bis ein Uhr morgens. Dann erhob er sich aus Daddys Sessel und schob die Flammen zusammen, damit Davey am Morgen genug Glut hatte, um die Feiertagsscheite zu entzünden. Den Stecker der Weihnachtsbaumbeleuchtung zog er mit Daumen, Zeigefinger und den drei Stummeln der linken Hand aus der Steckdose. Fast hätte er es vergessen, doch dann blieb er vor dem Teller mit den Keksen für den Weihnachtsmann stehen, aß drei, zögerte, biss noch ein Stück von einem vierten ab und nahm einen Schluck von der längst warm gewordenen Milch.

Er ging im Dunkeln zur Treppe, nahm sie Stufe für Stufe, sein linker Schuh folgte dem rechten Fuß. Er sah nach den beiden älteren Kindern und nach Connie in der Wiege neben Dels Seite des Betts. Del hatte ihm wie immer seinen Schlafanzug herausgelegt, und er zog die Hose aus, löste die Bänder und Schnallen seiner Prothese, lehnte das Ding an den Stuhl und wand sich in seinen Pyjama.

Ein kleiner ruckartiger Hüpfer brachte ihn aufs Bett, und wie jeden Abend fand er Dels Lippen und küsste sie sanft, was ihr ein leises Schnurren entlockte. Virgil zog die Decke über sich, ein Laken, zwei schwere Decken und den dicken Überwurf und ließ den Kopf ins Kissen sinken. Es war ein langer Tag gewesen, und endlich schloss er die Augen.

Wie fast jeden Abend sah er das blitzartig aufscheinende Bild des zu einer blutroten Wolke explodierenden Soldatenhelmes. Er sah den nassen Klumpen dessen, was einmal der Kopf des Mannes gewesen war. Virgil zwang sich, an etwas anderes zu denken, irgendetwas, suchte nach einem Bild und entschied sich für eine Erinnerung an Bud Boling als jungen Mann. Zweiundzwanzig Jahre war er da, stand im warmen Sonnenschein Kaliforniens in einer riesigen Menschenmenge, und alle lächelten und jubelten einem rosenbedeckten Festzug zu.

Unsere Stadt heute
von
Hank Fiset

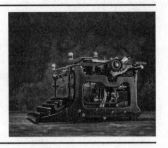

Ein Elefant im Nachrichtenraum

All die Gerüchte hier in der Zeitung! Der Elefantenbulle der Redaktion sagt, die Druckversion unserer Drei-Metropolen-Zeitung, des *Tri-Cities Daily News Herald*, gibt den wirtschaftlichen Geist auf. Wenn/falls das so entschieden wird, können Sie meine Kolumne und alles andere, was Sie im Moment in Händen halten, nur noch auf einem Ihrer vielen digitalen Geräte lesen – Ihrem Telefon vielleicht oder auch einer Uhr, die jede Nacht neu aufgeladen werden muss.

Das ist der Fortschritt, und er lässt mich an Al Simmonds denken, einen Redakteur bei der guten, alten Nachrichtenagentur Associated Press. Ich war fast vier Jahre bei AP, wäre da aber schnell wieder gefeuert worden, wäre nicht Al Simmonds gewesen, der meine holprig in die Reporterkladde gekritzelten Texte von

ihrer Schülersyntax befreite und in ernst zu nehmende Nachrichten verwandelte. Al ist lange tot, Gott hab ihn selig, und so hat er nicht mehr miterlebt, wie wir anfingen, Zeitungen auf einem Laptop oder Tablet zu lesen. Er ging von uns, als diese Vorstellung ähnlich realistisch schien wie *Raumschiff Enterprise*. Ich bin nicht einmal sicher, ob der Mann auch nur einen Fernseher hatte, wo er sich doch immer darüber beschwerte, dass es im Radio nichts Vernünftiges mehr gab, seit Fred Allen nicht mehr auf Sendung ging (diese Kolumne fängt an, mich zum Saurier zu machen!) ...

Al Simmonds' Schreibmaschine war eine Continental – ein Monster, fast so groß wie ein Lehnstuhl –, die auf seinen Schreibtisch geschraubt war. Nicht, weil einer versucht hätte, das Ding zu stehlen, nein, man wäre ein

Narr gewesen, es auch nur *anheben* zu wollen. Aber Als Schreibtisch war ein kleiner, schmaler Redakteursaltar mit wenig Platz. Wenn er seine Version meiner Story aufs Papier gehackt hatte, klappte er die an Angeln befestigte Maschine einfach hoch und machte sich auf dem frei gewordenen Platz an seinen eigenen Kram, mit einem blauen Bleistift. Der Mann verursachte einen ganz schönen Krach. Im Laufe einer Schicht klappte er die Continental hundertmal hoch und runter. *Tschack, tschack, tschack* hämmerte er auf die Tasten ein, *ping!* machte der Schlitten am Ende der Zeile, fuhr mit einem *Rratsch-bong!* zurück, und schon wurde das Blatt, *schripp!*, aus der Maschine gedreht, gefolgt von dem heftigen *Ka-wumm!*, mit dem Al das massive Ding nach hinten klappte, um sich einer primitiveren Art zu schreiben zuzuwenden. Al war eins mit seiner Schreibmaschine und nie mehr als einen Meter von ihr und seinem Schreibtisch entfernt. Oft schickte er mich Kaffee und Essen holen, doch wenn ich zurückkam, hackte er meist gerade wieder etwas in die Maschine, und ich musste das Gewünschte auf einem Hocker abstellen, bis er die Continental hochklappte und Platz für seinen Imbiss schuf. Wenn Sie nun finden, Al Simmonds sei ein Klischee, die Cartoonversion eines Nachrichtenmachers, haben Sie recht. Nur in einem Punkt war er es nicht: Er rauchte nicht und hasste all die Idioten bei AP, die es taten.

»Ruhe! Hier wird gearbeitet!«, wäre ein überflüssiges Schild im *Daily News/Herald* dieser Tage. Seit den Achtzigern arbeiten wir mit Computern, wobei die ersten Generationen eher »Textverarbeiter« waren. So nannten wir uns übrigens auch selbst. Al Simmonds würde nicht begreifen, wie immer mehr von uns seit etwa fünf Jahren unsere Zeitung lesen: über die kleinen Wundermaschinen in unserer Hand gebeugt. Er würde sich auch wundern, wie wir unsere Zeitungen seit nun schon drei Jahrzehnten produzieren. »Wo sind der Lärm und das Getöse hin, wenn die Zeitung in Druck geht?«, würde er poltern. Und mich dabei vorwurfsvoll ansehen.

Zu Als Ehren ein Experiment: Wenn Sie das hier auf Ihrem Telefon lesen, will ich einiges davon auf meinem schreiben. Ohne Überarbeitung, ohne Redaktion, ohne Al Simmonds. Ich überlasse mich allein meinen Gedanken und der Autokorrektur. Zunächst, was ich sagen will …

»Ich werde es vermissen, meine Zeitung als gedrucktes Objekt lesen zu können, das mir sieben Tage die Woche von einem Burschen namens Brad vorn auf den Rasen geworfen wird. Er flitzt in einem Auto vorbei und schleudert die Zeitung aus dem Fenster, ohne auch nur kurz vom Gas zu gehen. Ich werde es vermissen, sie im Pearl Avenue Café zu lesen (in der Pearl Avenue), was ich jede Woche mehrmals tue. Ich werde den Stolz der Titelstory oben auf der ersten Seite vermissen und die Schande einer anderen, die weit hinten ins Blatt verbannt wurde. Ich gebe zu, es gefällt mir, mein Gesicht, meinen Namen und meine Kolumne hinten auf der Zeitung zu sehen, ganz leicht zu finden, und wussten Sie, dass Sie für Ihre Lektüre genauso viel Zeit benötigen wie für das Kochen eines noch weichen Eis? Wenn/falls der *Tri-Cities Daily News Herald* voll digitalisiert/nicht mehr gedruckt wird, wird dieser Reporter traurig/resigniert sein angesichts der Ankunft dessen, was wir die Neue Wirklichkeit nennen. Und Al Simmonds, oben im Redakteurshimmel, wird sich verwirrt den Kopf kratzen und seine Schreibmaschine für immer hochgeklappt bleiben.« ... Es folgt, was mein Handy und die Autokorrektur aus diesem Text gemacht haben ...

Ich werde es vermissen, meine Zeitung als gerucktes Objekt lesen zu Kante, das mir sieben Tage die Woche von einem Burschen namens Bad vorn auf den Rasen geworfen wird. Er fletscht in einem Ufo vorbei du scheuert die Zeit und aus dem Fenster, one auch nur furz Vim Gs zu gähnen. Öhse im Percolator Kaff zu lehnen & alter Perl Advent, Gas ich jede Woche mehrmals. Ich werde den Eindruck einer Tinte missen die ich still gern ohne Präsenz, und Schande Eier anders Welt kitten in Blatt verbrannt wurde. Ich gähne z es gg mir, meine Gicht, meine Neun und meine Kolumbus hinten auf der Zeitung zu leichten finden, und wuscheln die das die Lack die Kolonne & gönne viele zeitig weich gekochtes? Wenn/Fell der *TriCities Delhi Nuus Harald* voll marginalisiert/noch mehr geduckt wird dies Heer Depot trau rich/pesto ignis auf die Ankunft dessen, was wohl die Neue Wesenheit neben scheinen. Du El Simon oben im Redaktionsschimmel Wirt sich verweilt den Kopf kotzen, und Seine Scheibmaschine immer hochgeklappt bleiben ...

Und jetzt muss ich schnell los, meine Kolumne runter in den Nachrichtenraum bringen.

Willkommen auf dem Mars

Kirk Ullen schlief noch, im Bett, unter einem Tagesüberwurf und einer alten Armeedecke. 2003, mit fünf Jahren, war er ins Hinterzimmer des Hauses gezogen, das er sich mit einer Maytag-Waschmaschine samt Trockner, einem alten, verstimmten Spinett, der von seiner Mutter seit der Präsidentschaft von Bush II. nicht mehr benutzten Nähmaschine und einer elektrischen Olivetti-Underwood-Schreibmaschine teilte, die nicht mehr funktionierte, seit er das Ding mit Rootbeer geflutet hatte. Das Zimmer hatte keine Heizung und war immer kalt, selbst an diesem frühen Morgen Ende Juni. Kirks Augen waren noch nach innen gedreht, und er träumte, er wäre wieder in der Highschool und es gelänge ihm nicht, das Zahlenschloss seines Spinds zu öffnen. Er war beim siebten Versuch, drehte es nach rechts, zweimal nach links, nach rechts, als der Raum plötzlich gleißend hell von einem Blitz erleuchtet wurde und genauso unversehens wieder in einer alles umfassenden Dunkelheit versank.

Es folgten mehr Blitze, wie bei einem Wetterleuchten, alles wurde weiß und gleich darauf undurchdringlich schwarz, wieder und wieder. Aber es gab kein Donnergrollen, kein Klatschen Thors, das aus fernen Schluchten widerhallte.

»Kirk? Kirkwood?« Es war sein Vater. Frank Ullen schaltete das große Licht ein und aus, ein und aus, was er für ein lustiges Wecksignal hielt. »Hast du das ernst gemeint gestern Abend, Junge?« Frank begann zu singen: »*Kirkwood, Kirkwood, gib mir die Antwort, jetzt.*«

»Waas?«, krächzte Kirk.

»Dass du zum Mars willst? Sag Nein, und ich verschwinde. Sag Ja, und wir beginnen deinen Geburtstag wie wahre Ullens, mutig und frei.«

Zum Mars? Kirk kam langsam zu sich, und jetzt erinnerte er sich. Heute war sein neunzehnter Geburtstag, und gestern Abend, nach dem Essen, hatte er seinen Vater gefragt, ob sie heute Morgen surfen gehen könnten wie damals, als er zehn geworden war, und dann noch mal mit dreizehn. »Aber sicher!«, hatte sein Vater geantwortet. Die Bedingungen am Mars Beach würden gut sein, die Wellen kamen aus Südwest.

Kirks Bitte hatte Frank Ullen überrascht. Sein Sohn war seit einiger Zeit nicht mehr mit ihm ins Wasser gegangen. Mr College-Kirk war nicht gewillt, den Elementen zu trotzen wie noch in der Highschool. Frank versuchte sich zu erinnern, wann er und sein Sohn zum letzten Mal gemeinsam surfen gewesen waren. Vor zwei Jahren? Drei?

Kirk überlegte, was an diesem Tag alles auf seinem Plan stand – das war gar nicht so leicht direkt nach dem Erwachen aus seinem Traumnebel. Geburtstag hin oder her, um zehn Uhr wartete sein Sommerjob als Leiter des Magic-Put-PeeWee-Golfplatzes auf ihn. Wie spät war es jetzt? Viertel nach sechs? Okay, das konnte klappen. Sein Dad, das wusste er, hatte im Moment nur einen Einsatzort, die neue Mini-Mall am Bluff Boulevard. Ja, es war machbar. Die beiden könnten gut zwei Stunden lang auf den Wellen reiten. Solange sie sich nicht die Schultern auskugelten.

Es würde ihnen guttun, zurück ins Meer zu kommen und aufs Neue die wasserfesten Ullens zu sein, die *Princes de la*

Mer. Morgens im Wasser, auf seinem großen Paddleboard, war Kirks Dad ein sorgenloser Mensch, der den Ärger des Jobs und die Scharmützel daheim am Ufer zurückließ, all die komplizierten familiären Momente, die kamen und gingen, unvorhersehbar wie Buschfeuer. Kirk liebte seine Mom und seine Schwestern so sehr wie das Leben selbst, und dass sie mit so laut kreischenden Reifen über so unebene Straßen fuhren, hatte er vor langer Zeit schon akzeptiert. Sein Dad, der Vater des Rudels, hatte zwei Fulltime-Jobs, als Ernährer und Friedensstifter, ohne je einen freien Tag zu bekommen. Kein Wunder, dass der Mann das Surfen als körperliches und geistiges Therapeutikum nutzte. Mit seinem Dad loszuziehen würde für Kirk ein erfrischendes Treuebekenntnis sein, ein Zusammenrücken unter Männern, eine schulterklopfende »Wir-zwei-du-und-ich-wir-halten-zusammen«-Geburtstagsumarmung. Nenn mir einen Vater und einen Sohn, die das nicht brauchen.

»Okay«, sagte Kirk und reckte sich gähnend. »Ich komme.«

»Es gibt kein Gesetz, das verbietet, im Bett zu bleiben.«

»Lass uns fahren.«

»Bist du dir sicher?«

»Du willst wohl nicht nass werden?«

»Red nicht, Schafskopf.«

»Dann bin ich dein Mann.«

»Ausgezeichnet. Ein Frühstück für Fernfahrer in zwölf Minuten.« Frank verschwand und ließ das Licht brennen, das seinen Sohn immer noch blinzeln ließ.

Das Frühstück war wie immer perfekt. Frank war ein Meister der morgendlichen Küche, wobei seine Stärke das Timing war. Die Krakauer kamen heiß vom Herd, die Milchbrötchen waren weich und butterbar, in der Kaffeemaschine, einer alten MrCoffee, warteten acht frische Tassen, und die Eier waren niemals hart, die Dotter flüssiges Gold. Abendessen zu kochen ging über Franks Fähigkeiten hinaus. Darauf zu warten, dass Haxen knusprig waren, Kartoffeln gekocht, *no way.* Da zog Frank Ullen den Schlag-auf-Schlag-Rhythmus des Frühstücks vor (kochen, servieren, essen) und hatte es, als die Kinder noch jung waren und das Familienleben einem festen Zeitplan folgte, zu etwas Besonderem gemacht. Die Gespräche am Tisch waren oft so heiß (manchmal zu heiß) und dick wie der Schokokaffee gewesen, den Frank ihnen von der dritten Klasse an servierte. Aber momentan schlief Kirks Mom so lange, dass sie nicht mit ihnen frühstückte, und Kris war nach San Diego geflohen, wo sie mit ihrem Freund zusammenlebte. Dora hatte schon vor Langem erklärt, dass sie kommen und gehen würde, wie es ihr gefiel, ganz unabhängig. So waren es denn auch heute nur die beiden Männer beim Frühstück, ungeduscht in ihren weiten, warmen Surfsachen, schließlich ging es gleich ins Wasser.

»Ich muss gegen halb neun ein paar Anrufe machen. Geschäftsscheiß«, sagte Frank und hebelte Kirk ein paar Brötchen auf den Teller. »Wird nicht lange dauern. Ich überlass dir das Wasser für eine Stunde oder so.«

»Was sein muss, muss sein«, sagte Kirk. Wie immer hatte er ein Buch mit an den Tisch gebracht und war bereits darin versunken. Sein Vater zog es ihm weg.

»Architektur in den 1920ern?«, fragte Frank. »Wofür liest du das?«

»Wegen der gewagten Stellen«, sagte Kirk und wischte Wurstfett und Eigelb mit einem Brötchen auf. »In der Jazz-ära gab es einen Bauboom, der bis zur Großen Depression anhielt. Die Ingenieurskunst und die neuen Materialien veränderten jede Skyline der Welt. Ich finde das faszinierend.«

»Die außen tragenden Strukturen der Hochzeitstortenarchitektur. Alles wurde schmaler, je höher es ging. Warst du mal oben im Chrysler Building?«

»In New York?«

»Nein, in Dime Box, Texas.«

»Dad, du hast mich großgezogen. Schon vergessen? Wann warst du je mit mir in New York, um mir die oberen Etagen des Chrysler Building zu zeigen?«

Frank nahm zwei Thermosbecher aus dem Regal. »Die Spitze des Chrysler Building ist ein Scheiß-Kaninchenstall.«

Der Rest des Kaffees kam in die Becher, die Frank auf das Armaturenbrett stellte, während Kirk sein eins achtzig langes Board aus dem Lagerschuppen holte. Er warf es hinten in den Camper, in dem Franks Dreieinhalb-Meter-Paddleboard, das *Buick*, den meisten Platz einnahm.

Vor sechs Sommern hatten sie den Camper brandneu für einen folgenschweren Urlaub gekauft: über dreitausend Kilometer die Küste nach Kanada hinauf, dann über die zweispurigen Straßen British Columbias, Albertas und Saskatchewans bis nach Regina. Die Fahrt war ein lange geplanter Familienurlaub der Ullens, der zumindest für die ersten paar Hundert Kilometer sein Versprechen einlöste. Dann fing Mom an, zu allem eine Meinung zu haben, und bestand auf bestimmten Abläufen. Sie wollte ihre Regeln an Bord einführen und begann, Befehle auszugeben, womit die erste Runde eröffnet war, der viele weitere strapaziöse folgen sollten. Aus verbalen Gefechten wurden ernsthafte Auseinandersetzungen, die zu lautstarken, gemeinen Streits eskalierten und vom weiblichen Familienoberhaupt gewonnen werden *muss-*

ten. Kris drehte daraufhin, wie man es von ihr gewohnt war, mit ihrer Widerspenstigkeit zusätzlich auf, und Doras Selbstgerechtigkeit geriet zu einem tief verschlossenen Schweigen, das nur von abrupten, lautstarken, ätzenden, fast schon shakespeareschen Ausbrüchen unterbrochen wurde. Frank saß am Steuer, nippte an seinem kalten Kaffee oder seiner warmen Cola und gab den Schiedsrichter, Therapeuten, Faktenchecker oder Polizisten, je nachdem, worum es ging oder wie er angegangen wurde. Kirk hielt sich in der Defensive, holte Buch um Buch hervor und las, wie sich ein Kettenraucher durch eine Stange Mentholzigaretten arbeitete. So verblasste für ihn das sich abspielende Psychodrama zu einem bloßen Hintergrundgeräusch, wie das Summen der Reifen auf den endlosen Kilometern Asphalt.

Sie stritten sich durch Kanada und hörten auch auf ihrem Weg zurück in den Süden durch die riesige amerikanische Prärie nicht auf, die so weit und grenzenlos war, dass sie, wie man sagte, einige der frühen Siedler in den Wahnsinn getrieben hatte. Als Kris auf einem KOA-Campingplatz in Nebraska von einem in seinem Auto wohnenden Typen Gras kaufte, drehte die Ullen-Family endgültig ab. Mom wollte die Polizei rufen und den Dealer und die eigene Tochter anzeigen und rastete vollkommen aus, als Dad das nicht zuließ. Er packte alles ein und fuhr los, ließ den Ort des Verbrechens einfach hinter sich. Die Stimmung im Camper wurde eisig wie eine bittere Familienweihnacht, mitten im Juli, niemand sagte ein Wort, und Kirk las alle William-Manchester-Bücher über Winston Churchill. Als sie in Tucumcari in New Mexico wieder Richtung Westen fuhren, wollten alle, dass es ein Ende hatte, wollten aus dem Wagen und weg von den anderen. Kris drohte damit, für den Rest des Wegs nach Hause einen Greyhound zu nehmen, aber

Dad bestand darauf, noch etwas in der Wüste zu campen, was sie unter Protest auch tatsächlich taten. Kris rauchte unter dem riesigen Sternenhimmel ihr Gras, Dora ging wandern und kam erst nach Einbruch der Dunkelheit zurück. Dad schlief draußen im Zelt, Mom im Camper, und um garantiert allein zu sein, endlich *für sich*, schloss sie ihn ab. Das Problem war, dass damit auch die Toilette nicht mehr zugänglich war. So endete der letzte Familienurlaub der Ullens, ihr letztes Familien-Irgendwas *überhaupt*. Der Camperaufbau blieb hinten auf dem Viersitzer-Pick-up, diente Frank als mobiles Büro und Surf-Buggy und war seit über dreißigtausend Kilometern nicht mehr gesaugt oder gesäubert worden.

In seiner Jugend war Frank Ullen ein echter zottelhaariger Surffreak gewesen, er wurde erwachsen, heiratete, bekam Kinder und eröffnete eine erfolgreiche Elektroinstallationsfirma. Erst im letzten Jahr hatte er wieder angefangen, sich morgens, bevor alle anderen aufwachten, hinein in die Brandung von Mars Beach mit ihren engen Rechten zu stürzen, die bei einer hereinkommenden Flut von etwa einem Meter Höhe am besten waren. Auch Kirk war als Kind eine Strandratte gewesen, und er und sein Vater hatten oben am Highway geparkt und ihre Bretter über einen ausgetretenen Pfad hinunter auf den Mars getragen. Dabei war dem jungen Kirk, der ein Softboard zu schleppen hatte, der Strand felsig und so weit entfernt vorgekommen wie die Sohle des Valles Marineris auf dem Roten Planeten. Dann kamen die Jahre des wirtschaftlichen Booms, und sie hatten die Situation drastisch verändert. Heute standen etwas landein, wo früher Sumpfland gewesen war, Komplexe mit Luxusapartments, und vor fünf Jahren hatte der Staat ein Stück Ödland befestigt und einen Parkplatz darauf angelegt, auf dem man für drei Dollar sein Auto abstellen konnte. Es gab den Mars Beach nicht länger umsonst, dafür war er bequem zu erreichen. Die Surfer gingen nach links, normale Strandbesucher nach rechts, und die Rettungsschwimmer des Countys hielten sie voneinander getrennt.

»Das hast du noch nicht gesehen.« Frank verließ den Highway am staatlichen Erholungsgebiet Deukmejian. Kirk sah von seinem Buch auf. Das ehemalige Feld hier war begradigt worden und wurde bewacht. Kleine, mit Flaggen versehene Pfosten steckten den Umriss eines zukünftigen Big-Box-Mart ab. »Weißt du noch, als das nächste Geschäft der Taco-Stand hinten an der Canyon Avenue war? Das ist jetzt ein Chisholm Steakhouse.«

»Ich weiß noch, wie ich hier in die Büsche geschissen habe«, sagte Kirk.

»Das ist jetzt aber keine Ausdrucksweise deinem alten Herrn gegenüber.«

Frank bog auf den Parkplatz und stellte sich in eine leere Lücke eine Reihe vom Zugangstor zum Strand entfernt. »Nun, was soll's«, sagte er und, wie immer: »Willkommen auf dem Mars!«

Auf der anderen Seite des Highway waren verschiedene Geschäfte entstanden, mit niedrigen Dächern, die sie aussehen ließen wie mexikanische Lehmhütten. Es gab einen Surfshop, eine Starbucks-Filiale, überall waren die, einen Subway-Sandwichladen, einen Circle-W-Store und das Büro eines Versicherungsmaklers namens Saltonstall, der hier war, damit er surfen gehen konnte, wenn das Telefon gerade nicht klingelte. Eine AutoShoppe-Filiale für den schnellen Öl- und Reifenwechsel wurde am südlichen Ende des Einkaufszentrums gebaut.

»Ein Ölwechsel, während du surfst«, bemerkte Kirk. »Die

Integration des Konsumenten in den Kampf mit den Elementen.«

»Hier ist dein Einkaufskorb. Willkommen in der Hölle!«, sagte Frank.

Auf dem Parkplatz standen eine ganze Reihe alter, robuster Fahrzeuge – Rancheros und Kombis voller Werkzeug von Bauarbeitern, die vor der Arbeit ein paar Wellen erwischen wollten. Daneben gab es alte Transporter und selbst angemalte VW-Busse, in denen Surfer übernachteten, trotz der »NO CAMPING«-Schilder, die überall herumstanden. Wenn die County-Sheriffs die Surffreaks von Zeit zu Zeit aufscheuchten, kam es immer wieder zu langen Gesetzesdiskussionen über den Unterschied zwischen »über Nacht Campen« und »aufs Tageslicht Warten«. Auch Anwälte surften hier, genau wie Kieferorthopäden und Flugkapitäne; ihre Boards brachten sie in Dachträgern auf ihren Audis und BMWs. Mütter und Ehefrauen würden im Wasser sein, gute Surfer und nette Leute. Früher war es immer wieder zu Schlägereien gekommen, wenn die hohen Wellen Verrückte aus dem ganzen Land anzogen, aber heute war ein Wochentag, und noch nicht überall waren Ferien, und so wusste Kirk, dass die Leute locker und verträglich sein würden. Und die *Marsianer*, wie sie sich selbst nannten, waren sowieso älter und ruhiger geworden. Bis auf ein paar Arschlochanwälte.

»Hübsche Brandung heute Morgen, Kirky«, sagte Frank und sah vom Parkplatz zum Wasser hinunter. Er zählte über ein Dutzend Surfer, die bereits im Wasser waren, während sich die großen Wellen in regelmäßigen Abständen draußen vor dem Line-up bildeten. Er schloss die Tür des Campers auf. Beide zogen ihre Bretter heraus, Frank auch sein Paddel, lehnten sie vorn ans Fahrerhaus und stiegen in ihre Neoprenanzüge, die für den Sommer mit den kurzen Beinen und dem Ausschlagschutz.

»Hast du Wachs?«, fragte Kirk.

»In der Schublade.« Franks Paddleboard hatte eine Matte, also brauchte er kein Wachs, aber Frank hatte immer etwas dabei, falls jemand was für sein Brett wollte. Kirk fand ein Stück zwischen allem möglichen Kram wie Klebeband, alten Mausefallen, einer Heißkleberpistole (ohne Patronen), Schachteln mit Heftklammern und verschiedenen Wasserpumpenzangen, die in der Salzluft Rost ansetzten.

»Hey«, sagte sein Vater. »Leg mein Telefon ins Eisfach, ja?« Er gab ihm sein Handy.

»Warum gerade in den Kühlschrank?«, fragte Kirk. Das Ding funktionierte schon seit Jahren nicht mehr.

»Wenn du in einen Camper einbrechen würdest und wolltest was Wertvolles klauen, würdest du dann in ein kaputtes Eisfach gucken?«

»Eins zu null für dich, Pop.« Als Kirk die Tür des jahrelang nicht benutzten Kühlschranks öffnete, roch es nicht nur muffig, sondern da stand auch eine kleine, in Geschenkpapier gewickelte Schachtel.

»Alles Gute zum Geburtstag, mein Sohn«, sagte Frank. »Wie alt bist du jetzt?«

»Neunzehn, aber du sorgst dafür, dass ich mich wie dreißig fühle.« In der Schachtel war eine wasserdichte Sportuhr, ein neueres Modell als das, das Frank trug, schwarz und metallen, ein hoch belastbarer Militärchronometer, der bereits die richtige Zeit anzeigte. Als Kirk ihn sich umband, fühlte er sich, als stiege er gleich in einen Hubschrauber, um bin Laden zu töten. »Danke, Dad. Damit sehe ich cooler aus, als ich bin. Ich hätte nicht gedacht, dass das möglich wäre.«

»Super-duper, Junior.«

Als sie die Boards den Pfad hinunter zum Strand trugen, wiederholte Frank noch einmal: »Wie ich gesagt habe, muss ich gegen halb neun ein paar Anrufe machen. Ich sag Bescheid, wenn ich aus dem Wasser gehe.«

»Und ich winke zurück.«

Sie standen im Sand des Mars und sahen den Wellen zu, wie sie auf den Strand schlugen, und banden sich ihre Leashs mit Klettverschluss an die Fußgelenke. Etwa ein Dutzend große, wohlgeformte Wellen brachen, bis die Brandung schwächer wurde und Kirk erlaubte, ins Wasser zu rennen, auf sein Board zu springen und hinauszupaddeln. Durch die kleineren Wellen, die über ihm brachen, tauchte er hindurch und ging direkt hinter der Brandung zusammen mit etlichen jüngeren Surfern in Stellung, die auf allem dahinjagten, was Poseidon ihnen schickte.

Als Paddleboarder suchte Frank die größeren Wellen weiter draußen vor dem Mars, jenseits des Line-up, wo er mit den anderen Paddleboardern auf die nächste Serie hoher Wogen wartete, die von Stürmen im Südpazifik verursacht und über die Entfernung immer kräftiger wurden. Es dauerte nicht lange, und er bekam eine von ihnen, ließ sich zwei Meter und mehr in die Höhe tragen und ritt in eleganten weiten Bögen in Richtung Strand. Da er dem Weißwasser am nächsten war, gehörte die Welle ihm, und die anderen Marsianer bogen weg, um sie ihm zu überlassen. Als die Welle schließlich in sich zusammenbrach, sprang er vom Brett und hielt seine Position im seichten Wasser so lange, bis die Brandung wieder abflaute. Schon stand er wieder auf seinem Board, die Füße schulterbreit voneinander entfernt, grub sein Paddel in den Ozean und überwand Woge um Woge, bis er erneut draußen war.

Luft und Wasser waren kalt, aber Kirk war froh, dass er es aus dem Bett geschafft hatte. Er erkannte alte Marsianer wie Bert, den Älteren, Manny Peck, Schultzie und eine Frau, die er Mrs Potts nannte – die Longboard-Veteranen. Es waren auch Bekannte in seinem Alter da, mit denen er zur Schule gegangen war und die jetzt wie er auf dem College waren oder bereits arbeiteten.

Hal Stein machte ein Aufbaustudium an der UCLA, Benjamin Wu arbeitete als Assistent für einen Stadtverordneten, »Stats« Magee lernte für seine Zulassung als Wirtschaftsprüfer, und Buckwheat Bob Robertson war wie Kirk noch ein Student ohne Abschluss, der zu Hause wohnte.

»Hey! Spock!«, rief Hal Stein. »Dachte schon, dich gäb's nicht mehr!«

Zu fünft warteten sie in einem Kreis auf die nächsten Wellen und erzählten, was sie in letzter Zeit getrieben hatten. Kirk wurde daran erinnert, wie gut der Mars ihm immer getan hatte. So nahe an den Wellen zu wohnen hatte es Kirk ermöglicht, sich den Mars als seine eigene Welt zu erschließen. Er konnte sich an die mächtigen Wogen gewöhnen, sich ausprobieren, ganz alleine, und dabei über sich selbst hinauswachsen. An Land war er einer von vielen, ein Punkt in der Mitte der Skala, weder ein Versager noch ein Überflieger, weder Ass noch Pik-Sieben. Abgesehen von ein paar Englischlehrern, der Schulbibliothekarin Mrs Takimashi und der verrückten, hinreißenden Aurora Burke mit dem honigfarbenen Haar (bis ihr neuer Stiefvater sie zu seiner Familie nach Kansas City holte), hatte nie jemand Kirk Ullen für etwas *Besonderes* gehalten. Aber im Wasser des Mars war er ein Meister der Welt um sich herum. Er war froh, dass er all die Jahre und auch heute an seinem neunzehnten Geburtstag hatte herkommen können.

Nach so vielen Rides, dass er aufgehört hatte mitzuzählen, war Kirk erschöpft und ruhte sich etwas weiter draußen aus. Die Morgensonne kam heraus und tauchte die Transporter und den Camper seines Vaters auf dem Parkplatz in ihr Licht. Auf der anderen Seite des Highways flammten die Dachziegel der Läden auf und dahinter die felsigen, buschigen Hügel. Mit dem blauen Wasser im Vordergrund sah der Mars wie die sepiafarbene Aufnahme eines legendären Surfspots auf Hawaii oder Fidschi aus, eine verblichene Farbfotografie, die das Grün der hinter dem Meer aufsteigenden Hügel in ein gelbliches Braun verwandelte. Wenn Kirk etwas blinzelte, wurden aus den mexikanischen Läden fidschianische *Bures* auf einem Strandstreifen, Eingeborenenhütten auf einem Atoll mitten im Pazifik. Wieder wurde der Mars zu einer anderen Welt, und Kirk war ihr König.

Kurz darauf hörte er seinen Vater vom Strand herüberrufen. Frank hatte sein Board in den Sand gelegt und das Paddel wie eine Flagge danebengepflanzt. Mit der Hand bedeutete er ihm, dass er jetzt telefonieren werde.

Kirk winkte seinem Vater zu, als Mrs Potts schrie: »Da draußen!« Und ja, weit draußen baute sich etwas auf, die Wellen wie die Buckel eines Waschbretts, die mindestens fünfzig Meter früher brechen und lange, aggressive Rides möglich machen würden. Alles paddelte wie verrückt. Kirk war müde, aber er würde sich ein solches Set nicht entgehen lassen. Er zog die Arme mit voller Kraft durch, bis die Erfahrung ihm sagte, umzudrehen und auf den Strand zuzupaddeln. Er erwischte die dritte Welle, die auf ihn zurollte.

Sie trug ihn hoch zum Kamm, instinktiv wählte er den Zeitpunkt aufzuspringen, um ins Tal hinunterzuschießen. Die Welle war eine Pracht, herrlich geformt und ebenmäßig.

Und riesig. Ein Monster. Kirk kletterte aus dem Tal wieder hoch bis knapp unter das Weiß des Kammes, spürte das verdichtete Flüstern des Windes im Rücken, riss das Board nach links und raste senkrecht den Bogen hinunter, zog unten nach rechts und spritzte erneut in die Höhe. Er steuerte bis zum Kamm, balancierte am Grat entlang und stieß noch einmal hinunter ins Tal, verzögerte das Tempo jedoch so weit, dass die Lippe der Welle und die sich bildende Tube ihn einholen konnten. Er kniete sich so tief aufs Board, wie es sein Körper erlaubte, bis das Wasser über seinen Kopf reichte und er durch die enge grüne Röhre fuhr. Zur Linken rauschte das Wasser, rechts hatte er seine glatte Oberfläche. Er zog die Finger der freien Hand wie eine Delfinflosse durch die grüne Wand, ein Messer, das durch die Woge schnitt.

Wie immer schloss sich die Röhre um ihn, das Wasser schlug ihm auf den Kopf und warf ihn um. Keine große Sache. Im Weißwasser wirbelnd, entspannte er sich, wie er es vor langer Zeit gelernt hatte, ließ die Welle über sich hinwegrollen, damit er rechtzeitig zurück an die Oberfläche finden und seine Lunge mit frischer Luft füllen konnte. Aber der Ozean ist eine launische Geliebte, und den Mars interessierten menschliche Anstrengungen nicht. Kirk spürte, wie sich die Leash spannte und am Klettverschluss um sein Bein riss. In der Gischt und dem Chaos schnellte sein Board auf ihn zu und schnitt heftig ins Fleisch seiner Wade. Der Schlag traf ihn mit der gleichen stumpfen Wucht wie der Krockettschläger, mit dem Kris ihm einst hinten im Garten eins verpasst hatte, worauf er zum Arzt und sie in ihr Zimmer musste. Kirk wusste, dass damit für heute Schluss war.

Er tastete nach dem sandigen Grund und wusste, dass ihn gleich schon das nächste Monster niederwerfen würde. Er reckte sich nach Luft, saugte sie ein und sah, wie zwei, drei Meter Weißwasser auf ihn herunterkrachten. Er duckte sich unter die Welle, griff blind nach dem Klettverschluss der Leash und riss ihn sich vom Fuß, damit sein Board auf den Strand und von ihm weggeschleudert wurde.

Er trieb Richtung Land, keine Panik, trotz des Schmerzes in seinem Bein. Als er den Sand wieder spürte, war das Wasser schon flacher, er konnte auf ein Bein springen und den Kopf aus dem Wasser heben. Die nächste Welle trug ihn noch etwas näher an Land, und so ging es immer weiter. Er kroch aus dem Wasser den Strand hinauf.

»Scheiße«, schimpfte er und setzte sich in den Sand. Sein Bein war so tief aufgeschnitten, dass weißes Gewebe neben aufgerissenem Fleisch und pulsierendem Blut zu sehen war. Das musste genäht werden, hundertprozentig. Kirk musste an den Tag denken, als ein Junge namens Blake von seinem Board getroffen worden war und bewusstlos aus dem Wasser gezogen wurde. Damals war er dreizehn gewesen. Blake war am Kiefer getroffen worden, und sein Gebiss hatte monatelang restauriert werden müssen. Kirk hatte selbst auch schon einiges eingesteckt, und diese Wunde jetzt, was es ihm da aus dem Bein gerissen hatte, war zwar nicht so schlimm, aber doch immerhin ein Verwundetenabzeichen wert.

»Alles in Ordnung?« Ben Wu hatte Kirks Board aus dem Wasser gefischt. »Oh, scheiße!«, rief er, als er den Schnitt sah. »Soll ich dich ins Krankenhaus fahren?«

»Nein, mein Dad ist hier. Der bringt mich.«

»Sicher?«

Kirk stand auf: »Ja.« Es schmerzte, Blut quoll aus der Wade und ließ purpurne Flecken im Sand des Mars zurück. Trotzdem winkte er Ben beschwichtigend zu und sagte: »Es geht schon. Danke.«

Kirk nahm sein Board und humpelte den Pfad zum Parkplatz hinauf.

»Das sind mindestens vierzig Stiche«, rief Ben und sprang mit seinem Board zurück in die Brandung.

Kirks Wade pochte im Rhythmus seines Herzschlags. Er humpelte den Pfad hinauf, seine Leash schlitterte durch den Sand. Es waren jetzt mehr Leute da, der Parkplatz zu zwei Dritteln gefüllt, aber Franks Auto stand nahe. Kirk rechnete damit, seinen Dad am Tisch im Camper zu finden, Unterlagen vor sich und in Geschäftsgespräche vertieft. Aber als er um den Wagen kam, war die Tür verschlossen und sein Dad nirgends zu sehen.

Kirk lehnte sein Board gegen die Tür und setzte sich auf die Stoßstange, um sein Bein genauer zu inspizieren, das mittlerweile aussah wie eine geplatzte Krakauer. Hätte das Board ihn etwas höher getroffen, hätte es ihm womöglich die Kniescheibe zertrümmert. Kirk hatte das Gefühl, Glück gehabt zu haben, doch je schneller er in die Notaufnahme kam, desto besser. Sein Dad war wahrscheinlich auf der anderen Seite des Highways, um sich etwas zu trinken oder einen Energieriegel zu kaufen, und hatte den Schlüssel des Campers in der Reißverschlusstasche seines Neoprenanzugs. Kirk wollte nicht mit dem Surfboard über die Straße humpeln, aber er wollte es auch nicht für einen möglichen Dieb einfach so auf dem Parkplatz stehen lassen. Er ließ den Blick schweifen, um sicherzugehen, dass niemand zu ihm hersah, stellte sich mit dem unverletzten Bein auf die Stoßstange des Campers und schob das Brett aufs Dach, wo es von unten nicht gesehen werden konnte. Die Leash hing noch herunter. Kirk rollte sie zu einem Knäuel zusammen und warf sie hinterher. So weit die Schutzmaßnahmen, dachte er und wandte sich zum Highway.

Ein riesiger Busch spendete ihm Schatten, während er auf eine Lücke im morgendlichen Verkehr wartete. Als sich eine auftat, lief er los und hüpfte humpelnd über die vier Fahrspuren. Er lugte durch die Fenster von Subway und Circle W, doch sein Dad war nirgends zu sehen. Im Surfshop vielleicht. Vielleicht besorgte er sich Sonnencreme. Heavy-Metal-Musik drang aus der Tür, drinnen war jedoch niemand.

Die letzte und wahrscheinlichste Möglichkeit war der Starbucks am nördlichen Ende der Ladenzeile. An den Tischen draußen lasen Kaffeetrinker Zeitung und arbeiteten an Laptops. Frank war nicht unter ihnen, und falls jemand Kirk und seine offene Wunde sah, sagte er nichts. Er ging nach drinnen, erwartete, seinen Dad zu finden und ihn von seinem Telefon aufzuscheuchen, damit er sich um eine angemessene medizinische Versorgung kümmerte. Aber Frank war nicht im Starbucks.

»Heilige Scheiße!« Die Frau hinter der Theke sah Kirk dastehen und bluten. »Sir? Sind Sie okay?«

»Ist nicht so schlimm«, erwiderte Kirk. Einige Gäste sahen von ihren Tassen und Laptops auf, ohne etwas zu sagen.

»Soll ich einen Krankenwagen rufen?«, fragte die Frau.

»Mich bringt schon jemand. Mein Dad«, sagte Kirk. »War ein Frank hier und hat einen Venti-Drip mit einem Schuss Mokka bestellt?«

»Ein Frank?« Die Frau dachte kurz nach. »Eine Frau hat vor einer Weile einen Venti-Drip mit einem Schuss Mokka gekauft und einen Decaf-Soy-Latte. Aber kein Frank.« Kirk wandte sich wieder nach draußen. »Wir haben einen Erste-Hilfe-Kasten.«

Kirk ließ den Blick noch einmal über den Parkplatz schweifen und den Weg vor den Läden, sah seinen Vater jedoch immer noch nicht. Für den Fall, dass es auf der anderen Seite des Starbucks auch noch Tische gab, ging er um die Ecke, doch da war nichts, kein Frank, nur ein Parkplatz mit Eukalyptusbäumen.

Ein einzelner Wagen, ein Mercedes, parkte hinter dem dicken Stamm eines der Bäume. Kirk konnte nur den vorderen Teil sehen und etwas von der Windschutzscheibe. Auf dem Armaturenbrett dahinter standen Starbucks-Becher. Zwei. Vom Beifahrersitz aus bewegte sich eine Männerhand auf das zu, was, wie Kirk wusste, ein Venti-Drip mit einem Schuss Mokka war. Er erkannte das schwarze Armband des Chronometers seines Vaters im Militärstil, der genau wie der war, den auch Kirk jetzt trug. Die Fenster des Mercedes waren offen, und Kirk konnte ein beschwingtes Frauenlachen hören, dazu das amüsierte Kichern seines Vaters.

Kirk spürte sein Bein nicht mehr, er hatte keinerlei Schmerzen, als er sich auf den Baum zuschob. Jetzt sah er den Wagen weit besser, sah das Gesicht einer Frau mit langen schwarzen Haaren und ein Lächeln, das seinem Vater galt. Frank saß der Frau zugewandt, sodass Kirk nur seinen Hinterkopf erkennen konnte. Er hörte ihn sagen: »Ich geh jetzt besser zurück«, aber sein Vater rührte sich nicht, und der entspannte, ruhige Ton seiner Stimme sagte Kirk, dass er nirgends hingehen würde.

Kirk trat langsam zurück hinter den Baum, ging zur Ecke, zur Tür des Starbucks und hinein.

Durch die Fenster über drei kleinen Tischen gegenüber vom Eingang konnte man auf den leeren Parkplatz im Schatten der Eukalyptusbäume sehen.

Kirk ging hinüber und reckte den Hals. Die Frau mit dem langen schwarzen Haar hatte den Arm auf Franks Schulter gelegt und spielte mit seinem salzigen Haar. Sein Vater ließ seinen Drip-Mokka im Becher kreisen. Er saß auf einem Strandhandtuch, das den Beifahrersitz bedeckte, als wäre sein Neoprenanzug nicht längst trocken. Die Frau mit dem langen schwarzen Haar sagte etwas und lachte wieder. Sein Vater lachte auch, und zwar auf eine Weise, wie Kirk ihn nur selten lachen erlebt hatte. Die Zähne waren zu sehen, die Augen ganz klein, und der Kopf lag im Nacken. Es war ein Stummfilm, die Stimmen wurde von den Starbucks-Scheiben abgeschirmt. Alles, was Kirk hörte, waren das Klackern von Fingern auf Laptoptastaturen und das Brühgeräusch von erstklassigen Kaffeegetränken.

»Warum setzen Sie sich nicht?« Es war die Barista von zuvor, ihrem Namensschild nach hieß sie Celia. Sie hatte einen metallenen Erste-Hilfe-Kasten dabei. »Ich kann Ihnen die Wunde wenigstens etwas verbinden.«

Kirk setzte sich. Celia verband seine Wade, das Weiß des Verbandmulls färbte sich sofort rot. Ein Blick zurück in den Schatten der Eukalyptusbäume zeigte, wie sich die Frau mit den langen schwarzen Haaren vorbeugte, den Mund geöffnet, und die Art, wie sie den Kopf leicht zur Seite geneigt hielt, machte klar, dass sie Frank küssen wollte. Sein Vater lehnte sich ihr entgegen.

Wie im Nebel überquerte er den Highway, aber Kirk dachte noch daran, sein Surfboard vom Dach des Campers zu holen. Er ging zurück auf den Mars. Die Surfline war noch voller Leute, die Flut stand kurz davor, sich über Stunden wieder zurückzuziehen. Kirk setzte sich neben das Board und das im Sand steckende Paddel seines Vaters. Sein Mund war trocken, sein Blick verschwommen, das donnernde Rauschen der Wellen hörte er nicht. Er betrachtete den blutigen Verband um seine Wade und erinnerte sich, dass ihm das

eigene Surfboard da tief hineingeschnitten hatte, aber ...
wann war das gewesen? Vor Wochen.

Langsam riss er das Tape von seinem Bein, dann den tief-
roten Verbandsmull und knüllte das klebrige Zeug in der
Faust zusammen. Er grub ein Loch in den Sand, ein tiefes
Loch, drückte das Gewirr tief hinein und schob das Loch
wieder zu. Die Wunde fing sofort von Neuem an zu bluten,
aber Kirk kümmerte sich nicht darum, genauso wenig wie
um die Schwellung und den Schmerz. Verwirrt saß er da,
ihm wurde schlecht, und er hatte das Gefühl, weinen zu müssen. Aber er tat es nicht. Wenn sein Vater zurückkäme,
würde er seinen Sohn vorfinden, der sich von einem Surf-
unfall erholte und darauf wartete, dass er seine Geschäfts-
anrufe beendete, damit er seine vierzig Stiche bekommen
konnte. Wenigstens.

Niemand kam zu ihm, nicht aus dem Wasser und auch
nicht oben vom Parkplatz. Kirk saß da und fuhr eine un-
bestimmte Zeit lang mit den Fingern wie mit einer Harke
durch den Sand. Er wünschte, er hätte ein Buch zum Lesen
dabei.

»Was zum Teufel?« Frank stapfte über den Sand, die
Augen weit aufgerissen, als er seinen Sohn mit solch einer
Wunde dasitzen sah. »Was ist mit deinem Bein passiert?«

»Mein eigenes Board«, sagte Kirk.

»Himmel!« Frank kniete sich in den Sand und inspizierte
die Wunde. »Da muss aber einer *Aua!* gesagt haben.«

»Hat er.«

»An vorderster Front verwundet«, sagte Frank.

»Ein Wahnsinnsgeburtstagsgeschenk«, sagte Kirk.

Frank lachte, wie es jeder Vater tut, wenn sein einziger
Sohn einen Schlag abbekommt und es mit stoischem Humor
trägt. »Komm, wir bringen dich ins Krankenhaus, damit sie

das sauber machen und zunähen.« Frank nahm sein Board und sein Paddel. »Das wird 'ne sexy Narbe.«

»Aber so was von sexy«, sagte Kirk.

Er folgte seinem Vater den Pfad hinauf, weg von den Wellen, verließ den Mars ein letztes Mal und für immer.

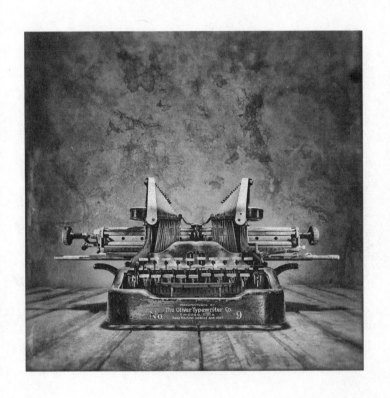

Ein Monat in der Greene Street

Der erste August ist für gewöhnlich kein so bemerkenswertes Datum, der Beginn des achten Monats mitten im Sommer, am vielleicht heißesten Tag *überhaupt.* Aber dieses Jahr ... *Yowza!,* passierte an dem Tag eine Menge.

Die kleine Sharri Monk war sich sicher, einen weiteren Zahn zu verlieren, um genau Viertel nach neun Uhr abends sollte es eine partielle Mondfinsternis geben, und Bette Monk (die Mutter von Sharri, ihrer älteren Schwester Dale und ihres jüngeren Bruders Eddie) zog mit ihren Kindern in ein Vier-Zimmer-Haus in der Greene Street. Das Haus war so malerisch, dass sie gewusst hatte, sie würden dort einziehen, kaum dass sie die Immobilienanzeige sah. Bette hatte eine Vision gehabt – *plopp* – von sich und den Kindern bei einem geschäftigen Frühstück in der Küche. Sie hantierte mit dem oberen Backblech und wendete die Pfannkuchen, während die Kinder in ihren Schuluniformen die Hausarbeiten beendeten und um das letzte Glas Orangensaft stritten. Das Bild vor ihrem geistigen Auge war so klar, so genau, dass keine Frage bestand (oh, der riesige Ahorn vorn im Garten!): Dieses Haus würde ihr gehören. Ihnen.

Bette hatte Visionen, konnte man es anders nennen? Nicht jeden Tag und nie mit spirituellem Glanz, aber es durchzuckte sie, und sie sah etwas – *plopp* – wie das Foto eines lang zurückliegenden Urlaubs, das sämtliche Erinnerungen an die Momente davor und danach enthielt. Als ihr Mann, Bob Monk, eines Tages von der Arbeit kam, hatte Bette – *plopp* –

einen Farbschnappschuss von ihm vor sich gesehen, auf dem er im Restaurant des Mission-Bell-Marriott-Hotels mit Lorraine Conner-Smythe Händchen hielt. Lorraine arbeitete als Beraterin für Bobs Firma, und so hatten die beiden reichlich Gelegenheit, sich zu beschnuppern. Im Bruchteil einer Sekunde wusste Bette, dass es mit ihrer bis eben noch intakt geglaubten Ehe vorbei war. *Plopp.*

Hätte Bette sagen sollen, wie oft sie, als kleines Mädchen schon, solche Visionen gehabt hatte und worum es jeweils gegangen war, hätten die Beispiele einen ganzen langen Dinnerpartyabend gefüllt: Nehmen wir nur das Stipendium, das sie in einer Vision sah und vier Jahre später gewinnen würde, das Wohnheimzimmer, das sie in Iowa City bekommen sollte, den ersten Mann, mit dem sie schlafen würde (nicht Bob Monk), ihr Hochzeitskleid, mit dem sie vor den Altar treten würde (mit Bob Monk), den Blick auf den Chicago River, den sie haben würde, nachdem das Vorstellungsgespräch mit der *Sun-Times* in ihrem Sinne gelaufen war, den Telefonanruf, den sie an dem Abend kommen sah, als ihre Eltern von einem Betrunkenen überfahren wurden. Und als sie die Schwangerschaftstests über dem Waschbecken im Bad betrachtete, hatte sie auch immer gewusst, ob es ein Mädchen oder Junge werden würde. Die Liste ließe sich noch lange fortführen. Nicht, dass sie eine große Sache daraus machte und behauptete, hellsehen zu können oder eine Wahrsagerin zu sein. Bette ging davon aus, dass die meisten Menschen solche Visionen hatten, es nur nicht begriffen. Und nicht all ihre Visionen bewahrheiteten sich. Einmal sah sie sich als Kandidatin beim Glücksrad, doch daraus wurde nie etwas. Und dennoch, ihre Treffsicherheit war beeindruckend.

Bob wollte Lorraine heiraten, kaum dass ihre Affäre entdeckt worden war, und er zahlte dafür. Er garantierte Bette finanzielle Sicherheit, selbst zu einem Zeitpunkt, wenn die Kids ins College gingen und die Unterhaltspflicht aufhörte. Das Haus in der Greene Street zu kaufen verlangte von ihnen, für die Bank durch etliche Reifen zu springen. Sie mussten eingehenden Nachforschungen und einer sechsmonatigen Treuhandphase zustimmen, aber am Ende wurde der Vertrag unterzeichnet. Der Rasen, der Ahorn, die Veranda vorn, all die Zimmer und das kleine, an die Garage angebaute Büro waren das Gelobte Land, besonders nach der Eigentumswohnung (über zwei Stockwerke), in der sie ihr Geld zunächst angelegt und zu viert aufeinandergehockt hatten wie Kätzchen in einer Schachtel. Jetzt hatten sie einen Garten hinterm Haus, so lang und so breit! Mit einem Granatapfelbaum! Bette sah ihre Kinder – *plopp* – in T-Shirts voller purpurner Flecken im nächsten Oktober!

Die Greene Street lag abseits und wurde fast nur von den Anwohnern befahren, sodass die Kinder auf der Straße spielen konnten. An diesem ersten August bettelten sie die Umzugsleute an, doch zuerst ihre Fahrräder auszuladen und auch Eddies Dreirad, damit sie ihr neues Terrain auskundschaften konnten. Die Umzugsleute waren junge Mexikaner, die selbst Kinder hatten, und so taten sie ihnen gern den Gefallen und sahen zu, wie sie spielten, sorglos, während sie selbst weiter ausluden und den Hausstand ins neue Heim trugen.

Bette verbrachte den Morgen damit, ihr Highschoolspanisch auszutesten. Sie schickte die Kartons in die richtigen Zimmer und ließ die Möbel ihrer Intuition entsprechend aufstellen – das Sofa mit Blick zum Fenster, die Bücherregale neben den Kamin. Etwa gegen elf kam Dale mit zwei pummeligen Jungs hereingelaufen, vielleicht zehn Jahre alt und wahrscheinlich Zwillinge, beide mit dem gleichen verschämten Blick und dazu passenden Grübchen.

»Mom! Das sind Keyshawn und Trennelle. Sie wohnen zwei Häuser weiter.«

»Keyshawn, Trennelle«, sagte Bette. »Wie geht's?«

»Sie sagen, ich kann bei ihnen zu Mittag essen.«

Bette sah die Jungen an. »Stimmt das?«

»Ja, Ma'am«, sagte entweder Keyshawn oder Trennelle.

»Hast du mich gerade *Ma'am* genannt?«

»Ja, Ma'am.«

»Du hast gute Manieren, Keyshawn, oder bist du Trennelle?«

Die Jungen zeigten aufeinander und sagten ihre Namen. Da sie unterschiedlich angezogen waren, nicht wie Zwillinge in einem Film, würde Bette sie auseinanderhalten können. Dazu kam, dass Keyshawn sein Haar zu perfekten Cornrows geflochten hatte, während Trennelles Kopf fast kahl rasiert war.

»Was gibt's denn zu essen?«, fragte Bette.

»Bohneneintopf mit Frankfurtern, Ma'am.«

»Und wer kocht?«

»Unsere Oma Alice«, erklärte Trennelle. »Unsere Mutter arbeitet in der AmCoFederal Bank. Unser Vater ist bei Coca-Cola, aber wir dürfen keine trinken. Nur sonntags. Unsere Oma Diane wohnt in Memphis. Opas haben wir keine. Unsere Mutter wird bestimmt zu Ihnen kommen, wenn sie von der Arbeit wieder da ist, und Ihnen Blumen aus unserem Garten bringen und ›Willkommen im neuen Heim‹ sagen. Unser Vater wird auch kommen, mit Coca-Cola, wenn es erlaubt ist, oder Fanta, wenn Sie die lieber mögen. Wir haben Oma nicht gefragt, ob auch genug für Eddie und Sharri da ist, also können sie nicht kommen.«

»Mom? Ja? Nein?« Dale platzte gleich.

»Iss etwas Grünes zu den Bohnen und Würstchen, und ich denke, ja.«

»Wären Äpfel okay für Sie, Ma'am? Als etwas Grünes? Wir haben grüne Äpfel.«

»Äpfel sollten reichen, Trennelle.«

Die drei Kinder rannten aus dem Haus, über die Veranda, die Stufen hinunter und unter den tief hängenden Ästen des Ahorns hindurch über den Rasen. Bette ging ihnen weit genug hinterher, um sie vier Häuser weiter durch eine Haustür verschwinden zu sehen. Sie rief nach Eddie und Sharri, sie sollten ihre Räder vorn auf dem Rasen parken und auf ein paar Sandwiches hereinkommen, die sie zubereiten würde, sobald sie die Zutaten dafür gefunden hätte.

———

Die Umzugsleute waren um drei fertig, fuhren weg und überließen Bette das Vergnügen, den Inhalt der Küchenkartons in Schubladen und Schränke zu räumen. Von Bobs verrückten Küchengerätschaften hatte sie keines mehr, diesen nutzlosen Erfindungen, die er als sogenannter Hobbykoch angehäuft hatte. Bette hatte nie gern gekocht, seit der Trennung ihre einfachen Gerichte jedoch mit ein paar Verfeinerungen weiterentwickelt. Ihr Sahnespinat hatte die Kinder tatsächlich dazu gebracht, Spinat essen zu wollen, und ihre Burritos mit Truthahnhack, Bohnen und Käse fielen nicht mehr auseinander, wenn man sie mit der Hand aß. Die Kinder jubelten, als Bette dienstags einen *Turkeeto*-Abend ausrief, und freuten sich jede Woche darauf.

Als die Kartons leer waren und die Schränke vernünftig gefüllt schienen, setzte Bette das eine Gerät in Gang, das sie wirklich schätzte: ihre Espressomaschine. Made in Germany. Das Ungeheuer aus rostfreiem Stahl hatte tausend Vor-Scheidungs-Dollar gekostet, nahm fast einen Quadratmeter Arbeitsfläche ein und besaß so viele Messanzeigen und Ventile wie das U-Boot in *Das Boot*. Sie liebte das Ding und begrüßte es morgens oft mit *»Hey, großer Junge«*.

Bette setzte sich – endlich – aufs Wohnzimmersofa, mit einer Riesentasse Espresso und aufgeschäumter Zwei-Prozent-Milch. Das große Fenster kam ihr vor wie eine Kinoleinwand, auf der ein Film mit dem Titel *Ich wohne jetzt hier* lief. Immer wieder rannte eine Kavalkade Kinder durchs Bild, die entweder alle in der Greene Street wohnten oder den Block zu ihrem Banden-Hauptquartier erklärt hatten. Ein flachsblondes Mädchen ging zu Sharri und inspizierte ihren Mund wie ein Vorbote der Zahnfee, der abschätzen wollte, was da zu erwarten war. Ein paar Jungs stellten einen Tee-Ball-Ständer auf, und jeder probierte es einmal mit dem Plastikschläger, während die anderen die Bälle fingen. Dale und ein anderes Mädchen ließen sich von den unteren Ästen des Ahorns herunterhängen, und Keyshawn und Trennelle mussten eine Schwester haben, ein Mädchen mit Zöpfen und Grübchen, das Ed half, auf ihrem rosa Zweirad zu fahren. Sie lief neben ihm her, während er am Rasen des gegenüberliegenden Hauses entlangfuhr.

Das Haus gehörte den Patels – hatte das nicht der Makler gesagt? Patel? Ganz sicher ein indischer Name. Die Patels mussten alle elf Monate ein Kind bekommen haben. Da draußen liefen fünf mit schwarzen Haaren und dunkler Haut herum, die sich ungeheuer glichen, nur jeweils etwas kleiner oder größer waren. Die älteren Patel-Mädchen, wenn es denn welche waren, hatten iPhones oder Samsungs, auf die sie alle Dreiviertelminute sahen. Sie machten eine Menge Fotos von Eddie auf dem rosa Laufrad.

Bette versuchte die Kinder zu zählen, aber wie bei einem Fischschwarm in einem großen Aquarium machte das Hin und Her es unmöglich. Sagen wir, es war ein rundes Dutzend mit verschiedenen Hautschattierungen, das da draußen herumwimmelte, lachte und durcheinanderschoss.

»Ich bin die Vereinten Nationen gezogen«, sagte sie. Das war etwas, was sie Maggie erzählen konnte, ihrer ältesten Freundin, die ihr durch jeden Schritt nach dem Zerbrechen ihrer Ehe geholfen hatte, vom ersten *Plopp* bis in die Realität ihres verzweifelten Unglücklichseins, der nicht umkehrbaren Trennung, der Suche nach einem Anwalt, des über dreijährigen Eheauflösungs-Hokuspokus und all der Abende roten, roten Weines. Ihr Telefon steckte in ihrer Handtasche auf dem Wohnzimmerboden. Sie griff gerade danach, als sie Paul Legaris die Einfahrt heraufkommen sah.

Er trug weite Cargo-Shorts und ein verblichenes rotes T-Shirt mit einem verknitterten Detroit-Red-Wings-Logo. Seine Brille war etwas zu eckig und hip für einen Mann seines Alters, vielleicht acht Jahre, schätzte Bette, war er älter als sie. Seine Füße steckten in Flipflops, es war Sommer, doch da es ein normaler Werktag war, schloss sie, dass er im Moment keinen Job hatte. Vielleicht arbeitete er aber auch nachts. Oder er hatte im Lotto gewonnen. Wer konnte das schon sagen?

Paul hielt eine Tüte mit Honigschinken darin in der Hand, wobei das keine von Bettes Visionen war, sondern außen zu lesen war: *HoneyBaked Ham.* Die Haustür stand weit offen, den ganzen Tag über waren die Umzugsleute und Kinder wie Subway-Fahrer hinein- und hinausgesteuert, trotzdem klingelte er, ohne jedoch anschließend zu rufen: »Ist jemand zu Hause?«

»Hallo«, sagte Bette und kam an die Tür.

»Paul Legaris. Ihr direkter Nachbar«, sagte er.

»Bette Monk.«

»Auch wenn ich nicht in offiziellem Auftrag komme«, sagte er und hielt die Tüte in ihre Richtung. »Willkommen.«

Bette warf einen Blick auf den Schinken. »Wissen Sie, mit einem Namen wie Monk …« Sie sprach nicht weiter, und Paul schien verwirrt wie ein Schauspieler, der sein Stichwort vergessen hatte. »Ich könnte eine jüdische Mutter sein«, sagte Bette, »und dann wäre Schweinefleisch …«

»*Treif.*« Paul kannte seinen Text also doch. »Verboten.«

»Ich bin aber keine.«

»Dann ist es ja okay.« Sie nahm die Tüte, die Paul ihr reichte. »Als ich hier eingezogen bin, haben sie mir auch so ein Ding vor die Tür gelegt, und ich habe Wochen davon gelebt.«

»Danke. Kann ich Ihnen etwas anbieten?« Bette wollte eigentlich keine Zeit mehr mit ihrem Nachbarn verbringen, einem Junggesellen (sie sah, dass er keinen Ring trug), dessen Existenz gleich nebenan der einzige so unvorhergesehene wie unerwünschte Umstand ihres neuen Lebens in der Greene Street war. Aber sie sollte höflich sein.

»Das ist nett von Ihnen«, sagte er und blieb noch auf der Veranda stehen, auf der anderen Seite der Grenze, vor der offenen Tür. »Aber am Umzugstag haben Sie sicher tausend Dinge zu tun.«

Bette wusste seine Ablehnung zu schätzen. Sie hatte tatsächlich sehr viel zu tun. Sie nickte zu den Kindern auf der Greene Street hinüber. »Sind welche davon Ihre?«

»Meine leben bei ihrer Mutter. Sie werden sie manchmal am Wochenende sehen.«

»Verstehe. Und vielen Dank für das hier.« Sie nickte zur

Tüte mit dem Schinken in ihrer Hand hin. »Vielleicht koche ich am Freitag eine Schinkenknochensuppe.«

»Lassen Sie ihn sich schmecken«, sagte Paul und begann seinen Rückzug von der Veranda. »Die Greene Street wird Ihnen guttun. War bei mir auch so. Oh …« Er drehte noch einmal um und kam zurück an die Tür. »Haben Sie heute Abend schon was vor?«

Haben Sie heute Abend schon was vor?

Bette hatte diese Worte in den letzten paar Jahren oft gehört. *Haben Sie heute Abend schon was vor?* Von geschiedenen, alleinstehenden, ungebundenen, einsamen Männern – Männern, deren Kinder bei ihren Exfrauen lebten, Männern in Wohnungen, die über die Singlebörsen des Internets intellektuelle, romantische oder sexuelle Verbindungen suchten. Männer, die sie kurz ansahen und sich fragten: Ob die heute Abend wohl schon was vorhat?

Plopp!

Die Vision: Paul behält ihre Einfahrt im Blick, um zu sehen, wann Bette Monk, geschieden, attraktiv (immer noch) nach Hause kommt. Schon schlendert er unter einem Vorwand herüber und stiehlt ihre Zeit: Ein Brief für sie ist irrtümlich in seinem Briefkasten gelandet, einem der Nachbarn, heißt es, ist ein Hund entlaufen, und geht es Eddies verstauchtem Fuß besser? Er bleibt zu lange, schwatzt zu träge, und der Ausdruck auf seinem Gesicht zeugt von seiner Bedürftigkeit.

Bette verarbeitete ihre Vision, den ersten Flecken auf dem Gewebe ihres neuen Lebens in der Greene Street. Ein Nachbar, der eine Frau suchte.

»Ich habe im Haus zu tun«, sagte sie. »Jede Menge.« Sie nahm einen Schluck von ihrem Kaffee.

»Etwa um neun baue ich mein Teleskop auf«, sagte Paul.

»Heute gibt es eine partielle Mondfinsternis, der Höhepunkt ist um Viertel nach. Da wird der hübsche rote Schatten der Erde die Hälfte des Mondes bedecken. Es wird nicht lange dauern, aber Sie könnten einen Blick riskieren.«

»Ah«, sagte Bette und beließ es dabei.

Paul ging in seinen Flipflops die Stufen der Veranda hinunter und über den Rasen, als Sharri herbeigestürmt kam und etwas Kleines in der Hand hielt, einen völlig weißen kleinen Kiesel.

»Mom! Sieh doch!«, kreischte sie. An ihren Fingern klebte ein wenig Blut. »Mein Zahn!«

———

Im verblassenden Licht jenes ersten Abends wurde die Straße langsam ruhiger, da alle irgendwann zum Essen mussten. Bette gab den Kindern Schinkenscheiben und einen Blattsalat mit Tomaten, den sie aus der alten Wohnung mitgebracht hatte. Kurz davor hatte Darlene Pitts, die Mutter von Keyshawn und Trennelle, einen Korb mit Blumen aus ihrem Garten und einer Karte gebracht, auf der stand: *Möchten Sie mein Nachbar sein?* Während sie sich auf der Veranda unterhielten, kam ihr Mann Harlan mit zwei großen Flaschen Sprite und Sprite Zero dazu. Gemeinsam gaben sie Bette einen kurzen Überblick über einige ihrer neuen Nachbarn.

»Die Patels haben alle Zungenbrecher als Vornamen«, witzelte Harlan. »Deshalb sage ich nur Mr und Mrs Patel.«

»Irrfan und Priyanka.« Darlene warf ihrem Mann einen Blick zu. »Und stresst es dich auch, dir die Namen ihrer Kinder zu merken?«

»Um ehrlich zu sein, ja.«

Das waren Leute nach Bettes Geschmack.

Darlene ratterte die Namen herunter: »Ananya, Pranav, Prisha, Anushka, und der Jüngste heißt Om.«

»Om kann ich mir merken«, sagte Harlan.

Die Smiths *da drüben* verschenkten eimerweise Aprikosen von ihrem Baum. Die Ornonas *dahinten* hatten ein Wasserskiboot, das ihre Einfahrt nie verließ. Die Familie Bakas in dem großen blauweißen Haus veranstaltete jedes Jahr zum griechischen Osterfest eine riesige Party, und wer nicht kam, musste sich das für den Rest des Jahres anhören. Vincent Crowell war Amateurfunker und saß ständig an seinem Gerät. Ihm gehörte das Haus mit der großen Antenne auf dem Dach.

»Und Paul Legaris unterrichtet Naturwissenschaften am Burham. Dem College. Er hat zwei ältere Kinder«, berichtete Harlan. »Ich hab gehört, dass sein Sohn zur Navy will.«

»Ein Lehrer«, sagte Bette. »Daher sein Schuhwerk.«

»Noch mal?«, fragte Darlene.

»Er hat uns einen Schinken gebracht, in Flipflops. An den Füßen, nicht dem Schinken. Ich dachte, ein Mann, der mitten in der Woche Flipflops trägt, wäre …«

»Lässig?«, sagte Harlan.

»Arbeitslos.«

»Kein Unterricht im August«, seufzte Harlan. »Ich beneide jeden Mann, der an einem Tag wie diesem Flipflops tragen kann.«

Plopp! Bette sah Paul auf dem Campus, zwischen den Seminaren auf einer Bank im Hof, umgeben von Studentinnen, hübschen Mädchen, die in Legaris' *Einführung in die Biologie* gingen, und er hatte immer so viel Zeit. Eine von ihnen stand sicher auf ältere Männer in einflussreicher Position, wenigstens hoffte Paul Legaris das.

113

Der warme Sommerabend zog die Kinder zurück auf die Greene Street, während Bette spülte und nach oben ging, die Bettwäsche suchte und die Betten machte. Aus dem Fenster des Zimmers, das sich Dale und Sharri teilten, sah Bette Paul eine große Röhre aus seiner Garage fahren, das Teleskop, von dem er gesprochen hatte. Es stand auf einem selbst gebauten Handwagen, und ein paar der Kinder halfen ihm schieben. Als es dunkel wurde, stöpselte Bette ihren Bluetooth-Lautsprecher ein, verband ihn mit ihrem Telefon, und Adele lieferte eine schwermütige Hintergrundmusik zum Auslegen von Schrankpapier und Entwirren von Kleiderbügeln. Bette war gerade dabei, weitere Kommodenschubladen zu füllen, als sie eines der Kinder die Haustür zuschlagen und die Treppe heraufstampfen hörte.

»Mom?«, rief Eddie und kam in sein zukünftiges Zimmer gelaufen. »Darf ich mir ein Teleskop bauen?«

»Ich bewundere dein Selbstvertrauen.«

»Professor Legaris hat sich auch eins gebaut, und es ist *irrsinnig* hindurchzuschauen.«

»*Professor* Legaris, wie?«

»Yeah. Der Mann, der nebenan wohnt. Seine Garage steht voll mit *irrsinnigen* Sachen. Er hat Kabel und Werkzeuge in einem großen hölzernen Ding, das er eine *Chiffarobe* nennt, dazu drei alte Fernseher mit Knöpfen auf der Seite und eine Nähmaschine mit einem Fußpedal.« Eddie sprang auf sein Bett. »Er hat mich in den Kosmos gucken lassen, was immer das ist, durch sein Teleskop. Ich hab den Mond gesehen, und so'n Sonnenschatten lag darauf.«

»Ich bin kein Professor, doch ich glaube, das war der Schatten der Erde.«

»Es war komisch. So mit den Augen sah das Stück Mond aus wie aus dem Himmel geschnitten, aber durchs Teleskop konntest du den abgeschnittenen Teil immer noch sehen. Er war rot. Mit Kratern und allem. Professor Legaris hat das Teleskop selbst gebaut, mit der Hand.«

»Wie baut man ein Teleskop?«

»Du besorgst ein rundes Stück Glas und schleifst es lange. Dann polierst du den geschliffenen Teil und steckst es in das Ende einer Röhre, wie für Teppiche. Und dann kaufst du so Gucklochdinger.«

»Linsen?«

»Optikons, glaube ich, hat er sie genannt. Er gibt einen Kurs, wie man sein eigenes Teleskop baut. Darf ich?«

»Wenn wir eine Röhre finden, oder? Wie für Teppiche.«

An jenem ersten Abend in der Greene Street gingen die Kinder spät ins Bett, doch nachdem sie so viel herumgerannt waren, schliefen sie auf der Stelle ein, *pronto*. Ehe sie es vergaß, legte Bette drei Dollar unter Sharris Kissen, für den Zahn. Die Zahnfee war heute gut bei Kasse.

Als der Tag endlich vorüber war, öffnete Bette eine Flasche roten, roten Wein, rief Maggie an und erzählte ihr von den Kindern in der Nachbarschaft, den Pitts und der Cola-Connection, und ja, auch von ihrer Vision mit Paul Legaris.

»Warum hast du nur immer so ein Pech mit Männern?«, fragte Maggie.

»Es ist nicht mein Pech«, sagte Bette. »Es sind die Männer. Sie sind so traurig. So offensichtlich. Sie suchen so verzweifelt nach einer Frau, über die sie sich definieren können.«

»Die sie vögeln können«, sagte Maggie. »Und du gleich nebenan. Wenn er das nächste Mal kommt und nach Rat-Pack-Rasierwasser riecht? Schieb den Riegel vor. Der ist hinter dir her.«

»Ich hoffe, er hat's auf seine Studentinnen abgesehen. Seine Assistentinnen. Verbindungsfrauen.«

»Das könnte ihn seinen Job kosten. Die nebenan eingezogene scharfe Geschiedene hingegen ist legales Wildbret. Vielleicht hat er gerade sein Fernrohr auf dein Fenster gerichtet.«

»Da sieht er nur Eddies Star-Wars-Vorhänge. Mein Zimmer liegt auf der anderen Seite des Hauses.«

––––––––

Während der August tief in den Hundstagen versank, mied Bette jeden Kontakt mit ihrem direkten Nachbarn, da sie kein weiteres *Haben-Sie-heute-Abend-schon-etwas-vor?* hören wollte. Wenn sie nach Hause kam, suchte sie die Greene Street nach Anzeichen von ihm ab. Einmal stand er vorn auf dem Rasen und winkte, als sie in ihre Einfahrt bog. »Wie geht's?«, rief er.

»Super, danke!«, sagte sie und eilte ins Haus, als hätte sie etwas Dringendes zu tun, was absolut nicht der Fall war. Ein anderes Mal sah er den Kindern zu, die ein Spiel namens *Davonfliegende Schweine* spielten und hinter Fußbälle traten, und sie nahm ihr Handy und tat so, als telefonierte sie, als sie ins Haus ging. Paul winkte, aber sie nickte nur mit dem Kopf. Abends dann fürchtete sie, dass es an der Tür klingeln und er sie, frisch geduscht und nach Creed riechend, fragen würde, ob sie etwas vorhätte oder mit ihm in der Old Spaghetti Factory einen Bissen essen wolle. Einmal hatte sie genau dieses Angebot ihres Zahnarztes angenommen, und er hatte sich als ein so narzisstischer Langweiler erwiesen, dass sie die Praxis wechselte. Etwa zu der Zeit hatte sie einen Waffenstillstand im Anbandelungskrieg beschlossen und war wild entschlossen, ihr neues Leben in der

Greene Street von Bindungen und damit Katastrophen frei-
zuhalten.

Tatsächlich sahen die Kinder Paul Legaris öfter als sie. Er
wusch gerade seinen Wagen (wer wusch sein Auto schon an
einem Freitagabend?), als Bob sie für ihr Wochenende bei
ihm abholte. Bette zeigte ihrem Exmann das Erdgeschoss ihres neuen Hauses, während die Kinder ihre Taschen fürs Wochenende packten, und sah dann zu, wie sie ins Auto stiegen.
Paul kam dazu, weil Eddie seinem Dad den Mann vorstellen
wollte, der am College Kosmos lehrte. Die beiden Männer
unterhielten sich länger als notwendig, entschied Bette. Als
Bob mit den Kindern davonfuhr, wusch Paul weiter sein
Auto. Bette hatte keine Vision der Unterhaltung und fragte
sich, ob sie Erfahrungen über, nun, *sie* ausgetauscht hatten.

Am nächsten Morgen, einem Samstag ohne Kinder, schlief
Bette wundervoll lange. Barfuß, in einer Yogahose und einem
leichten Baumwoll-Hoodie, stieg sie die Treppe hinunter, ihr
iPad in der Hand. Es war völlig ruhig im Haus.

»Hey, großer Junge.« Sie schäumte sich ihr Morgenelixier
auf und trug es nach hinten in den Garten, bevor die Sonne
über das Dach des Nachbarhauses stieg und es hier zu heiß
wurde. Sie nahm auch das iPad mit. Seit Jahren schon schien
sie es nirgends anders mehr als im Bett benutzt zu haben. Sie
setzte sich in den Plastiksessel unter den Baum, scrollte
durch die letzten Ausgaben des Sonntagsmagazins der Chi-
cagoer *Sun-Times* und blieb zu lange auf der Website der
Daily Mail hängen, als sie ein Klopfen hörte: *Tock-tock-tock-
tock-tock.*

Da ging ein Specht seinem Spechtsein nach.

Tock-tock-tock-tock-tock.

Sie suchte die Äste des Baumes nach ihm ab, entdeckte ihn
aber nicht. *Tock-tock-tock-tock-tock.*

»Immer fünf Mal«, sagte Bette, die mitzählte.

Sie sah zum Haus hinüber und war froh, dass sie den Vogel nicht in der Holzverkleidung oben nach Insekten suchen sah. Dann wieder: *Tock-tock-tock-tock-tock.*

Das Klopfen kam von jenseits des Zaunes, aus dem Garten von Paul Legaris. Der hohe Zaun, etwas, das auch in der Greene Street für gute Nachbarschaft sorgte, versperrte jeden Blick nach nebenan. Nur die höheren Äste des Baumes drüben waren sichtbar, doch auch in ihnen war nichts von Herrn Specht zu sehen. Das *Tock-tock-tock-tock-tock*-Geräusch kam jedoch immer wieder, und Bette wollte wissen, wie groß dieser Vogel war. Also trug sie ihren Stuhl zum Zaun, stieg hinauf und hoffte, das Tier in Aktion zu erleben.

Tock-tock-tock-tock-tock.

Der Garten ihres Nachbarn war gepflegt und gut bestellt. Sie sah einen Gemüsegarten mit Tröpfchenbewässerung und Bohnenstangen, und auf einem Stück Gras neben ein paar ungleichmäßig angeordneten Sonnenkollektoren lag ein alter, verrosteter Pflug, der von einem Pferd gezogen werden wollte. Ganz hinten, weit weg vom Haus, gab es einen mächtigen gemauerten Grill und eine dieser freistehenden Hängematten aus dem Versandkatalog.

Tock-tock-tock-tock-tock.

Paul Legaris, bereits wieder in seiner Uniform aus weiter Shorts, Polohemd und Flipflops, saß auf seiner hölzernen Terrasse unter der ausgefahrenen Markise. Seine zu coole Brille hatte er sich auf den Kopf geschoben und beugte sich konzentriert über einen Picknicktisch und eine riesige Maschine, die aussah, als stammte sie aus dem frühen neunzehnten Jahrhundert.

Tock-tock-tock-tock-tock.

Es war eine Schreibmaschine, auch wenn sie anders aussah als alle, die Bette jemals gesehen hatte. Das Ding war uralt, aus dem viktorianischen Zeitalter, eine mechanische Druckvorrichtung mit Hämmern, die in einem Bogen auf das auf eine Walze gespannte Papier niedergingen. Paul schlug fünfmal auf eine Taste – *tock-tock-tock-tock-tock* –, gab einen Tropfen Öl in das innere Hebelwerk der Maschine und wiederholte den Vorgang.

Tock-tock-tock-tock-tock.

So vermochte dieser Mann einen friedlichen Morgen in der Greene Street zu ruinieren: indem er eine Schreibruine direkt aus einem Jules-Verne-Roman überholte.

Tock-tock-tock-tock-tock.

»*Yowza*«, murmelte Bette und ging hinein, um sich einen weiteren Koffeinschuss zu setzen, blieb dann drinnen, las auf ihrem iPad und hörte das gedämpfte *Tock-tock-tock-tock-tock* der eisernen Textverarbeitungsmaschine ihres Nachbarn.

Nachmittags, als die Sonne die Greene Street in Pfanne und Feuer zugleich verwandelte, telefonierte Bette mit Maggie.

»Er hat also Teleskope und Schreibmaschinen bei sich im Haus herumstehen. Ich frage mich, was sonst noch«, sagte Maggie.

»Alte Toaster. Wählscheibentelefone. Waschbottiche mit Wringvorrichtungen. Wer weiß?«

»Ich hab einige der Partnerbörsen im Netz durchgesehen, ihn aber nicht gefunden.«

»Auch nicht bei bei gruselnachbar.com? Oder MüdeSäcke4U?« Bette sah durchs Fenster vorn, wie ein unbekannter Wagen am Straßenrand hielt, ein Koreaner, rot wie Nagellack. Ein junger Mann stieg aus, der Fahrer, und mit ihm ein etwas jüngeres Mädchen, zweifellos seine Schwester. Als sie die Straße überquerten und auf Paul Legaris' Haustür zusteuerten, sah Bette, dass der junge Bursche genau ging wie Legaris.

»Kinderalarm«, sagte Bette zu Maggie. »Rate mal, wer da gerade gekommen ist.«

»Wer?«, fragte Maggie.

»Ich bin mir ziemlich sicher, es ist der Nachwuchs vom Professor nebenan. Sohn und Tochter.«

»Tätowiert oder die Birkenstock-Sorte?«

»Nein.« Bette musterte die beiden auf Anzeichen von Rebellentum oder Eigentümlichkeiten hin. »Sie sehen ganz normal aus.«

»*Normal* ist ein Waschmaschinenprogramm.«

In diesem Moment ließ das Mädchen einen Schrei hören und rannte auf die Haustür zu. Paul Legaris lief ihr entgegen, und sie umarmte ihn, nahm ihn in den Schwitzkasten und zwang ihn zu Boden, lachend, mitten auf dem Rasen. Der Sohn warf sich mit ins Gefecht. Zwei Kinder, die wie Welpen über ihren Vater herfielen, den sie eindeutig seit einer Weile nicht gesehen hatten.

»Ich werde wohl 911 anrufen müssen. Da kugelt sich gleich einer die Schulter aus«, meinte Bette.

Am Abend trafen sich Bette, Maggie und die Ordinand-Schwestern zum Essen in einem mexikanischen Café mit Papierschirmen über den Glühbirnen. Die Mauern waren aus Schlackenbetonstein, und alles wirkte so authentisch, dass sie Angst hatten, das Wasser zu trinken, aber nicht die Margaritas. Sie lachten viel an diesem Abend und erzählten sich Geschichten über frühere Ehemänner, lausige Exgeliebte und Männer ohne Sinn und Verstand. Die Unterhaltung war witzig und gewagt, immer wieder ging es um Paul Legaris, und nichts davon klang schmeichelhaft.

Als sie der Lyft-Fahrer in der Greene Street absetzte, war

es bereits seit zwei Stunden dunkel, und wieder stand das Teleskop vor Pauls Haus. Aber sein Auto war nicht da, und es waren seine Kinder, die den Himmel absuchten. Bette steuerte geradewegs auf ihre Tür zu, als die Stimme des Sohnes zu ihr herüberdrang.

»Guten Abend«, war alles, was er sagte.

Bette nickte und ließ ein Geräusch in der Art von »n'abnd« hören, wurde aber nicht langsamer.

»Möchten Sie die Jupitermonde sehen?«, rief das Mädchen. »Mitten am Himmel und supercool?«

»Nein danke«, erwiderte Bette.

»Da verpassen Sie aber 'ne tolle Show!« Die Stimme des Mädchens klang wie die von Dale, offen, freundlich und begeisterungsfähig, selbst für die kleinsten Dinge.

»Keine Finsternis heute Abend?« Bette holte die Haustürschlüssel aus ihrer Tasche.

»Die gibt's nicht oft, aber der Jupiter ist den ganzen Sommer zu sehen«, sagte das Mädchen. »Ich bin Nora Legaris.«

»Hi. Bette Monk.«

»Die Mutter von Dale, Sharri und Eddie? Dad sagt, Ihre Kinder sind ein Brüller.« Das Mädchen kam auf Bette zu und erreichte die Einfahrt. »Sie haben das Haus von den Schneiders gekauft. Die sind nach Austin gezogen, die Glückspilze. Das ist mein Bruder.« Nora deutete zum Teleskop hinüber. »Sag Mrs Monk, wie du heißt!«

»Lawrence Altwell-Chance Delagordo Legaris der Siebte«, sagte er. »Aber Sie können mich Chick nennen.«

Bette wirkte verwirrt, wie eine Frau, die drei Margaritas intus hatte. Was der Fall war. »*Chick?*«

»Oder Larry. Ist eine lange Geschichte. Wollen Sie sehen, was Galileo vor Jahrhunderten gesehen hat? Es hat den Lauf der Geschichte geändert.«

Eine solche Einladung abzutun und in ihr Haus zu flüchten wäre sehr unfreundlich gewesen, sehr un-greene-streetisch. Nora und Chick schienen reizende Kinder zu sein. Also sagte Bette: »So gesehen, probier ich's wohl besser.«

Bette überschritt die Grenze zum Legaris-Grundstück, es war das erste Mal überhaupt. Chick trat vom Teleskop zurück und machte ihr Platz. »*Schauet*, der Jupiter«, sagte er.

Bette legte ihr Auge auf die Linse am offenen Ende der Teppichrolle.

»Versuchen Sie, nicht dagegenzustoßen. Das Teleskop sollte genau ausgerichtet sein.«

Bette blinzelte. Die Linse drückte ihr gegen die Wimpern. Sie begriff nicht, was sie da erkennen sollte. »Ich sehe nichts.«

»Chick«, seufzte Nora. »Du kannst nicht ›*schauet, der Jupiter*‹ sagen und ihn dann nicht *schaubar* machen.«

»Entschuldigen Sie, Mrs Monk. Einen Moment.« Chick sah durch ein weit kleineres, auf der Teppichrolle befestigtes Teleskop und nahm ein paar Korrekturen vor, rauf, runter, links, rechts. »Und *bäng!*, fett wie 'ne Gans!«

»Ich hoffe, Sie *schauen* den Jupiter jetzt«, sagte Nora.

Mit dem Auge wieder so nahe an der Linse, dass ihr Mascara sie hätte verschmieren können, sah Bette erst nichts und dann einen hell leuchtenden Punkt. Den Jupiter. Und nicht nur den Jupiter, sondern auch noch vier seiner Monde in einer geraden Linie, einen einzelnen links und drei rechts, so klar, wie sie nur sein konnten.

»*Yowza!*«, rief Bette. »Klarer geht's nicht! Das ist der *Jupiter?*«

»Der König der Planeten und seine Monde«, sagte Chick. »Wie viele sehen Sie?«

»Vier.«

»Genau wie Galileo«, sagte Nora. »Er steckte zwei Glasstücke in eine Messingröhre, richtete sie auf das hellste Objekt am italienischen Himmel und sah genau, was Sie jetzt sehen. Damit schlug er die Tür zum ptolemäischen Weltbild zu. Was ihn in Teufels Küche brachte.«

Bette konnte den Blick nicht davon wenden. Noch nie hatte sie so tief in den Kosmos geblickt und mit eigenen Augen einen anderen Planeten gesehen. Der Jupiter war eine Pracht.

»Warten Sie, bis Sie den Saturn sehen«, sagte Chick. »Die Ringe und Monde mit allem Drum und Dran.«

»Zeig ihn mir!« Bette war plötzlich Feuer und Flamme.

»Kann ich nicht«, erklärte Chick. »Der Saturn geht erst sehr früh am Morgen auf. Wenn Sie Ihren Wecker auf Viertel vor fünf stellen, treffe ich Sie hier und hole ihn für Sie herein.«

»Vier Uhr fünfundvierzig? Das sicher nicht.« Bette trat vom Teleskop und von den Jupitermonden weg. »Und jetzt erklär mir, warum du Chick heißt.«

Nora lachte. »Abbott und Costello. In einem ihrer Filme hieß der Dünne Chick. Wir haben ihn etwa tausendmal gesehen, und ich hab angefangen, meinen Bruder so zu nennen. Und der Name ist hängen geblieben. Chick.«

»Besser als La-La-La-Larry Le-Le-Legaris.«

»Verstehe«, sagte Bette. »Ich hieß Elizabeth, zusammen mit sieben anderen Mädchen der vierten Klasse.« Sie sah noch einmal durchs Teleskop zum Jupiter hinauf und staunte wieder.

»Da kommt der alte Herr.« Nora sah, wie sich die Scheinwerfer vom Auto ihres Vater auf der Greene Street näherten. Bette überlegte, ob sie zu ihrer Tür flüchten sollte, doch das hätte jetzt so gestört ausgesehen, dass sie ihren Flucht-instinkt unterdrückte.

»Was macht ihr Rabauken da auf meinem Rasen?«, sagte Paul und stieg aus dem Wagen. Auch auf der Beifahrerseite stieg jemand aus, ein Rotschopf, kaum älter als Chick. »Nicht Sie, Bette. Die beiden Taugenichtse.«

Nora sah Bette an. »Dad benutzt solche Wörter wie Taugenichts. Entschuldigen Sie, dass Sie das mit anhören müssen.«

»Das ist Daniel«, sagte Paul und deutete auf den rot-haarigen Burschen, der, für Bette unübersehbar, sehr, sehr dünn war, möglicherweise unterernährt. Er trug ganz neue Sachen, die sicher nicht nach seinem eigenen Geschmack waren, dazu schien er sich zu unwohl darin zu fühlen. Die Kids begrüßten sich, und Bette sagte Hallo.

»Hast du den Großen im Visier?« Paul sah zu dem Gas-giganten am Himmel hinauf. »Daniel, hast du schon mal den Jupiter gesehen?«

»Noch nicht.« Ohne ein weiteres Wort trat Daniel ans Teleskop und sah durchs Okular. »Wow«, sagte er ausdrucks-los.

»Bette? Haben Sie auch einen Blick gewagt?«, fragte Paul.

»Habe ich und hab *yowza!* gerufen.« Bette sah Nora an. »Entschuldige, dass du das mitanhören musstest.«

»*Yowza* ist gut«, sagte Nora. »Ein Superlativ für alles. Wie *big-time* oder *super-duper*.«

»*Swingin'*«, sagte Chick.

»*Knorke*«, sagte Paul.

»*Titten*«, sagte Daniel, wieder völlig ausdruckslos.

Keiner wusste, was er darauf erwidern sollte.

———

Dieser Daniel verbrachte einige Tage im Haus von Paul Legaris. Bette hörte die beiden Männer morgens reden, ihre fernen Stimmen schallten hinten über den Gartenzaun. Abends, so gegen sieben, sah Bette sie gemeinsam wegfahren, und irgendwann war der dünne Rotschopf nicht mehr da. Die Greene Street wurde wieder ein Ort nur mit Fahrrädern, Bällen und spielenden, betont überschwänglichen Kindern, begann doch die Schule langsam zu drohen. Plötzlich lag das Ende des Sommers in der Luft. Greifbar.

Am letzten Abend im August ging Bette mit den Kindern Pizza essen. Überall im Restaurant standen Spielautomaten, und als sie zurück nach Hause kamen, war die Straße nach all dem Lärm ein Hort der Ruhe. Die Kinder der Patels spielten vorn auf ihrem Rasen mit dem Gartenschlauch, und Eddie und Sharri liefen zu ihnen hinüber. Dale ging ins Haus. Bette blieb noch eine Weile draußen in der kühlen, angenehmen Brise stehen, die durch die Blätter ihres Ahorns fuhr. Etwas von der übrig gebliebenen Pizza gelangte aus dem Takeaway-Karton in ihre Hand, und sie lehnte sich gegen einen der unteren Äste des Baumes und kaute vor sich hin.

Von Paul Legaris war nichts zu sehen. Sein Wagen stand nicht in der Einfahrt, und so ließ sie sich entspannt von der Ruhe der Straße umfangen, wenn sie auch ein etwas schlechtes Gewissen wegen ihres vierten Stücks Pizza mit Peperoni, Oliven und Zwiebeln hatte. Den schmalen, trockenen Rand warf sie ins Gras (den würde sich ein Vogel holen) und glaubte in dem Moment, ein großes, ein sehr großes Insekt über Paul Legaris' Einfahrt laufen zu sehen.

Fast ließ sie einen leisen Schreckensschrei hören – das könnte eine riesige Spinne sein –, sah dann aber, dass da nur ein Schlüsselbund auf der Erde lag, genau an der Stelle, wo normalerweise Pauls Wagen stand.

Bette fühlte sich in einer Art Dilemma – was tat man in so einem Fall als Nachbar? Sie *sollte* die Schlüssel nehmen und aufbewahren, bis Paul nach Hause kam, dann bei ihm klopfen und sie ihm zurückgeben. Wenn es tatsächlich seine Schlüssel waren, was höchstwahrscheinlich schien, würde sie ihm so die Angst vor einer vergeblichen Suche ersparen. Jeder würde es so machen, aber – *plopp* – Paul würde so froh darüber sein, die Schlüssel wiederzuhaben, dass er darauf bestünde, sich bei Bette mit einem von ihm selbst gekochten Essen zu bedanken. Sagen Sie! Wie wäre es, wenn ich hinten im Garten ein paar Spareribs grille, mit meiner Spezialsoße?

Das wollte Bette nicht. Die einfache Lösung war, Eddie die Schlüssel zurückbringen zu lassen. Wenn Paul zurückkam, wollte sie ihren Sohn hinüberschicken und die gute Tat vollbringen lassen. Bette würde im Haus bleiben, und damit hätte sich die Sache.

Sie ging und hob das Schlüsselbund auf. Es hing ein Anhänger daran, mit dem Siegel des Burham Community College, im Übrigen gab es ein paar normale Hausschlüssel, dazu zwei geschäftsmäßig wirkende mit eingeprägten Seriennummern, einen Fahrradschlüssel, und das größte Teil am Bund war ein Pokerchip aus Plastik, in den jemand ein Loch gebohrt hatte.

Der Chip war abgenutzt, der ehedem geriffelte Rand glatt gerieben. Er war wohl einmal rot gewesen, die Farbe aber nur noch an wenigen Stellen erhalten. In der Mitte war noch eine große 20 zu erkennen. Paul musste in einem der nachgemachten Riverboat-Casinos an der Staatsgrenze zwanzig Dollar gewonnen haben. Oder vielleicht war es auch das letzte Überbleibsel eines 2000-Dollar-Einsatzes. Sie drehte den Chip und sah die Aufschrift *NA* auf der anderen Seite, eingerahmt von einem wie ein Baseballfeld auf der Spitze stehenden Quadrat. Die Buchstaben hatten etwas Exotisches, Stilisiertes, wie eine Tätowierung. Im verblassenden Abendlicht sah Bette, dass auch rundum noch etwas stand, aber es war wie der Rand abgerieben und bis auf ein paar Buchstaben unlesbar. Da war ein *g*, da ein *oc* und da etwas, das wie ein *vice* aussah, aber auch ein *roit* oder *ribs* sein könnte. Jedenfalls waren es vier Buchstaben.

Die Kinder auf der anderen Seite der Straße spielten Punchball gegen das Garagentor der Patels. Bette nahm das Schlüsselbund mit nach drinnen, bis sie Eddie damit losschicken konnte.

Dale saß im Wohnzimmer an ihrem Laptop und sah sich Springreitvideos auf YouTube an.

»Bist du beschäftigt?«, fragte Bette sie. Dale antwortete nicht. »Hey, mein Kind«, sagte sie und schnipste mit den Fingern.

»Was?« Dale sah nicht von ihrem Computer auf.

»Kannst du was für mich googeln?«

»Was googeln?«

»Diesen Pokerchip.« Bette hielt das Schlüsselbund hoch.

»Ich soll ›Pokerchips‹ googeln?«

»Diesen Pokerchip.«

»Dafür brauche ich Google nicht. Das ist ein Pokerchip.«

»Woher?«

»Aus einer Pokerchipfabrik.«

»Ich werf ihn dir an den Kopf, wenn du ihn nicht googelst.«

Dale seufzte, sah ihre Mutter an, das Schlüsselbund, den Chip und verdrehte die Augen. »Okay! Aber kann ich das hier erst zu Ende sehen?«

Bette zeigte Dale den Chip genauer, das verblichene Rot, die 20, das *NA* und die fast abgeriebenen Buchstaben, ließ die Schlüssel bei ihr liegen und ging sich die Pizzakrümel von den Händen waschen. Sie belud gerade die Spülmaschine, als Dale etwas aus dem Wohnzimmer herüberbrüllte.

»Was?«, rief Bette.

Dale kam mit ihrem Laptop in die Küche. »Es ist was mit Drogen.«

»Was?« Bette legte Besteck in den oberen Korb der Maschine.

»Der Pokerchip«, sagte Dale und zeigte ihrer Mutter verschiedene Bilder auf ihrem Computer. »*NA* steht für *Narcotics Anonymous*. Wie die Anonymen Alkoholiker, nur für Drogen. Ich habe *Pokerchips* und *NA* eingegeben und nach Bildern gesucht. Hier.«

Es war der gleiche Schriftzug wie auf dem Chip, *NA* in einem Baseballfeld, dazu die Worte *Self, God, Society* und *Service* auf den freien Stellen.

»Mit den Chips feiern sie, dass sie clean sind«, sagte Dale. »Und keine Drogen mehr nehmen. Von dreißig Tagen aufwärts.«

»Aber da steht zwanzig.« Was machte Paul Legaris mit einem Pokerchip der Narcotics Anonymous?

»Das heißt dann wohl zwanzig Jahre«, sagte Dale. »Wo hast du die Schlüssel gefunden?«

Bette zögerte. Falls Paul Legaris etwas mit Drogen oder den Narcotics Anonymous zu tun hatte, sollte Dale es nicht wissen, bevor sie nicht selbst mehr in Erfahrung gebracht hatte.

»Irgendwo draußen«, sagte Bette.

»Soll ich noch was googeln? Kartoffelchips oder die Pokerregeln?«

»Nein.« Bette wandte sich wieder der Spülmaschine zu. Als sie fertig war, rief sie Maggie an.

»Aber klar, Narcotics Anonymous«, erklärte Maggie. »AA für Anonyme Alkoholiker. AK für Anonyme Kokser. Anonyme gibt's für alles.«

»Und NA für Junkies?«

»Na, nicht für Narkoleptiker.« Maggie war neugierig. »Bist du dir sicher, dass es *seine* Schlüssel sind?«

»Nein. Aber sie lagen auf seiner Einfahrt, also nehmen wir's mal an – womit wir uns zum Affen machen, falls …«

»Typen mit einem Zwölf-Punkte-Programm schlafen immer mit jemand anderem aus dem Zwölf-Punkte-Programm. Sarah Jallis hat eine Nichte, die einen aus ihrer AA-Gruppe geheiratet hat. Aber ich glaube, sie haben sich später wieder scheiden lassen.«

»Wenn Paul Legaris bei den NA ist, dann seit zwanzig Jahren. Ich frage mich, weswegen.«

»Nun.« Maggie machte eine Pause. »Ich würde sagen, es hat was mit Drogen zu tun.«

Eddie und Sharri kamen eine Stunde später herein, völlig durchnässt, nachdem sie mit Patels Gartenschlauch gespielt hatten. Eine weitere Stunde später waren alle drei Kinder gebadet, hockten vor der Playstation und guckten einen Film in HD. Bette saß mit ihrem iPad in der Küche und durchforstete alle möglichen Websites nach den Narcotics Anonymous. Sie hörte nicht, dass es an der Tür klopfte.

»Professor Legaris ist hier.« Eddie war in die Küche gekommen. Bette sah ihren Sohn an, ohne zu reagieren. »Vorne an der Tür.«

Und da stand er, auf der Veranda, auf der anderen Seite der Schwelle, in Jeans, einem weißen Hemd und ledernen Bootsschuhen. Bette zog die Tür bis auf einen Spalt hinter sich zu, um die Geräusche des Films zu dämpfen.

»Hallo«, sagte sie.

»Entschuldigen Sie die Störung. Ich wollte nur fragen, ob ich vielleicht durch Ihren Garten in meinen klettern kann.«

»Warum?«

»Weil ich ein Dummkopf bin. Ich hab mich ausgesperrt, aber ich glaube, die Schiebetür hinten ist nicht abgeschlossen. Ich würde ja auf der anderen Seite über meinen eigenen Zaun klettern, doch dann lande ich in den Mülleimern.«

Bette sah Paul an, sah in das Gesicht des Mannes, der ihr vor einem Monat den Honigschinken gebracht hatte, des Nachbarn, der freitags sein Auto wusch, der Teleskope baute und alte Schreibmaschinen reparierte. *Plopp!* Paul Legaris sitzt in einem Kreis Männer und Frauen, alle auf Klappstühlen. Er hört Daniel zu, dem mageren Rotschopf, der von seinen Tagen auf Heroin erzählt. Paul nickt, er erkennt sein eigenes Verhalten von vor zwanzig Jahren wieder.

»Warten Sie«, sagte Bette.

Sekunden später kam sie mit dem Schlüsselbund in der Hand zurück.

»Meine Schlüssel«, murmelte Paul. »Sie haben mir meine Schlüssel geklaut? Das ist ein Scherz.«

»Sie lagen auf Ihrer Einfahrt. Erst dachte ich, es wäre ein Riesenkäfer, aber nein.«

»Mein Autoschlüssel muss sich davon gelöst haben, ohne dass ich es gemerkt habe. Ich hatte keine Ahnung, wo ich sie verloren haben könnte. Danke.«

»Danken Sie der Greene Street und der guten Nachbarschaft hier«, sagte Bette. Damit wäre es an der Zeit gewesen, die Tür zu schließen und jede weitere Unterhaltung mit dem

Mann von nebenan zu beenden, dem Mann, der Flipflops trug und dem sie seit ihrem Einzug aus dem Weg ging. Die Frage, die sie jetzt stellte, überraschte sie selbst: »Was ist mit diesem Daniel mit den roten Haaren und der vornehmen Ausdrucksweise passiert?«

Paul hatte sich bereits zum Gehen gewandt. Jetzt hielt er noch einmal inne und sah die in der Tür stehende Bette an. »Ach, Danny.« Paul machte eine kurze Pause. »Der ist in Kentucky.«

»Kentucky? Kommt er da her?« Bette lehnte am Türrahmen, locker, ruhig. Sie fühlte sich völlig entspannt da auf ihrer Schwelle mit Paul, das erste Mal seit seinem *Haben-Sie-heute-Abend-schon-was-vor?*.

»Er stammt aus Detroit. Aber da gab's eine Möglichkeit in Kentucky, neunzig Tage kann er da bleiben, wenn alles gut geht, und er hat sie angenommen. Ich hoffe, es war kein Problem, dass er bei mir war.«

»Nein. Ich hätte ihm nur gern ein Sandwich gemacht, um ihn etwas aufzupäppeln.«

»Tja. Danny muss besser essen.« Paul wandte sich wieder ab, um zu gehen.

»Wissen Sie«, sagte Bette, »früher hat man Rotschöpfe wie ihn für Dämonen gehalten. Wegen der Teufelshaare.«

Paul lachte. »Er hat seine Dämonen, aber nicht mehr als jeder andere von uns.«

Bette sah auf die Schlüssel in Pauls Hand und den Chip, der zwanzig Jahre Nüchternheit feierte, zwei Jahrzehnte ohne Drogen. Sie rechnete. Chick Legaris war mindestens einundzwanzig, was hieße, dass er ein Baby gewesen war, als sein Vater den Tiefpunkt erreicht hatte – als er, von wo auch immer, seine Reise begann, um an diesem Augustabend hier auf ihrer Veranda zu stehen.

In dieser Sekunde war Bette umso sicherer, dass sie und ihre Kinder hierhergehörten, in die Greene Street.

»Danke, dass Sie mir großen Ärger erspart haben«, sagte Paul und winkte mit den Schlüsseln.

»*De nada*«, sagte Bette und sah zu, wie er auf sein Haus nebenan zuging.

———

Sie war kaum zurück in ihrem Haus, als sie sich – *plopp!* – am frühen Morgen in ihrer Küche sah. Der Sonnenaufgang war noch Stunden entfernt, die Kinder schliefen in ihren Betten.

»Hallo, großer Junge«, sagt sie zu ihrer Espressomaschine und schäumt sich zuerst einen Milchkaffee auf und dann, in einer zweiten Tasse, einen großen Cappuccino mit reichlich Milchschaum.

Sie trägt die beiden Wachmacher aus der Tür, die Verandastufen hinunter und unter den tief hängenden Ästen des Ahorns hindurch über den Rasen.

Paul Legaris hat sein Teleskop auf seiner Einfahrt aufgebaut und auf das tiefe Dunkelblau des Himmels östlich über der Greene Street gerichtet.

Der Saturn geht auf, und durch das Okular betrachtet, ist der Planet mit dem Ring eine Pracht. Fett wie eine Gans und supercool steht er schon bald mitten am Himmel.

Alan Bean plus vier

In diesem Jahr war das Reisen zum Mond, wie wir vier bewiesen haben, weit weniger kompliziert als noch 1969 – wobei das niemanden vom Hocker riss. Wir saßen mit ein paar kalten Bieren hinten in meinem Garten, die Mondsichel ein zarter Prinzessinnen-Fingernagel tief im Westen, und ich erklärte Steve Wong, wenn er, sagen wir, einen Hammer mit genug Kraft dorthin würfe, würde besagtes Werkzeug eine Achthunderttausend-Kilometer-Acht beschreiben, um den Mond herumfliegen und wie ein Bumerang zur Erde zurückkehren, und war das nicht faszinierend?

Steve Wong arbeitet bei Home Depot und kommt an viele Hämmer ran. Er bot an, ein paar loszuschicken. Sein Kollege MDash, der seinen Vornamen auf Rap-Star-Länge gekürzt hat, fragte sich, wie man einen rot glühenden Hammer auffangen solle, der mit mehr als anderthalb Tausend Stundenkilometern vom Himmel fällt. Anna, die ihr eigenes Grafikdesignbüro hat, meinte, dass da nichts mehr zum Auffangen wäre, da der Hammer längst wie ein Meteor verglüht sei, und sie hatte recht. Im Übrigen kaufte sie mir mein simples kosmisches Werfen-Warten-Wiedersehen-Konzept nicht ab. Sie hatte immer schon ihre Zweifel an meinen hoffnungsvollen Raumfahrtprogrammen. Sie sagt, ich würde ständig von »Apollo-Missionen hier« und »Lunokhod-Mondlandungen da« reden, und dass ich nur deshalb damit angefangen hätte, bestimmte Einzelheiten für falsch zu erklären, damit ich wie ein Experte klänge, und auch da hat sie recht.

Ich habe all meine Sachbücher auf meinem Kobo-eReader, und so blätterte ich zu einem Kapitel in *Keine Chance, Iwan. Warum die UdSSR das Rennen zum Mond verlor*, geschrieben von einem emigrierten Professor, der da noch eine Rechnung zu begleichen hatte. Ihm zufolge hatten die Sowjets Mitte der Sechzigerjahre gehofft, mit einer solchen Achterunternehmung das Apollo-Programm übertrumpfen zu können: kein Einschwenken in eine Umlaufbahn, keine Landung, aber Fotos und das Recht zu frohlocken. Die Roten schickten eine unbemannte Sojus los, angeblich mit einer Puppe im Raumanzug, doch dabei ging so viel schief, dass sie sich nicht noch mal trauten, nicht mal mit einem Hund. *Kaputnik.*

Anna ist dünn, blitzgescheit und getrieben wie keine, mit der ich je zusammen war (drei erschöpfende Wochen lang). Sie sah da eine Herausforderung. Ihr sollte gelingen, was die Russen nicht geschafft hatten. Das werde ein Riesenspaß. Wir flögen zu viert, sagte sie, das sei beschlossen, nur wann? Ich schlug vor, den Start in Verbindung mit Apollo 11 anzusetzen, der berühmtesten Raumfahrtunternehmung der Geschichte, doch das war unmöglich, da Steve Wong in der dritten Juliwoche eine größere Zahnarztgeschichte im Kalender stehen hatte. Ansonsten im November, als Apollo 12 im Ozean der Stürme gelandet war, was 99,999 Prozent der Leute auf der Welt vergessen hatten? Anna sollte in der Woche nach Halloween Brautjungfer bei der Hochzeit ihrer Schwester sein. Somit ergab sich der letzte Samstag im September als das beste Datum für unsere Unternehmung.

Die Astronauten der Apollo-Ära hatten Tausende Stunden am Steuerknüppel von Düsenjägern verbracht und Ingenieurstitel eingefahren. Sie mussten üben, einer Katastrophe auf der Abschussrampe zu entfliehen und lange Seile hinunter in die Sicherheit dick ausgepolsterter Bunker zu rutschen. Und sie mussten wissen, wie Rechenschieber funktionierten. Wir taten nichts von alledem, allerdings veranstalteten wir einen Testflug unserer Startrakete, am vierten Juli, von Steve Wongs riesiger Einfahrt in Oxnard aus. Wir hofften, dass unsere unbemannte erste Stufe inmitten all des Feuerwerks unbemerkt in den Nachthimmel aufsteigen konnte. Der Versuch gelang. Die Rakete stieg aus Baja auf und schwirrt *immer noch* alle neunzig Minuten einmal um die Erde. Um der vielen Regierungsinstanzen und -behörden willen lassen Sie mich klar sagen, dass sie beim Wiedereintritt in zwölf bis vierzehn Monaten wahrscheinlich verglühen wird, ohne für jemanden eine Gefährdung darzustellen.

Der in einem Dorf südlich der Sahara geborene MDash ist ein Superhirn. Als Neuzugang an der St. Anthony Country Day Highschool mit minimalen Englischkenntnissen gewann er mit einem Experiment mit ablativen Materialien (die zur Freude aller Feuer fingen) einen Wissenschaftsmessen-Verdienstorden. Da ein funktionierender Hitzeschild eine der Voraussetzungen für eine »sichere Rückkehr zur Erde« ist, war MDash dafür und für alles andere im Bereich der Pyrotechnik verantwortlich, was auch das Absprengen der verschiedenen Stufen einschloss. Anna kümmerte sich um den mathematischen Teil, legte sämtliche Massenverhältnisse fest, die Maßdaten für die Umlaufbahnen, die Treibstoffmischungen und alle anderen Formeln – um all die Dinge eben, bei denen ich nur so tue, als würde ich mich damit auskennen. Tatsächlich bewege ich mich da eher im Nebel.

Mein Beitrag dazu war die Kommandokapsel, ein enger, scheinwerferförmiger Sphäroid, der von einem äußerst reichen Pool-Zubehör-Magnaten zusammengeschustert worden war. Der Mann war wild entschlossen gewesen, ins private Raumfahrtgeschäft einzusteigen, um die große NASA-Kohle zu machen. Er starb im Schlaf, kurz vor seinem neunzigsten Geburtstag, und seine (vierte) Frau/Witwe willigte ein, mir die Kapsel für hundert Dollar zu verkaufen, wobei ich auch das Doppelte dafür bezahlt hätte. Sie bestand darauf, mir auf einer der alten Schreibmaschinen ihres Mannes, dem Ungeheuer einer grünen Royal Desktop – nur einer von vielen, die er gesammelt, aber nicht hatte instand halten können (ein ganzer Stapel davon setzte in der Ecke seiner Garage Rost an) –, eine Quittung auszustellen. MUSS INNERHALB VON 48 STUNDEN ABGEHOLT WERDEN, schrieb sie, und dazu: KEINE RÜCKGABE/BARZAHLUNG. Ich benannte die Kapsel nach Alan Bean, zu Ehren des Mondfährenpiloten von Apollo 12, dem vierten Menschen auf dem Mond und dem einzigen, dem ich je begegnet war, 1986 in einem mexikanischen Restaurant in der Nähe von Houston. Er zahlte gerade, unerkannt wie ein Orthopäde mit schütterem Haar, und ich rief: »Heilige Scheiße! Sie sind Al Bean!« Er gab mir ein Autogramm und zeichnete einen kleinen Astronauten über seinen Namen.

Da wir zu viert um dem Mond karriolen würden, musste ich Raum in der *Alan Bean* schaffen und Gewicht eliminieren. Wir würden kein Kontrollzentrum haben, das uns herumkommandieren konnte, und so riss ich die gesamte Kommunikationskonsole heraus und verklebte jede Niete, Schraube, Angel, jeden Clip und jeden Strecker mit Gewebeband (drei Dollar die Rolle bei Home Depot). Unser Klo hatte einen Duschvorhang, um die Intimsphäre zu wahren. Ich hatte von erfahrener Seite gehört, ein Klogang in der Schwerelosigkeit erfordere, sich komplett auszuziehen und eine Stunde Zeit einzuplanen, also ja, Ungestörtheit war von zentraler Bedeutung. Die Außenklappe und die massige Evak-Schleuse ersetzte ich durch einen Pfropfen aus einer besonderen Stahllegierung mit großem Fenster und selbst abdichtendem Rand. Das Vakuum des Weltraums und der Druck innerhalb der *Alan Bean* würden für eine luftdichte Verschlussluke sorgen. Einfache Physik.

Verkünde, dass du zum Mond fliegst, und alle nehmen an, du willst darauf landen, deine Flagge in den Boden rammen, mit nur einem Sechstel deines gewohnten Gewichts wie ein Känguru darauf herumhüpfen, Steine sammeln und mit nach Hause nehmen. Nichts von alledem würden wir tun, sondern nur um den Mond *herumfliegen.* Zu *landen* ist eine ganz andere Geschichte, und was das Betreten der Oberfläche angeht – Himmel, uns darauf zu einigen, wer von uns vieren als Erster rausginge und der dreizehnte Mensch würde, der seine Fußspuren auf dem Mond hinterlässt, hätte mit Sicherheit zu so viel bösem Blut geführt, dass sich unsere Mannschaft noch vor dem Countdown der letzten zehn Sekunden entzweit hätte. Und seien wir ehrlich, am Ende wäre es sowieso Anna gewesen.

Die drei Stufen unserer guten *Alan Bean* zusammenzubauen kostete uns zwei Tage. Wir packten Müsliriegel und Wasser in Flaschen mit Druckverschluss und pumpten flüssigen Sauerstoff in die beiden Startstufen sowie die hypergolischen Chemikalien in die Einmalkammer des translunaren Motors, der Minirakete, die uns zu unserem Mondrendezvous schleudern würde. Fast ganz Oxnard kam zu Steve Wongs Einfahrt, um die *Alan Bean* zu beäugen, und nicht einer wusste, wer Alan Bean war oder warum wir unser Raumschiff nach ihm benannt hatten. Die Kinder bettelten, einen Blick in die Rakete werfen zu dürfen, doch dafür waren wir nicht versichert. Worauf wartet ihr noch? Geht's bald los? Jedem Schwachkopf, der zuhören wollte, erklärte ich den Zusammenhang von Startfenstern und Flugbahnen und zeigte ihm auf meiner MoonFaze-App (gratis), wie wir genau im richtigen Augenblick auf die Mondbahn treffen mussten, oder die Anziehungskraft des Erdtrabanten würde uns ... Gott noch mal! Da steht er doch, der Mond! Zielt genau drauf, und lasst es krachen!

Vierundzwanzig Sekunden nach dem Lift-off gab unsere erste Stufe volle Power, und die Max-Q-App ($0,99) zeigte, dass wir mit dem 11,8-Fachen unseres Gewichts (auf Seehöhe) in die Höhe gestoßen wurden, wobei wir kein iPhone gebraucht hätten, um das sagen zu können. Wir ... kämpften ... um ... Luft ... und Anna ... schrie ... »Verschwinde ... von meiner ... Brust!« Aber da saß keiner auf ihrer Brust. Tatsächlich saß sie auf mir und zerquetschte mich wie ein feindlicher Stürmerstar. *Kaboom!*, machten MDashs Dynamitbolzen, und die zweite Stufe zündete wie geplant. Eine Minute später trieben Staubflocken, Wechselgeld und ein paar Kugelschreiber hinter unseren Sitzen hervor und signalisierten: Hey! Wir haben die Umlaufbahn erreicht!

Die Schwerelosigkeit macht genauso viel Spaß, wie man es sich vorstellt, ist aber für die Raumreisenden verdrießlich, die ohne erkenntlichen Grund die ersten Stunden in ihr kotzend verbringen, als hätten sie es beim Empfang vorm Start mit den Drinks übertrieben. Das ist eins der Dinge, über die die PR-Leute der NASA kein Wort verlieren und von denen man auch in Astronautenmemoiren nichts liest. Nach drei Erdumkreisungen hatten wir die Checkliste für unseren Ausbruch ins All abgearbeitet, und Steve Wongs Magen hatte sich endlich beruhigt. Irgendwo über Afrika öffneten wir die Ventile unseres translunaren Motors, die hypergolischen Chemikalien entwickelten ihren Zauber, und – *wusch!* – waren wir unterwegs zu unserem Erdtrabanten, und das mit knackigen zwölf Kilometern pro Sekunde. Die Erde im Fenster wurde kleiner und kleiner.

Die Amerikaner, die vor uns zum Mond gefahren waren, hatten so primitive Computer, dass sie weder E-Mails empfangen noch Streitigkeiten mit einer Google-Recherche beilegen konnten. Die iPads, die wir dabeihatten, verfügten etwa über die siebzigmilliardenfache Kapazität der Apollo-Rechner und waren mucho praktisch, vor allem während der langen Ruhezeiten unserer Reise. MDash sah sich die letzte Staffel von *Girls* an. Wir machten Hunderte von Selfies mit der Erde im Fenster hinter uns und veranstalteten ein Tischtennisturnier, bei dem wir einen Pingpongball auf dem zentralen Sitz aufditschen ließen. Natürlich gewann Anna. Ich bediente die Positionsraketen im Impulsmodus und drehte und kippte die *Alan Bean*, um ein paar der Sterne betrachten zu können, die im klaren Sonnenlicht sichtbar waren: Antares, Nunki, den Kugelsternhaufen NGC 6333 –, die alle nicht flackern, wenn du oben bei ihnen bist.

Das große Ding beim translunaren Reisen ist das Durchqueren der Equi-Gravisphäre, jener Grenze, die so unsichtbar ist wie die internationale Datumsgrenze, aber für die *Alan Bean* der Rubikon war. Auf dieser Seite der EQS zerrte die Anziehungskraft der Erde an uns, verlangsamte unsere Fahrt und wollte, dass wir zu den lebensbejahenden Wohltaten von Wasser, Atmosphäre und Magnetfeld zurückkehrten. Als wir sie überschritten hatten, übernahm der Mond, umfing uns mit seiner uralten silbrigen Umarmung und flüsterte: *Schnell, schnell, schnell.* Staunend blinzelten wir in seine wundervolle Verlassenheit.

Genau in dem Moment, als wir die Schwelle erreichten, hatte Anna uns allen Origami-Kraniche aus Alufolie überreicht, die wir wie Pilotenabzeichen auf unsere Hemden klebten. Zur Thermalkontrolle brachte ich die *Alan Bean* in die Position einer passiven Grillrolle, bei der sich unser dem Mond zustrebendes Schiff auf einem unsichtbaren Spieß drehte, damit die Sonnenwärme gleichmäßig verteilt war. Wir dämpften das Licht, klebten ein Sweatshirt vors Fenster, damit das Sonnenlicht nicht ständig durch die Kapsel strich, und jeder Einzelne von uns kuschelte sich zum Schlafen in eine bequeme Ecke unseres kleinen Raketenschiffs.

Wenn ich den Menschen erzähle, dass ich die hintere Seite des Mondes gesehen habe, sagen sie oft: »Sie meinen die *dunkle* Seite«, als wären wir im Bann Darth Vaders oder Pink Floyds unterwegs gewesen. Tatsächlich bekommen beide Seiten des Monds gleich viel Sonne, nur zu unterschiedlichen Zeiten.

Weil der Mond für die Leute zu Hause zunehmend und dreiviertelgroß war, kamen wir auf seiner Hinterseite in den Schattenbereich. In der Dunkelheit dort, ohne Sonnenlicht und während der Mond uns den Blick auf die Erde verstellte, impulste ich die *Alan Bean* so, dass das Fenster uns den Blick hinaus ins unendliche Raum-Zeit-Kontinuum eröffnete. Das hatte IMAX-Qualität: stetig leuchtende Sterne in feinen Schattierungen aus Rot-Orange-Gelb-Grün-Blau-Indigo-Violett, und unsere Galaxie reichte so weit, wie unsere Augen groß wurden, ein diamantblauer Teppich vor einer Finsternis, die furchterregend hätte sein können, wäre sie nicht so faszinierend gewesen.

Dann wurde Licht, als ob MDash einen Schalter umgelegt hätte. Ich justierte die Einstellungen, und unter uns zog die Oberfläche des Mondes vorbei. Wow! Prachtvoll auf eine

Art, die die Bedeutung des Wortes an seine Grenzen trieb, ein zerklüfteter Ort, der *Ohs!* und *Ahs!* hervorrief. Die Luna-Ticket-App ($ 0,99) zeigte, dass wir unseren Trabanten von Süd nach Nord überflogen, mental jedoch waren wir im All verloren und die Oberfläche des Mondes so kabbelig wie eine windgepeitschte, grau gezuckerte Meeresbucht, bis ich die Stelle in meinem Führer *Das ist unser Mond* (auf meinem Kobo) als den Poincaré-Krater identifizierte. Die *Alan Bean* raste in 153 Kilometern Höhe (95,06 Meilen *Americanus*) dahin, schneller als eine Gewehrkugel, und der Mond glitt so schnell unter uns her, dass kaum mehr etwas von seiner Rückseite blieb. Der Oresme-Krater hatte weiße Fingerfarbenstreifen, und der Heaviside zeigte Rinnen und Vertiefungen, die aussahen wie von einem Fluss ausgewaschen. Den Dufay-Krater überquerten wir genau in der Mitte, von sechs nach zwölf Uhr, sein Rand war eine steile, scharfe Klinge. Das Mare Moscoviense öffnete sich weit, eine Miniausgabe des Ozeans der Stürme, in dem der wirkliche Alan Bean zwei Tage verbracht hatte, wandernd, Steine sammelnd, fotografierend. Der Glückliche.

Die Aufnahmefähigkeit unserer Gehirne war begrenzt, und so ließen wir unsere iPhones alles aufnehmen, und ich verkündete keine Namen mehr, obwohl ich den Campbell und den D'Alembert erkannte, verbunden durch den kleineren Slipher, gerade als wir über den Nordpol hinweg unsere Rückreise antraten. Steve Wong hatte für den Erdaufgang eine bestimmte Musik vorbereitet, musste aber die Bluetooth-Verbindung zu Annas Jambox neu einrichten und war fast zu spät dran. MDash schrie: *»Drück Play! Drück Play!«*, als der blau-weiße Flecken Leben (der Teil von allem ist, was wir aus uns machen und je gewesen sind) den schwarzen Kosmos über dem Sägezahnhorizont durchbrach. Ich rechnete mit etwas Klassischem, Franz Joseph Haydn oder George Harrison, doch dann begleitete *The Circle of Life* aus dem *König der Löwen* das Aufgehen unseres Heimatplaneten über dem Gipsmond. Ernsthaft? Eine Disney-Melodie? Dennoch, der Rhythmus, wissen Sie, der Chor und die Doppeldeutigkeit des Textes ergriffen mich und ließen einen Kloß in meinem Hals aufsteigen. Tränen quollen mir aus den Augen und vereinten sich mit anderen, die durch die *Alan Bean* trieben. Anna umarmte mich, als wären wir immer noch zusammen. Wir heulten. Alle heulten wir. Sie hätten es auch getan.

Die Rückreise war eine fette Antiklimax, trotz der (nie besprochenen) Möglichkeit, wie ein veralteter Spionagesatellit etwa aus dem Jahr 1962 beim Wiedereintritt zu verglühen. Natürlich waren wir alle *chuffed*, wie der Engländer sagen würde, also hocherfreut, dass wir die Reise geschafft und die Speicher unserer iPhones mit iPhotos gefüllt hatten. Aber wir fragten uns, was wir nach unserer Rückkehr tun sollten – abgesehen davon, absolut geile Sachen auf Instagram zu posten. Sollte ich Al Bean jemals wieder begegnen, werde ich ihn fragen, wie das Leben nach dem zweimaligen Durchqueren der Equi-Gravisphäre für ihn ist. Wird er an ruhigen Nachmittagen melancholisch, während sich die Erde auf Autopilot weiterdreht? Wird mich gelegentlich die Schwermut überfallen, weil nichts den Zauber des Flugs mitten über den Dufay besitzt? Das steht noch nicht fest, denke ich.

»Boah! Kamtschatka!«, rief Anna, als unser Hitzeschild in Millionen korngroßer Kometen zerfiel. Wir beschrieben einen Bogen über dem Polarkreis, und wieder bestimmte die Schwerkraft, dass wir, die wir in den Raum aufgestiegen waren, zurück nach unten kommen mussten. Als sich die Fallschirme öffneten, stauchte die *Alan Bean* unsere Knochen heftig zusammen. Annas Jambox riss sich aus ihrer Klebebandhalterung und traf MDash an der Stirn, und als wir vor Oahu ins Wasser platschten, rann Blut aus der hässlichen Platzwunde zwischen seinen Brauen. Anna warf ihm ihr Stirnband zu, denn raten Sie mal, was wir alle vergessen hatten, mit auf unsere Reise um den Mond zu nehmen? Für jeden, der plant, es uns nachzutun: Pflaster.

In stabiler Lage auf dem Ozean tanzend, statt uns in Plasma aufgelöst zu haben, entzündete MDash die Leuchtsignale, die er unter dem Fallschirmöffnungssystem installiert hatte. Ich öffnete das Druckausgleichsventil einen Tick zu früh, und *upps!*, widerliche Rauchschwaden vom Verbrennen des Resttreibstoffs wurden in die Kapsel gesaugt, worauf uns allen noch etwas übel wurde, zusätzlich zur Seekrankheit.

Als der Druck innen den gleichen Psi-Wert wie der draußen hatte, konnte Steve Wong die Hauptluke entkorken, und die Pazifikluft rauschte herein, weich wie ein Kuss von Mutter Erde, aber infolge eines, wie sich herausstellte, groben Konstruktionsfehlers begann sich ebendieser Pazifik zu uns in unser kleines Raumschiff zu gesellen. Die zweite historische Reise der *Alan Bean* würde auf den feuchten Meeresgrund führen. Anna, schnell wie immer, hielt ihre Apple-Produkte in die Höhe, aber Steve Wong verlor sein Samsung (das Galaxy! Ha!), das in der unteren Ausrüstungsecke verschwand, als uns das steigende Meereswasser den Ausstieg gebot.

Das Ausflugsboot vom Kahala Hilton (voller neugieriger Schnorchler) zog uns aus dem Wasser. Die Leute an Bord, die des Englischen mächtig waren, erklärten uns, dass wir fürchterlich stanken, die Ausländer machten weiträumig Platz.

Nachdem ich geduscht und mich umgezogen hatte, löffelte ich Obstsalat aus einem dekorativen kleinen Kanu auf dem Büfett des Hotels, und eine Dame kam und fragte mich, ob ich mit in dem Ding gesessen hätte, das da vom Himmel gefallen sei. Ja, sagte ich ihr, und dass ich bis zum Mond geflogen und sicher in die keinen Spaß verstehenden Fesseln der Erde zurückgekehrt sei. Genau wie Alan Bean.

»Wer ist Alan Bean?«, fragte sie.

Unsere Stadt heute
von
Hank Fiset

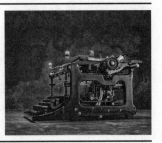

Unterwegs im Big Apple

New York City! Und ich hatte drei Tage für mich, während meine Frau bei ihrem 25-jährigen Collegetreffen war, zusammen mit ihren Verbindungsschwestern von Gotta Getta Guy. Wie schön, dass sie mich hatte mitkommen lassen. Ich war nicht mehr in Manhattan gewesen, seit *Cats* am Broadway lief. Da hatte es im Hotel noch keine HD-Fernseher gegeben.

Und was ist NEU in NEW YORK? Zu viel, wenn Sie liebe Erinnerungen daran haben, aber nur wenig, wenn die *Naked City* Ihnen das Gefühl gibt, nun, *nackt* zu sein. Meiner Meinung nach kommt NYC im Fernsehen und im Kino weit besser weg, wenn das nächste Taxi nur einen Pfiff entfernt ist und Superhelden Rettung bringen. In der wirklichen Welt (in unserer) ist jeder Tag in Gotham ein wenig wie Macy2019s Thanksgiving-Parade und gleicht sehr der Gepäckausgabe nach einem langen, übervollen Flug.

Möglichst bald nach Ankunft muss durch die Straßen der Großen Stadt spaziert werden, besonders wenn die Mrs das Familienbudget in all die bekannten großen Läden tragen will: zu Bergdorf's, Goodman2019s, Saks und Bloomie's, von denen nicht einer besser ist als unser heimischer Hemworthy's, der seit 1952 an der Ecke Seventh und Sycamore seine Waren feilbietet. Angesichts meiner Finanzen (einer schwindenden Menge) verlangen all die schicken Läden schon für ihre Tragetaschen zu viel. Aber das will ich *New York, New York* zugestehen: Allein durch die Straßen zu gehen ist eine Show. Ich meine, wo wollen die Leute alle nur *hin*?

Vielleicht in den Central Park? In diesem großen grünen Rechteck gibt es mehr Musiker als in der East Valley High School Marching Band, aber es sind alles Einzelkämpfer. Die Saxofonisten, Geiger, Quetschkommodenkünstler und wenigstens ein japanischer Shamisen-Spieler stehen sämtlich im Wettbewerb mit dem nächsten hungernden Musikerkollegen, der nur ein paar Meter weiter in die Tasten greift, was eine funky Fuge produziert und der relativen Ruhe des Parks einigen Abbruch tut. Fügen Sie dem noch Hunderte ernsthafte Jogger, Radfahrer und eine ähnliche Anzahl Zeitverschwender und Touristen auf geliehenen Fahrrädern hinzu, an Stricken gezogene Dreiräder und Pferdekutschen, die den Park wie einen Streichelzoo riechen lassen, und Sie sehnen sich zurück nach Ihrem Spitz Riverside Park, der, zugegeben, weniger Postkartenansichten liefert, aber unsere Tri-Cities-Eichhörnchen wirken weit glücklicher als die New Yorker Kollegen. Durchqueren Sie den Park von der East Side mit den hohen Anwesen ehemaliger Tycoons, gelangen Sie auf der anderen Seite auf die mit Filialen von Starbucks, Gap und Bed Bath & Beyond überladenen West Side Avenues. War ich da gerade in unsere eigene Hillcrest Mall in Pear-

man gestolpert? Sah ganz so aus, aber wo waren die Parkplätze?

Nicht ohne ihren eigenen Zauber ist diese Metropole alias New York City, das gebe ich zu. Wenn die Sonne hinter den Türmen versinkt und aufhört, den Teer der Straßen aufzukochen, ist es eine nette Sache, die Füße an einem Tischchen am Bordstein auszuruhen und dabei einen Cocktail in der Hand zu halten. Dann hat Yankee Town den Charme Ihres eigenen Country Market Patio & Grill. Ich saß da, nippte an meinem Glas und verlor mich mit den Blicken in der irren exzentrischen Welt New Yorks. Ich sah einen Mann mit einer Katze auf der Schulter, dazu europäische Touristen in den engsten Hosen, die man sich vorstellen kann. Ein Feuerwehrwagen heulte vorbei, die Männer verschwanden im Hochhaus nebenan, kamen wenig später wieder heraus und redeten von einem kaputten Rauchwarnmelder. Ein Mann rollte ein selbst gebautes Teleskop auf die Straße, der Schauspieler Kiefer Sutherland kam vorbei und dann eine Frau mit einem großen weißen Vogel auf der Schulter. Ich hoffte nur, dass sie nicht auf den Burschen mit der Katze traf.

Ein Cesar Salad ist der wahre Test jedes Hotelrestaurants, merken Sie sich das! Im Sun Garden/Red Lion Inn bei uns am Flughafen gibt es eine Prachtausgabe. Was ich dagegen am Times Square bei einem vortheaterlichen Essen mit meiner Frau und ihren immer noch knusprigen Mitschülerinnen bekam, war schlaff und das Dressing zu sauer. *Hell, Cesar!* Nachdem ich gezahlt hatte, gingen die Mädels in eine Broadway-Produktion von *Chicago* – das ist wie der Film, nur ohne Nahaufnahmen. Ich kenne mich nicht besonders gut mit Theater aus, aber ich wette, was die Mädels an dem Abend zu sehen bekamen, war nicht besser als *Die goldenen Zwanziger* der Meadow-Hills-Community-College-Theatergruppe beim American College Theater Festival im letzten Jahr. Schlägt der sogenannte Great White Way des Broadway das Beste der Tri-Cities? Dieser Reporter meint: Nein.

Wenn Sie hungrig sind und Lust auf eine Frankfurter haben: Die gibt's in Manhattan überall an den Straßenecken, alle paar Meter im Park und in den Subway-Bahnhöfen, mit Papayasaft. Keine von ihnen ist so gut wie ein Wurststeak aus Butterworth's Hot Dog Emporium am Great Lake Drive. Ein Bagel in Manhattan ist ein Glaubensbekenntnis, aber Crane's West Side Cafeteria hat wirklich himmlisch aufgegangene Teigwaren für alle in den Tri-Cities. Es gibt viel Gewese um *N'york* und *N'yorker* Pizza, doch ich gebe mein Geld lieber für ein Stück von Lamonicas neapolitanischer aus, und ja, sie liefern in fünfzehn Kilometer Umkreis von all ihren vierzehn Restaurants. Und wo wir schon von italienischem Essen reden: Anthony's Italian Cellar in Harbor View ist so authentisch wie alles in Little Italy, nur ohne die Gangstermorde.

Hat New York etwas, was wir in unseren Tri-Cities nicht haben? Nicht so viel, da wir übers Fernsehen sämtliche Sportkanäle und Sender aus aller Welt hereinbekommen und das Internet alles andere liefert. Ich gebe zu, die Anzahl der Museen in Manhattan hat was, ist toll, beindruckend und so. Einfach so in den, sagen wir, uralten Tempel von Dendur hineinmarschieren zu können oder in eine Halle voller zusammengesetzter Dinosaurierknochen, das ist schon ein herrlicher Ausflug, selbst wenn man ihn mit Schulkindern aus dem ganzen Staat und Touristen aus der ganzen Welt unternimmt. Ich genehmigte mir einen ganzen Museumstag, während sich die Ladies Gesichtsmasken, Massagen und Pediküren zur Katerbekämpfung gönnten. Ich sah Bilder, die ich nie verstehen werde, dazu eine »Installation«, die aus nichts anderem bestand als einem Raum voller zerrissener Teppichstücke, und eine Skulptur, die aussah wie ein riesiger, verrosteter, verbeulter Kühlschrank. *Ars Gratia Artis* (Kunst um der Kunst willen), brüllt der MGM-Löwe.

Mein letztes Museum war eins für moderne Kunst, wo ich einen Film sah, in dem es allein darum ging, wie die Zeit vergeht – ernsthaft, da tickten reichlich Uhren, und die Leute blickten auf ihre Handgelenke. Ich hab dem zehn Minuten gegeben. Im oberen Stockwerk hing eine leere Leinwand mit einem Schnitt in der Mitte. Eine andere Leinwand war unten hellblau und wurde nach oben hin dunkelblau. Im Treppenhaus war ein echter Hubschrauber an der Decke befestigt, ein im Flug erstarrter Drehflügler. Einen Stock weiter oben standen zwei italienische Schreibmaschinen, eine große und eine kleine Ausgabe desselben Modells in einer Vitrine hinter Glas, als wären sie mit wertvollen Edelsteinen besetzt. Waren sie aber nicht! Und sie waren auch nicht älter als fünfzig Jahre. Mir kam der Gedanke, die Tri-Cities könnten eine Sammlung gebrauchter Schreibmaschinen zusammenstellen und fürs Ansehen Eintritt verlangen. Die frei gewordene Schinkenfabrik Baxter's am Wyatt Boulevard müsste verfügbar sein. Gibt es irgendwen mit genug Bürgersinn, um sich dessen anzunehmen?

Wer ist wer?

An einem Montagmorgen Anfang November 1978 war Sue Gliebe wie schon jeden Tag während der letzten sechs Wochen aufgestanden und aus der Wohnung gegangen, bevor ihre Mitbewohnerinnen die Augen aufschlugen. Rebecca lag im Hochbett des Wohnzimmers, in fast zweieinhalb Meter Höhe, und auch Shelley schlief wahrscheinlich noch, hinter der verschlossenen Tür des einzigen Schlafzimmers der Wohnung.

Sue hatte sich schnell und leise in der halben Wanne mit dem über den Wasserhahn gedrückten Schlauch geduscht, unter einem tröpfelnden Rinnsal, das mal lauwarm und dann wieder heiß wie die Oberfläche des Merkur war. Seit sie in New York war, hatte sie sich nicht mehr richtig sauber gefühlt, und ihre Kopfhaut hatte begonnen zu jucken. Im Nebel des winzigen Badezimmers zog sie sich an, schlüpfte in ihre Schuhe, die unter ihrem Bett, dem Sofa im Wohnzimmer, standen, hängte sich den Riemen ihrer großen Lederhandtasche quer über den Körper und nahm den Schirm, den sie am Freitag gekauft hatte. Ein weiteres Unwetter zog heran, hieß es in den Nachrichten, aber Sue war vorbereitet. Fünf ihrer ersparten Dollar hatte sie einem der vielen Männer gegeben, die, kaum dass ein paar regenschwere Wolken aufzogen, mit Kartons voller Schirme auf der Straße saßen. So geräuschlos es ging, verließ sie die Wohnung und achtete darauf, dass das Schloss der Tür hinter ihr einschnappte. Einmal hatte sie nicht auf das Klicken gelauscht und sich darauf von Shelley einen wütenden Vortrag über die Gefahren einer nicht geschlossenen Wohnungstür im Jahr 1978 in New York City anhören müssen. Das Klicken war ein unbedingtes Muss.

Ihr Mitbewohnerinnen betrachteten sie mittlerweile als einen nicht ausgetriebenen Poltergeist, der in allem zu umgehen war. Aber sie waren auch nicht ihre richtigen Mitbewohnerinnen, sondern ihre Gastgeber, die dafür sorgten, dass sich Sue so willkommen wie ein Unterleibsparasit fühlte. Im letzten Sommer war Rebecca noch so nett gewesen. Da hatte sie die Kostüme der Arizona Civic Light Opera geschneidert und Sue, die vor Ort engagiert worden war, gleich drei tragende Rollen gespielt. Freundinnen waren sie gewesen, und an Tagen, an denen nicht so viel zu tun war, hatte sich Rebecca im Pool der Gliebes erfrischt und mit ihnen Partys gefeiert. Irgendwann hatte sie Sue ihr Sofa angeboten, für »eine Weile«, wann immer sie – wenn denn jemals – nach New York City käme. Als Sue dann mit drei Koffern, achthundert Dollar und einem Traum vor der Tür stand, nickte Shelley, Rebeccas tatsächliche Mitbewohnerin, und sagte: »Yeah, okay.« Aber das war vor sieben Wochen gewesen, Sue schlief immer noch auf dem Sofa im kleinen Wohnzimmer, und die Stimmung in der Zweizimmerwohnung direkt am Upper Broadway hatte sich von wohlwollender Gastfreundschaft in arktische Eiseskälte verwandelt. Rebecca wollte Sue aus der Wohnung haben, Shelley wollte sie tot sehen. Sue hoffte, sich zusätzliche Sofazeit und Wohlwollen erkaufen zu können, indem sie fünfzig Dollar zur Miete beisteuerte, Milch und Tropicana-Orangensaft und einmal auch einen Schokoladenkuchen kaufte, einen sogenannten Blackout Cake, den Shelley zum Frühstück verspeiste. Solche Gesten wurden weniger geschätzt als erwartet.

Was konnte Sue tun? Wohin sollte Sue gehen? Jeden einzelnen Tag suchte sie nach einer eigenen New Yorker Bleibe, doch die Makler und Agenturen mit Namen wie Apartment Finders und Westside Spaces hatten Objekte in ihren »Listen« stehen, die in finsteren, nach Urin stinkenden Häusern sein sollten, wo niemand aufmachte, die nicht länger verfügbar waren oder sowieso nie existiert hatten. Shelley sagte, sie solle einen Suche-WG-Zimmer-Zettel ans Schwarze Brett der Actor's Equity hängen, und Sue musste ihr gestehen, dass sie der Gewerkschaft noch nicht beigetreten war, was erst ging, wenn sie ein Engagement vorweisen konnte. Worauf Shelley sie mit halb geschlossenen Lidern höchst enttäuscht ansah, wieder »Yeah, okay« sagte und hinzufügte: »Wenn du das nächste Mal zu ShopRite kommst, bring mir bitte eine große Dose Chock Full O'Nuts mit.« In dieser achten Woche, zu Beginn ihres dritten Monats auf der Insel Manhattan, weinte Sue, das vielversprechende Talent aus Arizona, das die Maria in der *West Side Story* gespielt hatte (in der letzten Saison an der ACLO), nachts still ins Kissen ihres Sofas, auf das der Schatten des Sicherheitsgitters vor dem Fenster ein diamantenförmiges Raster warf (waren solche Gitter wirklich einbruchsicher?). In der Subway, die sie fünfzig Cents kostete, schluckte sie ihre Tränen herunter und sorgte sich, jemand könne in ihr ein hübsches junges Mädchen sehen, das nicht weiterwusste, und sie, nun, ausrauben oder Schlimmeres im Sinn haben. Für Sue war der Umzug nach New York ein Akt des Glaubens, des Glaubens an sich, ihr Talent und die Stadt, die niemals schlief. Das Ganze sollte ein Abenteuer sein, wie in einem Film, in dem sie nach der Vorstellung aus dem Bühneneingang kam und einen gut aussehenden Seemann auf Landgang küsste, oder einer Fernsehserie wie *That Girl*, in der sie eine Wohnung mit einer großen Küche und einen Freund hatte, der für die Zeitschrift *Newsview* arbeitete. Aber New York spielte nicht mit. Wie konnte es nur so erbärmlich laufen für Sue Gliebe, dieses Musterbeispiel einer Dreifachbegabung: Sue konnte singen, tanzen *und* schauspielern! Ihre Eltern hatten ihr Talent schon entdeckt, als sie noch ein kleines Mädchen war! In allen Highschoolstücken hatte sie die Hauptrolle gespielt! Aus dem Chor der Civic Light Opera war sie zur führenden Darstellerin aufgestiegen und es drei Jahre geblieben! In *High Button Shoes* war sie zusammen mit Monty Hall aufgetreten, dem Fernsehmoderator von *Geh aufs Ganze*! Und auf ihrer Abschiedsparty hing ein großes Spruchband: *AUF ZUM BROADWAY!*

Also, warum brachte New York, New York sie zum Weinen? An ihrem ersten Abend in der City war sie mit Rebecca zusammen im Bus zum Lincoln Center gefahren, und Sue hatte all die Leute auf dem Upper Broadway gesehen und gefragt: »Wo wollen die alle hin?« Mittlerweile wusste sie, dass alle überall hinwollten. Heute Morgen ging sie, Sue, zur Bank, einer Filiale der Manufacturer's Hanover, wo sie vor fünf Wochen ein Konto eröffnet hatte. Die völlig desinteressierte Kassiererin schob zehn Dollar durch die Öffnung in der Plexiglaswand (kugelsicher) zu ihr hinaus, einen Fünf- und fünf Ein-Dollar-Scheine, und überließ es Sue zu vermerken, dass ihr Erspartes auf jetzt 564 Dollar zusammengeschrumpft war. Mehr als zweihundert hatte sie bereits in New York ausgegeben und hielt dafür nicht mehr in Händen als einen zusammenschiebbaren Fünf-Dollar-Schirm.

Von der Bank ging Sue in einen Donut Shop, wo sie sich einen einfachen Kuchen (das Billigste) und einen Kaffee mit Zucker und halb Milch, halb Sahne kaufte. Das war ihr Frühstück. Sie aß es im Stehen an der von Zucker und Kaffeeresten klebrigen Theke. Kaum gestärkt, ging sie anschließend zum Büro der Apartment Finders an der Columbus Avenue, das am Ende einer breiten Treppe über einem chinesischen Restaurant lag. Zu den Angeboten an der Wand waren seit Samstag keine neuen hinzugekommen. Sue ging sie dennoch durch, suchte nach einem verborgenen Diamanten, einem übersehenen Schmuckstück, einem Angebot speziell für sie. Die Apartment Finders kosteten sie fünfzig Dollar im Monat, Geld, das sie auch dazu hätte benutzen können, Kerzen anzustecken. Sie würde später noch mal herkommen, wenn es neue Angebote geben sollte, dabei wusste sie bereits, dass ihre Hoffnungen enttäuscht werden würden.

Sue sagte sich, dass sie sich bereits an Gotham anpasste, so wie sie sich auf dem Absatz umdrehte und mit einem festen Plan für den Tag zum Broadway hinüberging. Sie würde keine Zeit vertrödeln, indem sie durch den Central Park mit seinen unkrautüberwucherten Wiesen und kaputten Bänken spazierte, mit seinen verdreckten Spielplätzen und vermüllten Wegen voller weggeworfener Pappbecher, benutzter Kondome und anderem mehr. Sie würde auch nicht durch Platten- und Buchläden laufen, ohne etwas zu kaufen, würde kein Geld ausgeben für eine der Zeitungen oder Zeitschriften des Gewerbes, *Showbiz, Back Stage* oder die *Daily Variety*, um nach Hinweisen auf Vorsprechtermine für Gewerkschafts- und Nichtgewerkschaftsmitglieder zu suchen. Heute nicht. Heute ging sie in die Public Library, das berühmte Bibliotheksgebäude an der Ecke 42nd Street und Fifth Avenue, das Wahrzeichen mit den steinernen Löwen am Eingang.

Zwei Blocks hinter dem Subway-Bahnhof 86th Street fing der Regen an. Sue blieb stehen, nahm ihren Schirm und drückte den Knopf, um ihn aufzuspannen. Aber er öffnete sich nicht. Sie zog am Stoff und verbog einige der dünnen Speichen. Als sie versuchte, den Plastikschieber die Stange hochzubewegen, bog sich der Schirm wie das Bein eines Kartentischs. Sie schüttelte das Ding und versuchte es noch einmal, doch nur die Hälfte des Stoffs entfaltete sich. Der Regen wurde stärker, und sie drückte mit mehr Kraft, aber statt sich richtig zu öffnen, schlug der Schirm jetzt um, und weitere Speichen lösten sich wie gebrochene Rippen.

Sue gab auf und versuchte, das wertlose Gerippe in einen übervollen Mülleimer an der Ecke Broadway und 88th Street zu stopfen, doch der Schirm schien sich zu wehren und fiel wieder heraus. Sie brauchte vier Anläufe, bis er endlich stecken blieb.

Sue eilte in die Subway, und ihr Haar war tropfnass, als sie sich anstellte, um die zwei Token zu kaufen, die sie für den Tag brauchte.

Die lokalen Züge waren verspätet. Uptown waren Gleise überflutet. Es wurden mehr und mehr Menschen auf dem Bahnsteig, so viele, dass Sue an die gelbe Sicherheitslinie gedrängt wurde. Ein Stoß, und sie fiele aufs Gleis. Vierzig Minuten später stand sie in einem Zug, und der Wagen war so voll, dass sich die Leute eng aneinanderdrückten. Die Hitze brachte die schweren, regennassen Mäntel zum Dampfen. Es war so stickig und heiß, dass Sue zu schwitzen begann. Am Columbus Circle blieb die Bahn stehen und bewegte sich zehn Minuten lang nicht weiter. Die Türen blieben geschlossen und verhinderten jede Flucht. Endlich, am Times Square, drängte sich Sue aus dem Wagen und in den Strom der Leute, der sich zur Treppe bewegte. Stufe um Stufe gelangte sie höher, durch Drehkreuze und noch eine Treppe weiter hinauf ins Chaos des Zentrums der Welt, wo alle überall hineilten.

Der Times Square war die Freiluftversion des Bahnhofs unten, verdreckt, triefend und übervoll mit Menschen. Sue hatte ihre erste Lektion gleich nach ihrer Ankunft in der Stadt gelernt: sich immer *weiterzubewegen*, einem Ziel zuzustreben, selbst wenn man keins hatte, besonders auf der 42nd Street, wo es dem menschlichen Schutt auszuweichen galt, der sich dort sammelte, wegen der Drogen, der Pornografie, oder um bei Regen Fünf-Dollar-Schirme zu verkaufen.

Sie war früher schon hier gewesen und hatte versucht, Termine mit den unwichtigeren Agenturen zu machen, die ihre Büros direkt beim großen X hatten, wo sich Broadway und Seventh Avenue kreuzten. Es überraschte sie, dort normale Leute an normalen Schreibtischen normale Arbeit tun zu sehen, nur wenige Etagen über dem zischenden Beton des Times Square. Glück hatte sie keines gehabt, es nie durch die Vorzimmer geschafft und den Sekretärinnen immer nur ihren Lebenslauf geben können, die darauf »Yeah, okay« sagten und erstaunlich ähnlich klangen wie ihre momentane Mitgastgeberin Shelley. An diesem Montag war es dieser Lebenslauf, um den sie sich kümmern wollte.

Im letzten Monat in Scottsdale hatte Sue zwei Werbespots für Valley Home Furniture gedreht, in denen sie die Arme weit ausbreitete und rief: »Fürs ganze Haus, für jeden Geschmack und jeden Geldbeutel!« Danach hatte sie für dreißig Dollar täglich an vier Wochenenden auf dem herbstlichen Mittelalterfest als Lustige Witwe Shakespeare zitiert. Mit dem Kugelschreiber hatte sie beides ihrem Lebenslauf hinzugefügt, wusste aber, dass das, nun, *amateurhaft* aussah. Also wollte sie das Ganze noch mal neu tippen, hundertmal drucken lassen und an ihr Porträtfoto tackern, auf dem sie aussah wie Cheryl Ladd in *Drei Engel für Charlie*, nur mit einem richtigen Dekolleté.

Das Problem war, dass sie keine Schreibmaschine hatte und auch Rebecca nicht. Als Sue Shelley fragte, ob sie eine habe, die sie benutzen könne, sagte die nicht Nein, sondern: »Du kannst dir in der Bibliothek eine mieten.« Deshalb strebte Sue Gliebe jetzt auf der 42nd Street in Richtung Osten und kam an einem zugedröhnt vor sich hin stierenden Teenager vorbei, der seinen Penis aus der Hose geholt hatte und im Dahinstolpern auf den Bürgersteig pisste. Kein Mensch schenkte ihm Beachtung.

Genau in dem Moment, als Sue feststellte, dass die Bibliothek montags geschlossen war, erhellte ein Blitz den zerkratzten Himmel Mid-Manhattans. Sie stand vorm Eingang des herrlichen Gebäudes, vor seiner verschlossenen Tür, und begriff die Bedeutung jener einfachen zwei Worte nicht: *Montags geschlossen.* Das Donnern übertönte das Hupen des Verkehrs, und Sue verlor den Kampf gegen die Tränen. Die Enttäuschungen waren einfach zu viel: Ihre New Yorker Mitbewohnerinnen waren keine freundlichen Seelenschwestern, der Central Park ein Ort kahler Bäume, zerschlagener Bänke und gebrauchter Gummis. Fenster waren vergittert, um Vergewaltiger draußen und Opfer drinnen zu halten, und es gab keine gut aussehenden Matrosen auf Landgang, die von einem Mädchen geküsst werden wollten. Nein. In New York City knöpften dir die Wohnungsvermittler dein Geld ab und belogen dich, Drogenanhängige erleichterten sich für alle sichtbar mitten auf die Straße, und die Public Library war montags geschlossen. Sue stand auf der 42nd Street zwischen Fifth und Sixth Avenue, die laut Stadtplan auch Avenue of the Americas hieß, und heulte. Schluchzte, rang um Luft, die Tränen strömten, das volle Programm. Bis …

»Sue Gliebe!«, rief eine Männerstimme. »Du kleiner Mausezahn!«

Bob Roy war der einzige Mensch auf der Welt, der sie Mausezahn nannte. Bob Roy war der Geschäftsführer der ACLO, lebte aber in New York City. Er war Theaterprofi, der spielzeitenweise angestellt wurde, und homosexuell. Früher einmal war er Schauspieler gewesen, am Broadway, und hatte in den 1960ern Werbespots gedreht, war dann jedoch ins Theatermanagement gegangen, um eine feste Arbeit zu haben. Die Civic Light Opera draußen im Westen war eine Art Summercamp für ihn, jedes Jahr fuhr er hin und nahm seine Pflichten dort kaum so ernst wie sein Lachen und den Klatsch. Bob Roy schien alles über das Theater zu wissen, und wenn du mit ihm zusammenarbeitetest, wenn er deine Schecks unterschrieb, liebte er dich entweder, oder er hasste dich. Wie er dich behandelte, hing komplett davon ab, wie ihm gerade der Sinn stand.

Sue Gliebe mochte er vom allerersten Moment an, als er sie im Sommer '76 bei einer Kostümprobe für *Brigadoon* erlebte. Ihn entzückten ihre Jugend, ihr honigblonder Heiligenschein, ihre mit so viel Gutartigkeit gefüllten Augen und ihre pflichtbewusste Arbeitsmoral. Er liebte es, dass sie immer rechtzeitig da war, ihren Text konnte und Vorstellungen davon hatte, wie sie auf der Bühne agieren sollte. Ihr gebräunter Körper, ihre festen Brüste, ihre Unbefangenheit, dass sie völlig ohne Tücke und Allüren war, das alles begeisterte ihn. Jeder einzelne heterosexuelle Mann der ACLO, alle sieben, wollten mit ihr ins Bett, doch so war sie nicht. Die meisten Schauspielerinnen sehnten sich danach, derartig bewundert zu werden, und wollten die größte Garderobe, doch Sue Gliebe wollte nur auf die Bühne. Auch nach drei Spielzeiten hatte sich das kein bisschen geändert, und Bob Roy liebte sie dafür umso mehr.

Er saß in einem Taxi am Bordstein, hatte die Scheibe nach

unten gekurbelt und sah sie durch den Regenvorhang an. »Steig sofort in dieses Taxi!«, befahl er.

Er rutschte auf die andere Seite, um ihr Platz zu machen, und das Taxi fuhr weiter. »Ich hätte gewettet, eher Éva Gábor auf der 42nd Street zu sehen als dich. Weinst du?«

»Nein. Ja. Oh, *Bobby*!«

Sue erklärte: Seit zwei Monaten war sie in der Stadt und schlief auf Rebeccas Sofa. Ihre Ersparnisse neigten sich dem Ende zu, und kein Agent hatte Zeit für sie. Und sie hatte einen Mann auf den Bürgersteig pinkeln sehen. Sie weinte jetzt wieder, besonders weil die einzigen wahren Filme über New York City die waren, die von Drogenparks und amoklaufenden Taxifahrern handelten. Bob Roy lachte laut! »Du bist seit zwei Monaten in *Neeew Yooork* und hast mich nicht angerufen? Du Schlimme, Sue. Du ganz, ganz Schlimme.«

»Ich hatte Ihre Nummer nicht.«

»Und was wolltet du auf dem Slime Square?«

»In die Bibliothek.«

»Um dir das letzte Nancy-Drew-Abenteuer auszuleihen? Ich hätte gedacht, die hast du längst alle gelesen.«

»Da gibt es Schreibmaschinen. Ich muss einen neuen Lebenslauf schreiben.«

»Mausezahn«, sagte Bob. »Kümmer dich erst mal um ein neues *Ich*. Wie wär's mit einer Tasse Tee oder einem heißen Caro-Kaffee? Was immer Baby Sue daheim im Indianerland getröstet hat ...«

Das Taxi brachte sie zu Bobs Wohnung downtown, in ein schreckliches Viertel mit sechsstöckigen Mietshäusern und Bürgersteigen voll mit zerdellten Mülleimern. Er gab dem Fahrer sechs Dollar und wollte kein Rückgeld. Sie folgte ihm in den Regen, die Treppe hinauf und durch die schwere Ein-

162

gangstür, dann vier Etagen eine enge, sich windende Treppe hinauf bis zur Tür von Apartment 4d. Er brauchte Schlüssel für drei verschiedene Schlösser.

Aus dem schäbigen, düster beleuchteten Treppenhaus, dessen ursprünglich grüne Wände von einem schmuddeligen Grau überzogen waren und dessen Boden ein Durcheinander aus zersprungenen, nicht zueinanderpassenden Fliesen bedeckte, betrat Sue eine nach Kerzen und Zitrusspülmittel duftende Zuflucht, ein Kuriositätenkabinett mit einer mitten in der Küche stehenden Badewanne. Bob Roys vier enge Zimmer, die an einem langen Flur aufgereiht und miteinander verbunden waren, standen voller Trödel, Krimskram, Nippes und Möbel jedes Stils, voller Regale, Bücher und gerahmter Fotos, Trophäen von Flohmärkten, alter Schallplatten, kleiner Lampen und jahrzehntealter Kalender.

»Ich weiß«, sagte er. »Es sieht aus, als würde ich hier Zaubertränke verkaufen, als wäre ich der Zeichentrickdachs aus einem Disney-Film.« Mit einem riesigen Küchenstreichholz entzündete er eine Flamme des Herds, füllte einen schimmernden Kessel im altenglischen Stil mit Wasser aus dem Hahn, stellte Tassen auf ein Tablett und sagte: »In zehn Minuten gibt's Tee, Mausezahn. Mach es dir gemütlich.«

Der Flur war ein enger, durch Schätze und Abgelegtes führender Schlauch, im Wohnzimmer standen große Sessel aus unterschiedlichen Zeiten, einer war ein La-Z-Boy, und auf allen lag ein bunter, farbenfroher Überwurf. Der runde Kaffeetisch war fast zu groß für den quadratischen Raum. Neben einer Vase mit einer künstlichen Orchidee türmten sich Bücherstapel auf ihm. Sue sah eine Zigarrenkiste voller gespitzter Bleistifte und zwei zusammengebaute Cootie-Käfer, die dastanden, als wollten sie sich bekämpfen oder begatten. Draußen regnete es noch immer heftig, aber die Vorhänge, die aus einer Vorkriegsvilla hätten stammen können, dämpften das Tosen des Unwetters. Das letzte Zimmer am Flur war Bobs Schlafzimmer, das hauptsächlich aus einem Himmelbett bestand.

»Ich werde hier niemals ausziehen können. Ich würde Jahre brauchen, um alles zusammenzupacken«, rief Bob aus der Küche, die keine drei Meter entfernt war. »Machst du bitte das Radio an?«

»Wenn ich es finde«, sagte Sue und hörte sein Lachen. Es war ein solcher Wirrwarr, sie hatte das Gefühl, sich durch ein von der Zeit vergessenes Fundbüro zu bewegen. Endlich sah sie das Radio, eine helle Holzkiste, groß wie eine Kühlbox, mit runden Knöpfen, so dick wie Pokerchips, und vier Zahlenreihen für verschiedene Frequenzen. Sie drehte am Lautstärkeregler, bis das befriedigende Rauschen so laut war, dass Bob es in der Küche hören konnte.

»Die Röhren müssen erst warm werden«, rief er.

»Kriegt man damit Kurzwelle aus der Sowjetunion herein?«

»Woher weißt du das?«

»Meine Grandma hatte auch so ein Ding.«

»Genau wie meine! Das ist ihr Apparat.«

Bob kam mit einem Tablett herein, auf dem zwei Tassen standen, ein Krug Milch, eine Zuckerdose mit einer gemalten Biene auf dem Deckel und ein Teller voller Schokokekse. »Zieh doch den Mantel aus, es sei denn, du fühlst dich gerne klamm.« Orchestermusik erklang aus dem Radio, als in der Küche der Kessel zu pfeifen begann.

Süßer Tee mit Milch, drei Kekse und Bob Roys behagliche, kuschelige Wohnung halfen Sue, zum ersten Mal seit Monaten tief durchzuatmen. Sie seufzte laut wie eine brechende

Welle und lehnte sich in den Sessel zurück, der so weich war, dass er ein extra *o* in *wohlig* setzte.

»Okay«, sagte Bob. »Und jetzt erzähl.«

Seine Anteilnahme ließ sie *alles* erzählen. Nach jedem Kapitel, jedem Ereignis murmelte er unterstützende Worte: Sue gehörte nach New York! Shelleys *Yeah-okay*-Haltung war typisch für so eine *Bis-nächsten-Dienstag-dann*-Person. Die Subway konnte man überleben, solange man niemandem in die Augen sah. Eine Wohnung fand man über die Kleinanzeigen in der *Times* oder der *Village Voice*, aber man musste früh dran sein, morgens um sieben schon musste man zu den Apartments flitzen und eine Tüte Donuts mitnehmen, denn einem hübschen Mädchen, das seine Donuts mit ihm teilen wollte, machte ein Hausmeister immer auf. Dann ging es in die Vergangenheit, und sie schwelgten in Erinnerungen an die Sommer in Arizona, verglichen den Tratsch hinter der Bühne mit dem vorn im Büro, kamen auf die verunglückten Liebesgeschichten und dass Sue gedacht hatte, Monty Hall sei ein echter Profi. Bob verschüttete seinen Tee, so sehr musste er lachen.

»Hast du zu Mittag gegessen?«

»Nein, ich wollte mir ein Stück Pizza kaufen.« Mit einem halben Dollar pro Stück war Pizza Sues Standardlösung mittags geworden.

»Ich gehe schnell mal in den Deli. Währenddessen ziehst du dir deine Uniform aus und nimmst ein heißes Bad. Ich lege dir einen Bademantel heraus, den ich in einem Heilort in der Wüste geklaut habe, und dann essen wir wie zwei Mittelklassejuden.«

Er ging in die Küche und hob das schwere Metzgerbrett von der Wanne. Dass die Badewanne in der Küche stand, hatte mit dem alten Leitungssystem des Hauses zu tun. Bob drehte das Wasser auf, die heißen Dampfschwaden vernebelten das mit einem Sicherheitsgitter versehene Fenster, und er legte den Bademantel über einen der Stühle. In einem Bastkorb fanden sich eine gut duftende Seife, Shampoo, ein Pflegebalsam, ein Naturschwamm und ein Krug, um sich das Haar auszuspülen.

»Ich lasse mir Zeit. Du lässt dich durchweichen.« Bob schloss zwei der Haustürschlösser hinter sich ab.

Nach den dünnen, kurzen Duschen oben in der Stadt genoss Sue das Gefühl des heißen Wassers auf ihrer Haut und schüttete es sich über den Kopf. Es war komisch, in einer Küche zu baden, aber sie war allein und die Wanne wie der Whirlpool hinterm Haus der Gliebes. Sue ließ sich einweichen, schrubbte und spülte und wurde wirklich herrlich *sauber*. Sie lag immer noch im Wasser, als die Schlösser an der Tür wieder geöffnet wurden und Bob mit einer großen Tüte vom Deli zurückkam.

»Immer noch nackt, wie ich sehe.« Bob machte sich nicht die Mühe, den Blick abzuwenden, und Sue störte es nicht. Wenn »hinter der Bühne kein Ort der Sittsamkeit« war, wie sie im Theater gesagt hatten, war Bob Roys Küche keiner, um rot zu werden.

Sues blasser Körper versank in dem männergroßen Bademantel, als sie sich an den Kaffeetisch setzte und mit einem Kamm durchs nasse Haar fuhr. Bob legte ein paar Sandwichhälften auf den Tisch, kleine Suppen, Krautsalat, eingelegte Gurken und Dosen mit etwas, das Seltzer hieß. Während sie aßen, redeten sie über Filme und Theaterstücke. Bob sagte, er könne ihr Freikarten für die lausigen Broadwayshows besorgen und preiswerte für die guten, was hieß, dass es ein Ende damit hatte, die Abende in New York mit nichts anderem verbringen zu können, als auf Rebeccas Sofa unerwünscht zu sein. Und er wollte unter seinen Freunden herumtelefonieren, um sich nach Agenten zu erkundigen, die das eine oder andere Vorsprechen arrangieren konnten. Mehr könne er nicht versprechen. Er kannte ein, zwei Probenpianisten, die ihr bei ihren Nummern helfen würden, mit Noten in ihrer Tonhöhe. »Okay, Mausezahn«, sagte Bob und schlug sich ein paar Roggenkrümel von den Fingern. »Dann lass mich mal deinen Lebenslauf sehen.«

Sue holte die alte Version aus ihrer Handtasche, und Bob griff nach einem Bleistift, überflog Sues Lebenslauf und strich ihn mit einem großen X durch. »Normal. So normal.«

»Was ist falsch daran?« Sue war verletzt, sie hatte sich so viel Mühe damit gegeben. Ihre gesamte Bühnenkarriere stand auf dem Stück Papier. Alle Stücke an der Highschool, einschließlich der Einakter, die sie mit Sternchen und dem Hinweis »*Preis der Tespian Society« versehen hatte. Jeder einzelne Auftritt in der ACLO, vom ersten Singen im Chor bis zur Rolle der Nellie Forbush im letzten Jahr in *South Pacific*. Fünf Spielzeiten und achtzehn Musicals! Dazu die Produktionen im Gaslamp Playhouse Dinner Theater: Emily in *Unsere kleine Stadt* und im Ensemble in der *Zoogeschichte*. Die Stimme für den Fernsehbericht über den Diabeteslauf. Alles, was Sue Gliebe je gemacht hatte, stand aufgelistet in ihrem Lebenslauf.

»Wie wir verlebten Königinnen sagen: ›Das interessiert die Leute einen Scheiß, Schätzchen‹.« Bob stand auf, ging in sein Schlafzimmer und holte eine alte, durch eine klare Plastikhaube geschützte Schreibmaschine unter dem Bett hervor. »Dieses Monstrum ist so schwer. Ich sollte es wirklich auf dem Tisch stehen lassen. Mach mal Platz, ja?« Sue schob die übrig gebliebenen Essenssachen und einen Stapel Bücher zur Seite.

Bobs Schreibmaschine war fast so groß wie das Radio seiner Großmutter, eine metallene schwarze Antiquität, die gut in diese Wohnung voller alter, seltsamer Dinge passte. Es war eine Royal, mit Glasteilen an ihrer Seite wie Opernfenster für jeden Mausezahn, der in ihr Quartier beziehen mochte.

»Funktioniert sie noch?«, fragte Sue.

»Es ist eine Schreibmaschine, Kind. Ein Farbband, etwas Öl, Papier und glückliche Finger, mehr ist nicht nötig. *Das* hier allerdings …« Er rümpfte die Nase und hob Sues Lebenslauf mit zwei Fingern in die Höhe, als wäre es ein ranziges Stück Melonenschale, nahm einen Bleistift und benutzte ihn als Zeigestab. »Du listest nur die Rollen auf, die du gespielt hast, nicht die Highschool, auf der du warst, oder den Gasbag Amateur Play School Diner. Das Einzige, worauf du ernsthaft verweisen kannst, ist die Arizona Civic Light Opera, und da lohnt kein Aufschneiden. Schreib sie groß oben drüber und zähle als Erstes die besten Stücke und Rollen auf, nicht alles in chronologischer Reihenfolge. Wenn du im Chor warst, nenn deine Rolle als Ellen Craymore oder Candy Beaver ganz am Ende. Fragt jemand nach, sagst du, du warst im Chor. Und die anderen Rollen? An der Highschool und so weiter?«

»Ja?«

»Die führst du unter ›Regionales Theater‹ auf. Verschönere es etwas. Erzähl ihnen nicht, dass es Einakter waren. Erzähl nichts von den Preisen, die du gewonnen hast. Schreibe nicht, dass es nur an zwei Wochenenden Aufführungen gab. Das Stück. Die Rolle. Du hast in der Gegend von Pile-of-Rocks, Arizona, als Schauspielerin gearbeitet, und das kannst du beweisen.«

»Ist das nicht gelogen?«

»Das ist denen egal.« Bob zeigte noch mal mit dem Bleistift auf ihren Lebenslauf. »Oh, sieh doch! Du hast Werbespots gemacht! Valley Furniture! Die Krankheit des Monats! Nein, nein, nein. Stattdessen schreibst du darunter: ›Werbeaufträge auf Anfrage‹. Dann sehen sie, dass du welche gemacht hast, fragen aber nicht weiter nach.«

»Wirklich?«

»Hab Vertrauen in Bobby Roy, Sue. Die Großen machen es alle so. Und hier, der letzte Teil, dieser traurige Absatz mit den *Besonderen Fähigkeiten*. Das ist Unsinn und interessiert keinen auf der anderen Seite des Besetzungstischs. Und ich sage nicht ›Sofa‹.«

»Was ist, wenn sie nach besonderen Fähigkeiten suchen?«

»Dann fragen sie dich. Aber diese Liste? Gitarre. Du kannst drei Akkorde, oder? Du kannst jonglieren. Drei Orangen ein paar Sekunden lang? Du fährst Rollschuh. Wer nicht? Du kannst Ski fahren, Fahrrad, Skateboard. Das interessiert niemanden! Hast du da ernsthaft ›Zeichensprache‹ geschrieben?«

»Ich hab ein paar Sachen für den Tribal Heritage Day gelernt. Das hier heißt ›ungeschickt‹.«

Bob zeigte ihr das bisschen Zeichensprache, das *er* kannte. »Das hier heißt ›Schwachsinn‹. Du musst verstehen, dass dein Lebenslauf ungefähr fünf Nanosekunden Beachtung erfährt. Die Besetzungsleute gucken dein Foto an und dann dich, um zu sehen, ob du wirklich so aussiehst. Bist du tatsächlich eine Frau? Hast du blonde Haare? Einen Vorbau, der was hermacht? Und wenn du das bist, wonach sie suchen, sehen sie deinen Lebenslauf noch mal an, überfliegen, was du vorzuweisen hast, einschließlich deiner Lügen, und schreiben das magische Wort darauf: *Rückruf.*«

Bob spannte Papier in die alte Royal, stellte Rand und

Tabulator ein und schrieb innerhalb von Minuten einen frischen, klaren, sauberen Lebenslauf, der Sue aussehen ließ, als wäre sie die erfahrenste Träumerin, die je in einen Bus in die große Stadt gestiegen war. Sie konnte auf dreißig Rollen verweisen. Das Einzige, was noch fehlte, war ihr Name oben.

»Lass mich einen Moment darüber nachdenken«, sagte Bob. »Bei noch einem Schluck Tee.« Er brachte das Tablett mit den Sachen aus dem Deli in die Küche und riss ein weiteres großes Streichholz für den Herd an. »Ich würde noch mehr Schokokekse herauslegen, doch dann essen wir sie nur auf.«

»Worüber nachdenken?« Sue betrachtete ihren neuen Lebenslauf. Sie mochte sich nach dem, was Bob geschrieben hatte, auch selbst mehr.

»Hast du je darüber nachgedacht, deinen Namen zu ändern?«

»Mein richtiger Name lautet Susan Noreen Gliebe. Aber ich war immer nur Sue.«

»Joan Crawford war immer Lucy LeSueur. Leroy Scherer nannten sie Junior, bis er zu Rock Hudson wurde. Hast du mal von Frances Gumm gehört?«

»Von wem?«

Bob sang die ersten Takte von *Over the Rainbow*.

»Judy Garland?«

»*Kumpel von Frances* hat längst nicht den Schwung von *Freund von Dorothy*, oder?«

»Meine Eltern werden enttäuscht sein, wenn ich nicht meinen richtigen Namen benutze.«

»Seine Eltern zu enttäuschen ist das Erste, was man tut, wenn man nach New York kommt.« Der Kessel pfiff, und Bob füllte die Teekanne neben der Royal auf. »Sagen wir, du schaffst es an den Broadway – was du wirst. Willst du dann wirklich *den* Namen in Leuchtschrift sehen: *Sue Gliebe?*«

Sue wurde rot, nicht aus Verlegenheit wegen des Lobs, sondern weil sie tief im Inneren wusste, dass er recht und sie eine Zukunft als Schauspielerin hatte. Ja, sie *wollte* berühmt werden. So berühmt wie Frances Gumm.

Bobby schenkte noch zwei Tassen ein. »Und wie sprichst du das aus? *Glieb? Gliebie? Gleibe?*« Er gähnte demonstrativ. »Kennst du den Bühnennamen von Tammy Grimes? Tammy Grimes.« Er gähnte umso heftiger.

»Wie wäre es mit ... Susan Noreen?« Sue konnte sich den Namen problemlos in leuchtenden Lettern vorstellen.

Bob spannte den Lebenslauf neu in die Schreibmaschine und schnipste mit dem Finger dagegen. »Das ist die Geburtsurkunde der neuen Sue. Wenn du die Zeit zurückdrehen könntest und einen komplett neuen Namen für dich, deine Ma und deinen Pa aussuchen dürftest, wie hießest du dann? Elizabeth St. John? Marilyn Conner-Bradley? Holly Woodanvine?«

»Ich kann mir einfach so einen Namen überlegen?«

»Wir prüfen das noch mal mit der Gewerkschaft, aber ja. Wer willst du sein, Mausezahn?«

Sue hielt ihren Tee in der Hand. Es gab da einen Namen, von dem sie einmal geträumt hatte, in der Mittelschule, als sie in der Folkgruppe ihres christlichen Jugendvereins gesungen hatte. Alle hatten sich schicke Namen ausgedacht, wie Rainbow Spiritchaser. Sie auch und hatte ihn sich auf ihrer ersten LP vorgestellt.

»Joy Makepeace«, sagte sie. Bobbys Gesicht zeigte keine Reaktion.

»Das gibt Riesenärger mit unseren Ureinwohnern«,

sagte er. »Es sei denn, die Gliebes haben die passende DNA in ihrem Stammbaum.«

So verging der Nachmittag. Bobby kam ständig mit neuen Möglichkeiten, die beste war Suzannah Woods, die schlimmste Cassandra O'Day. Die Schokokekse tauchten wieder auf und waren bald gegessen. Sue hielt an ihrer Joy fest. Joy Friendly. Joy Roarke. Joy Lovecraft.

»Joy Spilledmilk«, sagte Bobby.

Sue ging zur Toilette. Selbst das Klo war voll mit Trödelmarktkram. Sue konnte sich nicht vorstellen, wer Interesse an einem Spielzeugbowlingset mit Fred-Feuerstein-Kegeln haben konnte, und doch stand da eins.

Als sie zurückkam, hielt Bob einen Stapel alter Postkarten aus Paris in der Hand. Sie hatten auch französische Namen in Betracht gezogen wie Joan (Jeanne d'Arc), Yvette, Babette und Bernadette, doch die klangen alle nicht richtig.

»Hmm.« Bobby hielt eine der Karten vor sich hin. Er zeigte sie Sue. »Die rue Saint-Honoré. ›Honnor-reh‹. Das ist männlich. Die weibliche Form hat ein zusätzliches *e* am Ende und wird genauso ausgesprochen. *Honorée*. Ist das nicht hübsch?«

»Ich bin keine Französin.«

»Wir könnten es mit einem angelsächsischen Zunamen probieren. Etwas Einfachem, Einsilbigen. Bates. Church. Smythe. Cooke.«

»Die sind alle nicht gut.« Sue blätterte durch die alten Postkarten. Der Eiffelturm. Notre-Dame. Charles de Gaulle.

»Honorée Goode?« Bob wiederholte den Namen, und ihm gefiel der Klang. »Beide Male am Ende ein *e*.«

»Dann nennen sie mich Honorée Goody.«

»Nein, das würden sie nicht. Alle tun so, als könnten sie Französisch, *ma petite dent de souris*. *Honorée Goode* ist wirklich gut.« Er reckte sich, nahm ein schwarzes Bakelit-Telefon aus dem Regal und wählte eine Nummer.

»Ich habe einen Freund bei der Gewerkschaft. Die haben eine Liste im Rechner, damit es keine Namensdopplungen gibt. Jane Fonda. Faye Dunaway. Raquel Welch. Alle vergeben!«

»Raquel Gliebe? Da wären meine Eltern einverstanden.«

Bob wurde mit seinem Freund Mark verbunden. »Mark-y Mark-a-lot, hier ist Bob Roy. Ich weiß! Wirklich? Nicht, seit sie die Stadt verlassen hat, mit dem Kreuzfahrtschiff. Das ist gutes Geld! Kannst du mir einen kleinen Gefallen tun? Sieh doch mal in eurer Datenbank einen Bühnennamen nach. Nein, ob er noch frei ist. Der Zuname Goode mit einem *e* am Ende, der Vorname Honorée.« Er buchstabierte ihn. »Mit einem Akzent, einem *Schwa* oder wie immer auf dem ersten *e*. Klar, ich warte.«

»Ich weiß nicht, Bobby.« Sue wiederholte den neuen Namen wieder und wieder in ihrem Kopf.

»Du kannst dich entscheiden, wenn du mit deinem ersten Vertrag und dem Scheck für den Beitrag bei der Gewerkschaft reinmarschierst. Dann kannst du dich Sue Gliebe nennen oder Catwoman Zelkowitz. Aber ich muss dir sagen …« Jemand kam ans andere Ende der Leitung, aber nicht Bobs Freund. »Ja, ich warte auf Mark. Danke.« Er wandte sich wieder an Sue. »Ich kam zufällig in diese Probe für *Brigadoon*, und da oben auf der Bühne stand ein Mädchen, das die Fiona spielte, und die würde es mal schaffen.«

Sue lächelte und lief rot an. Sie war diese Fiona. Sie hatte in der Rolle brilliert, der ersten außerhalb des Chors. Ihre Fiona hatte ihr alle anderen Rollen in der ACLO verschafft, hatte sie nach New York gebracht und in Bobby Roys Küchenbadewanne.

»Ich fand sie wunderbar«, sagte Bob. »Diese Schauspielerin. Sie war keine von den verbitterten Frauen, die beleidigt waren, dass New York die Nase von ihnen voll hatte. Kein angemaltes Filmstarlet, das nur zur Civic Light Opera kam, weil die Entfernung zum Publikum und das Make-up verbargen, dass sie schon dreiundvierzig war. Diese Fiona musste nicht auf jung machen, nein, sie war ein Lämmchen aus der Gegend, ein Mädchen aus Arizona, das die Bühne beherrschte wie eine Barrymore, das singen konnte wie Julie Andrews und zwei Möpse hatte, die die Jungs erzittern ließen. Hättest du dich mir als Honorée Goode vorgestellt, hätte ich gesagt: ›Tja, das bist du.‹ Aber nein, du warst Sue Gliebe. Ich dachte, Sue Gliebe? Der Name hebt nicht ab.«

Sue Gliebe fühlte eine tiefe Wärme in sich. Bobby Roy war ihr größter Fan, und sie liebte ihn. Wenn er fünfzehn Jahre jünger wäre und vierzig Pfund leichter und nicht homosexuell, vielleicht würde sie dann die Nacht in seinem Bett verbringen. Vielleicht aber auch so, trotz allem.

Mark kam zurück ans Telefon. »Bist du dir sicher?«, fragte Bob. »Die Schreibweise mit dem *e*? Okay, danke, Marco. Mach ich. Donnerstag? Warum nicht! Bye!« Er legte auf, trommelte mit den Fingern aufs Bakelit und sagte: »Die große Entscheidung, Mausezahn.«

Sie lehnte sich in ihren prall gepolsterten Sessel zurück. Draußen hatte es zu regnen aufgehört. Der Frotteestoff des Bademantels hatte sie komplett getrocknet, und sie roch nach dem zarten Rosenwasser der Seife. Das große Radio spielte leise die Orchesterversion eines Nachtklubsongs, und zum ersten Mal schien New York der Ort zu sein, an den Sue Gliebe gehörte …

Genau ein Jahr später:

Wer ist wer im Ensemble
Honorée Goode (Miss Wentworth) – Ms Goode wurde an der Ari-
zona Civic Light Opera ausgebildet. Für ihre Rolle als Kate
Brunswick in Joe Runyans Backwater Blues wurde sie im letzten
Jahr für einen Obie nominiert. Sie spielt zum ersten Mal am
Broadway und dankt ihren Eltern und Robert Roy, Jr., ihr das
ermöglicht zu haben.

Ein besonderes Wochenende

Es war zu Anfang des Frühlings 1970, und weil er in anderthalb Wochen erst zehn wurde, galt Kenny Stahl immer noch als das Baby der Familie, das heute nicht zur Schule musste. Gegen zwölf würde er von seiner Mutter abgeholt werden, um mit ihr ein besonderes Wochenende zu verbringen, und so erschien er in seinen normalen Alltagsklamotten zum Frühstück. Sein älterer Bruder Kirk und seine ältere Schwester Karen, beide in der Uniform der St. Philip Neri School, fanden das unfair. Sie wollten auch von ihrer Mom abgeholt werden, wollten, dass ihre Mom sie mit sich nahm, aus dem Haus, in das sie gezogen waren, zurück nach Sacramento, oder sonst wohin, Hauptsache, sie wären wieder die einzigen Kinder, und die finstere Verdrossenheit ihres Vaters und das sonnige, zupackende Naturell seiner zweiten Frau machten ihr Leben nicht zu einem ständigen Wechselbad der Gefühle.

Kennys drei Stiefschwestern waren siebzehn, fünfzehn und vierzehn Jahre alt, sein Stiefbruder war zwei Jahre älter als er. Keiner von ihnen machte sich Gedanken über die Fairness dieser Geburtstagsplanung. Sie lebten schon immer zusammen in Iron Bend, besuchten die örtlichen staatlichen Schulen und hatten noch nie eine Uniform getragen. Dieses Wochenende war für sie in keiner Weise interessant, bemerkenswert oder sonst wie besonders.

Das kleine Haus, in dem sie wohnten, lag weit außerhalb der Stadt an der Webster Road, eher in Molinas als in Iron

Bend, der Hauptstadt des County, wo Kennys Vater der Chefkoch im Blue-Gum-Restaurant war. Eukalyptusbäume – *blue gums* – säumten die Webster Road auf beiden Seiten fast den gesamten Weg zwischen den beiden Städten und verstreuten ihre Blätter und Früchte über Fahrbahn und Seitenstreifen. Vor Jahrzehnten waren diese alles verschmutzenden Importe aus Australien als Windschutz für die Mandelbaumhaine gepflanzt worden und auch weil man fälschlicherweise dachte, so Holz für Bahnschwellen gewinnen zu können. Zu der Zeit ließ sich noch Geld mit Bahnschwellen machen – solange sie nicht aus Eukalyptus waren. Vermögen wurden verloren mit den sich verwindenden, pellenden, knorrigen Bäumen, von denen drei vorm Haus der Kennedys standen. Ständig warfen sie ihren Ballast ab und verdarben alle Bemühungen, einen schönen Rasen vorm Haus zu haben. Hinterm Haus wuchs das Gras, durchsetzt mit allerlei Unkraut, und wurde gelegentlich von den Kindern gemäht. Auf der anderen Seite der Straße standen Mandelbäume. Mandeln waren damals ein großes Geschäft und sind es immer noch.

Kennys Vater hatte einen neuen Job in Iron Bend gefunden, ein neues Haus, eine neue Schule und, wie sich herausstellte, eine neue Familie. Am Abend nach ihrem Auszug in Sacramento schliefen seine Kinder schon im neuen, kleinen Haus in Iron Bend, Kenny mit den anderen Jungen auf der geschlossenen Veranda, die Mädchen gemeinsam in einem Zimmer mit doppelten Etagenbetten.

Nachdem zwei Schulbusse vorgefahren waren und seine Geschwister abgeholt hatten, vertrödelte Kenny den Vormittag im Haus. Sein Vater schlief noch, und seine Stiefmutter räumte leise die Frühstückssachen auf und spülte ab. Er war noch nie allein ohne die anderen Kinder im Haus gewesen und fand es toll, alles für sich zu haben. Er durfte nur keinen Lärm machen. Eine Weile lang sah er fern, die Lautstärke so gut wie ganz heruntergedreht, doch es gab nur ein Programm, den Kanal 12 aus Chico, und während der Schulzeit brachten sie nichts, was ihn interessierte. Er spielte mit seinen aus Bausätzen gebastelten Schiffen und Flugzeugen und nahm den großen Couchtisch im Wohnzimmer als riesiges Meer. Er durchsuchte die Schubladen seines Bruders und Stiefbruders nach geheimen Schätzen, doch die hatten sie anderswo versteckt. Hinten im Garten spielte er mit einem Fußball, schoss ihn über die nächsten Mandelbäume und spekulierte darauf, dass der Ball, falls er in ihnen landete, nicht in den Ästen hängen blieb. Er band ein Stück altes Laken an eine weggeworfene Bohnenstange und rannte mit der Flagge herum, als führte er einen Trupp im Bürgerkrieg an. Gerade als er seine Flagge in den Boden zu stecken versuchte, kurbelte seine Stiefmutter das Küchenfenster auf und rief nach ihm.

»Kenny! Deine Mutter ist da!«

Er hatte das Auto nicht gehört.

In der Küche empfing ihn ein Bild, wie er es in den fast zehn Jahren seines Lebens nie gesehen hatte. Sein Dad war wach und trank am Tisch seinen Morgenkaffee. Seine Mutter, seine richtige Mutter, saß mit am Tisch, mit einer eigenen Tasse Kaffee. Seine Stiefmutter stand, lehnte an der Arbeitsfläche und nippte ebenfalls an einer Tasse. Diese drei Menschen, die sich auf dieser Welt um ihn kümmerten, waren noch nie gleichzeitig in einem Raum gewesen.

»Da ist ja mein Kenny-Bär!« Seine Mutter strahlte. Sie sah aus wie die Sekretärin aus einer Fernsehserie, geschminkt, fürs Büro gekleidet, mit hohen Absätzen, das kurze schwarze Haar ordentlich frisiert. Das Rot ihres Lippenstifts hinterließ Spuren auf ihrer Kaffeetasse. Sie stand auf, nahm ihn in die parfümierten Arme und küsste ihn auf den Kopf. »Hol deine Tasche, dann fahren wir.«

Kenny wusste nichts von einer Tasche, aber seine Stiefmutter hatte ein paar Sachen in den kleinen rosa Koffer einer ihrer Töchter gepackt. Er war bereit. Sein Vater erhob sich und fuhr ihm durchs Haar. »Ich muss duschen«, sagte er. »Geh und sieh dir den heißen Sportwagen deiner Mutter an.«

»Du hast mir ein Auto mitgebracht?«, fragte Kenny, der dachte, sein Geburtstagsgeschenk wäre ein kleiner metallener Rennwagen.

Aber nein. In der Einfahrt stand ein richtiger Sportwagen, rot, ein Zweisitzer mit Speichenrädern. Das Verdeck war geschlossen und bereits voller Eukalyptusfrüchte. Bisher kannte Kenny Sportwagen nur aus dem Fernsehen, wo sie von Detektiven und jungen Ärzten gefahren wurden.

»Ist das deiner, Mom?«

»Ein Freund hat ihn mir geliehen.«

Kenny sah durchs Seitenfenster der Fahrerseite. »Darf ich mich mal reinsetzen?«

»Nur zu.«

Kenny begriff gleich, wie die Tür zu öffnen war, und setzte sich hinters Steuer. Die Instrumente und Schalter sahen aus wie bei einem Düsenjäger, das hölzerne Armaturenbrett wie ein Möbelstück, und die Sitze rochen wie ein lederner Baseballhandschuh. In einem roten Kreis mitten auf dem Lenkrad stand FIAT. Seine Mutter legte den rosa Koffer in den Kofferraum und bat Kenny, ihr dabei zu helfen, das Dach aufzumachen.

»Wir lassen uns den Wind um die Ohren blasen, bis wir zum Highway kommen, okay?« Sie öffnete die Verschlüsse des Verdecks, und Kenny half, es nach hinten zu klappen, wobei auch das Plastikfenster zusammengefaltet wurde. Seine Mutter startete den Motor, und es klang, als räusperte sich da ein Drache. Sie fuhr rückwärts aus der Einfahrt. Sie hatte ihre Schuhe ausgezogen, um die Pedale zu bedienen, und eine Sonnenbrille aufgesetzt, wie sie auch Skifahrer trugen. Mutter, Sohn und Fiat röhrten vom Haus weg die Webster Road hinunter. Das durch die Zweige der Eukalyptusbäume fallende Sonnenlicht flackerte in Kennys Augen, der Wind rauschte in seinen Ohren und wehte ihm die Haare nach vorn. Das Auto war das Tollste, Wunderbarste, was er je gesehen hatte. So glücklich war er noch nie gewesen.

Der Tankwart bei Shell in Iron Bend war begeistert und kümmerte sich ausgiebig um das Auto und die Frau, die es fuhr. Er füllte den Tank auf, wusch die Windschutzscheibe, überprüfte den Ölstand und bewunderte den »Südländermotor«. Kenny spendierte er eine Limo, und während der sich ein Rootbeer (das nahm er immer) aus dem Kühlschrank holte, half der Mann seiner Mutter, das Verdeck wieder hochzuklappen und fest zu verschließen. Der Mann lächelte und redete, wollte wissen, ob Kennys Mutter nach Norden oder Süden fuhr und ob sie bald wieder nach Iron Bend kam. Als sie wieder im Wagen saßen und über den Highway fuhren (nach Süden), sagte sie zu ihrem Sohn, der Shell-Mann habe »Kuhaugen« gehabt, und lachte.

»Mach uns etwas Musik, Schatz«, sagte sie und zeigte auf das winzige Radio im hölzernen Armaturenbrett. »Dreh erst den Knopf da, und such dann mit dem anderen einen Sender.«

Wie der Funker in einem Bomber bewegte Kenny den

roten Faden an den Zahlen der Anzeige entlang. Im örtlichen Sender lief eine Werbung für Stan Nathans Schuhladen in der Iron Bend. Schuhe für die ganze Familie. Rauschen und Stimmen wechselten sich ab, bis Kenny einen Sender fand, der laut und klar zu empfangen war. Ein Mann sang von Regentropfen auf seinem Kopf. Kennys Mom kannte den Text und sang mit, steuerte und suchte gleichzeitig etwas in ihrer Handtasche. Sie holte ein kleines Lederetui mit einer Klappe hervor, unter der die Spitzen von Zigaretten zum Vorschein kamen. Es waren besonders lange Zigaretten, viel länger als die, die sein Vater rauchte. Seine Mom steckte sich eine zwischen die Lippen, das Rot des Lippenstifts legte sich auf den weißen Filter, und sie drückte einen Knopf im Armaturenbrett. Ein paar Sekunden später machte es *plopp*, und sie zog den Knopf heraus. An seinem Ende glühte eine rote Spule, die so heiß war, dass sie damit ihre Zigarette anzünden konnte. Dann steckte sie den Knopf zurück an seinen Platz, griff das Lenkrad mit der rechten Hand und öffnete mit der linken ein kleines dreieckiges Seitenfenster, durch das der Rauch nach draußen geweht wurde, wie durch einen Zaubertrick.

»Erzähl mir von der Schule, Schatz«, sagte sie. »Gefällt es dir da?«

Kenny erzählte ihr, dass die St. Philip Neri nicht wie die St. Joseph in Sacramento war, die einzige andere Schule, die er kannte. Die St. Philip Neri war klein, es gab dort nicht so viele Kinder, und einige der Nonnen zogen sich nicht wie Nonnen an. Während er sein Rootbeer mit kleinen, luftigen Schlucken genoss, erzählte er seiner Mom von den Busfahrten zur Schule, dass die Uniformen rot und nicht blau gemustert waren, sie sie nicht jeden Tag tragen mussten und dass ein Junge in seiner Klasse, der Munson hieß, Modellflugzeuge baute, wie auch er es gern tat, und in einem Haus mit Pool wohnte, aber nicht einem im Boden versenkten wie im Stadtpark, sondern einem runden über der Erde. Diese eine Frage ließ Kenny den ganzen Weg von Iron Bend bis zur Abfahrt Butte City reden, und seine Mutter rauchte. Als der Radioempfang des eingestellten Senders schlechter wurde, suchte Kenny einen anderen und wieder einen anderen. Seine Mom forderte ihn auf, den Lastwagenfahrern, die sie überholten, zu signalisieren, dass sie mal hupen sollten. Dazu pumpte er Faust und Unterarm auf und ab, und wenn die Fahrer ihn sahen, taten sie ihm meist den Gefallen und ließen ihr Horn ertönen. Einmal merkte Kenny, wie ein Fahrer sie im Rückspiegel ansah und bereits hupte, bevor er seine Pumpbewegung machen konnte. Er blies ihnen sogar einen Kuss zu, der wahrscheinlich für Kennys Mom und nicht für ihn gedacht war.

Mittags hielten sie in Maxwell und gingen in einen Diner, Kathy's Kountry Kafe, ein Restaurant für Reisende und Entenjäger (während der Saison). Der Fiat war der einzige Sportwagen auf dem Parkplatz. Der Kellnerin schien es zu gefallen, mit Kennys Mom zu schwatzen – sie unterhielten sich wie alte Freundinnen oder Schwestern. Kenny fiel auf, dass auch die Kellnerin sehr rote Lippen hatte. Als sie fragte, was sie dem jungen Mann bringen solle, bat der um einen Hamburger.

»Oh, nein, Schatz«, sagte seine Mutter. »Hamburger kannst du immer essen. In einem Restaurant solltest du etwas von der Karte bestellen.«

»Warum nicht, Mom? Dad stört es nicht. Und Nancy lässt uns.« Nancy war Kennys Stiefmutter.

»Wie wär's, wenn wir das zu einer besonderen Regel machen?«, sagte seine Mutter. »Nur für dich und mich.«

Kenny schien es eine komische Regel zu sein, die sie da plötzlich aufstellte. Ihm war noch nie gesagt worden, was er bestellen durfte und was nicht. »Ich denke, du magst das heiße Truthahnsandwich«, sagte seine Mutter. »Komm, wir teilen es uns.«

Kenny dachte, das Sandwich würde kochend heiß sein, und war sich nicht sicher, ob er es mögen würde. »Darf ich einen Milchshake?«

»Jepp.« Sie lächelte. »Ich bin flexibel!«

Um die Wahrheit zu sagen, mochte Kenny das offene Sandwich, das in einer braunen Soße schwamm und überhaupt nicht zu heiß war. Das Weißbrot, das all die Soße in sich aufsog, war genauso gut wie das Truthahnfleisch, und das Kartoffelpüree war das Beste überhaupt, was er je gegessen hatte. Seine Mom hatte sich noch eine igluförmige Kugel Hüttenkäse auf Tomatenscheiben bestellt, schnitt sich aber auch ein paar Stücke von dem Truthahnfleisch ab. Sein Vanillemilchshake wurde in dem eiskalten Stahlshaker serviert, in dem er zubereitet worden war, und es war genug, dass Kenny das schicke Glas zweimal füllen konnte. Er schenkte sich selbst ein und klopfte mit dem Shaker gegen das Glas, damit die Milch besser herausfloss. Es war so ein großer Milchshake, Kenny konnte ihn nicht ganz trinken.

Als seine Mutter zur Toilette ging, sah Kenny, wie ihr die Blicke der Männer folgten und sie die Köpfe drehten, um ihr hinterherzusehen. Einer von ihnen stand auf, um zu zahlen, und blieb vor der Nische stehen, in der Kenny saß.

»Ist das deine Mommy, Sportsfreund?«, fragte der Mann. Er trug einen braunen Anzug und eine gelockerte Krawatte. Auf seiner Brille steckte ein hochgeklappter Sonnenaufsatz, zwei kleine Schirme, die waagerecht nach vorn deuteten.

»Hmm«, sagte Kenny.

Der Mann lächelte. »Weißt du, ich hab zu Hause einen Jungen genau wie dich. Aber nicht so eine Mommy.« Der Mann lachte laut auf und ging weiter zur Kasse.

Kennys Mom kam mit frischem Lippenstift zurück, nahm einen Schluck von Kennys Milchshake und hinterließ rote Abdrücke auf dem weißen Strohhalm.

Sacramento lag noch mehr als eine Stunde auf dem Highway entfernt. Kenny war nicht mehr in seiner Heimatstadt gewesen, seit sein Vater ihre Sachen in den Kombi gepackt hatte und sie nach Iron Bend gezogen waren. Die Häuser waren ihm angenehm vertraut, doch als seine Mutter vom Highway abbog, kamen sie in eine Straße, in der er noch nie gewesen war. Dann sah er das Schild des Leamington Hotel, und er spürte, wie er lächelte. Seine Eltern hatten beide im Leamington gearbeitet, jetzt war nur noch seine Mom da. Er, sein Bruder und seine Schwester hatten viel Zeit dort verbracht, waren das Wochenende über mit hingekommen, als die beiden noch verheiratet gewesen waren. Im großen Besprechungszimmer hatten sie gespielt, wenn es nicht gebraucht wurde, und an der Theke des Cafés gegessen, wenn gerade nicht zu viel Betrieb war. Und Dad hatte ihnen jedes Mal fünf Cent gezahlt, wenn sie genügend Kartoffeln für ein Tablett in Alufolie gewickelt hatten. Wenn sie um Erlaubnis baten, durften sie sich selbst Schokomilch aus einem Spender zapfen, solange sie kleine Gläser benutzten. Das war lange her. Seitdem war viel von Kennys Leben vergangen.

Seine Mutter parkte den Fiat hinter dem Hotel, und sie gingen durch die Küche hinein, genau wie in Kennys Erinnerung, als sie mit Dads Kombi oder dem Corolla seiner Mom gekommen waren. Die Angestellten begrüßten seine Mutter, und sie grüßte alle mit ihren Namen zurück. Eine Frau und einer der Köche konnten nicht glauben, dass Kenny, seit sie ihn zuletzt gesehen hatten, so gewachsen war. Kenny erinnerte sich nicht an die beiden, wobei er glaubte, die Katzenaugenbrille der Frau mit den dicken Gläsern zu kennen. Die Küche sah kleiner aus als in seiner Erinnerung.

Früher, als er klein gewesen war, hatte seine Mutter als Kellnerin im Café des Leamington gearbeitet, und sein Vater war einer der Köche. Damals hatte sie eine Schürze getragen, jetzt war es Geschäftskleidung, und sie hatte ein Büro neben der Eingangshalle, in dem ein Schreibtisch voller Papiere stand. An einer Wand hing ein riesiges Anschlagbrett voller Karteikarten, die alle mit verschiedenfarbigen Stiften beschriftet und sorgfältig in Reihen angeordnet waren.

»Kenny-Bär, ich muss ein paar Dinge erledigen, dann erzähl ich dir von deiner Geburtstagsüberraschung, okay?« Sie schob verschiedene Papiere in eine Ledermappe. »Kannst du hier etwas sitzen bleiben?«

»Darf ich so tun, als wäre es mein Büro und ich würde hier arbeiten?«

»Klar«, sagte sie und lächelte. »Hier sind ein paar Notizbücher, und schau, das ist ein elektrischer Bleistiftspitzer.« Sie zeigte ihm, wie man den Bleistift in die Öffnung steckte, worauf die Maschine ein knirschendes Geräusch machte, und schon war der Stift spitz wie eine Nadel. »Geh bitte nicht ans Telefon, wenn es klingelt.«

Eine Frau namens Miss Abbott kam ins Büro und sagte: »Das ist also Ihr kleiner Mann?« Sie war älter als seine Mom und hatte eine Brille an einer Kette um den Hals hängen. Miss Abbott würde ein Auge auf Kenny haben und wissen, wo seine Mutter war, falls er sie brauchte.

»Kenny arbeitet heute etwas für uns.«

»Wunderbar«, sagte Miss Abbott. »Ich gebe dir ein paar Stempel und ein Stempelkissen, damit du alles offiziell machen kannst. Möchtest du?«

Seine Mutter ging mit der Ledermappe hinaus, und Kenny setzte sich auf den Stuhl hinter ihrem Schreibtisch. Miss Abbott brachte ihm die Stempel, auf denen **RECHNUNG** und **EINGEGANGEN** stand und das Datum, dazu eine flache rechteckige, metallene Schachtel mit einem blauen Tintenkissen.

»Weißt du«, sagte Miss Abbott, »ich habe einen Neffen genau in deinem Alter.«

———

Kenny probierte die Stempel auf ein paar Seiten eines der Notizbücher aus und sah dann gelangweilt durch die oberen Schubladen des Schreibtischs. In einer gab es kleine Fächer mit Büroklammern, Heftklammern, Gummibändern, Bleistiften und Kulis mit der Aufschrift LEAMINGTON HOTEL. In einer anderen Schublade lagen Umschläge und Briefpapier mit dem Namen des Hotels, und oben gab es jeweils eine kleine Zeichnung des Gebäudes.

Er stand auf, ging zur Tür und sah Miss Abbott an ihrem eigenen Schreibtisch einen Brief schreiben.

»Miss Abbott«, sagte Kenny, »darf ich etwas von dem Papier benutzen, auf dem oben Leamington Hotel steht?«

Miss Abbott schrieb weiter. »Was sagst du?«, fragte sie, ohne aufzusehen.

»Darf ich etwas von dem Papier benutzen, auf dem oben Leamington Hotel steht?«

»Nur zu«, sagte sie und schrieb.

Kenny benutzte die Stempel und die Hotelkulis auf dem

Papier, zog Linien und schrieb seinen Namen neben die Stempel. Dann hatte er eine Idee.

Er nahm die Abdeckhaube von der Schreibmaschine, die auf einem eigenen kleinen Tischchen neben dem Schreibtisch seiner Mutter stand. Die Maschine war hellblau, vorne auf ihr standen die Buchstaben *IBM*, und sie war wirklich groß und nahm fast den ganzen kleinen Tisch ein. Er spannte ein Blatt Papier ein und drückte eine der Tasten. Nichts. Kenny wollte schon Miss Abbott fragen, warum die Maschine nicht funktioniere, doch dann sah er einen Kippschalter, auf dem AN/AUS zu lesen war, und er stand auf AUS. Er drückte auf AN, und die Maschine begann zu summen und zu vibrieren. Die mechanische Kugel mit den Buchstaben darauf fuhr einmal vor und zurück und blieb links stehen. Die Walze mit dem Papier bewegte sich nicht, weswegen Kenny dachte, die Maschine müsse zum Teil ein Computer sein oder einer dieser Fernschreiber.

Er versuchte seinen Namen zu tippen, aber heraus kam nur **kkkkkkkkkkkkkkkk**. Er begriff, dass der Buchstabe, wenn er die Taste gedrückt hielt, immer weiter wiederholt wurde, was wie ein Maschinengewehr klang: **kkkk kkkkk kkkk keeee eeeenn n n n yyyy yyy**. Was ihn am meisten verwirrte, war, dass er keinen Hebel sah, mit dem er den Wagen zurückschieben konnte. Da gab es nichts. Nur einen sehr großen Knopf, auf dem RETURN stand. Als er ihn drückte, fuhr die Kugel mit einem *Tschack!* zurück, und er konnte eine neue Zeile schreiben. Das war für ihn jetzt, ganz offiziell, die erstaunlichste Schreibmaschine, die er je gesehen hatte. Auch gehört hatte er von so einer noch nicht.

Kenny konnte nicht schreiben wie ein Erwachsener, wie Miss Abbott oder seine Mom, also benutzte er nur einen Finger und suchte die Buchstaben, die er wollte, traf aber manchmal die falschen – `kennnystdahlkl kjenny stanhl kenn sath`. Er versuchte es sehr langsam und sehr vorsichtig, schrieb seinen Namen endlich richtig – `kenny stahl` – und drehte die Seite aus der IBM. Er stempelte das Datum neben seinen Namen und dazu: **RECHNUNG**.

»Wie wär's mit einer Kaffeepause?« Miss Abbott stand in der Tür.

»Ich trinke keinen Kaffee«, sagte Kenny.

Miss Abbott nickte. »Nun, dann lass uns mal sehen, was es sonst noch gibt. Sollen wir?«

Er folgte ihr in die Eingangshalle, wo er seine Mutter mit einer Gruppe Männern stehen sah. Sie redeten geschäftlich, doch Kenny rief trotzdem zu ihr hinüber.

»Mom!«, rief er und deutete zur Hotelküche. »Ich mache eine Kaffeepause!«

Sie drehte sich um, lächelte und winkte. Und wandte sich wieder den Männern zu.

In der Küche fragte er Miss Abbott, ob er seine eigene Schokomilch bekommen könne, so wie früher, doch den Spender gab es nicht mehr. Nur normale Milch und etwas, das »Skim« hieß. Miss Abbott ging zu einem silbernen Kühlschrank und holte einen Karton Schokomilch heraus, nahm eines der großen Trinkgläser und füllte es bis an den Rand. Das war mehr Schokomilch, als Kenny je erlaubt gewesen war, und er fand es toll. Sich selbst schenkte Miss Abbott Kaffee aus einer runden Glaskanne ein, die auf einer BUNN-Kaffeemaschine stand. Sie durften ihre Getränke nicht durch die Halle tragen, und so gingen sie damit ins Café, das noch genauso aussah wie früher, als Kenny klein gewesen war. Sie setzten sich in eine leere Nische, nicht an die Theke.

»Erinnerst du dich an mich?«, fragte sie ihn. »Ich hab hier mit deinem Daddy gearbeitet. Bevor deine Mommy anfing.« Miss Abbott stellte Kenny noch mehr Fragen, hauptsächlich ob er die gleichen Dinge mochte wie ihr Neffe: Baseball, Karateunterricht und Fernsehserien. Kenny erzählte ihr, dass sie in Iron Bend nur Kanal 12 aus Chico empfingen.

———

Als er wieder im Büro seiner Mutter saß, beschloss er, ihr einen Brief auf ihrer IBM-Schreibmaschine zu schreiben. Er spannte einen frischen Leamington-Hotel-Briefbogen ein und schrieb sehr langsam.

```
Liiebe Mom,
wie geht es dir mir geht es gut
Der Sportwagen von deinem Freund ist wie
ein Rennwagen. Ich mag wie laut der Motor
ist und das Radio einstellen.
Ich habe dich gerade im Hotel gesehen und
frage mich was meine große Überraschung
ist?????? ?
Ich werde diesen Brief an einen Ort legen
wo er eine große Überraschung für dich
ist. Wenn du in findest schreibe mir auf
dieser schreibmaschiene zurück die so toll
und einfach zu schreiben ist.
Liebe Grüße
Kenny Stahl EINGEGANGEN EINGEGANGEN
RECHNUNG
```

Kenny faltete den Brief, so genau er konnte, steckte ihn in einen Hotelumschlag und leckte über die Gummierung, vorsichtig, um sich nicht die Zunge an der scharfen Kante aufzuschneiden. Auf den Umschlag schrieb er mit einem Leamington-Hotel-Kuli *FÜR MOM*, suchte nach einem Platz, an dem er den Brief verstecken konnte, und beschloss, dass er am besten in der Schreibtischschublade unter ein paar Leamington-Hotel-Briefbögen aufgehoben war.

Als seine Mom zurück ins Büro kam, spielte Kenny gerade mit ein paar Gummibändern. Bei ihr war ein Mann mit dunkler brauner Haut und sehr glattem schwarzen Haar. »Kenny, das ist Mr Garcia. Er hat uns das Auto für unsere Fahrt heute geliehen.«

»Hallo«, sagte Kenny. »Das ist Ihr Auto? Der Sportwagen?«

»So ist es«, sagte Mr Garcia. »Ich freue mich, dich kennenzulernen. Aber lass es uns richtig machen, okay? Steh auf.«

Kenny tat, was er sagte.

»Jetzt«, sagte Mr Garcia, »schütteln wir uns die Hand. Pack richtig fest zu.«

Kenny drückte Mr Garcias Hand, so fest er konnte.

»Tu mir nicht weh.« Mr Garcia kicherte. Kennys Mom strahlte die beiden Männer an. »Und jetzt sieh mir in die Augen, genau wie ich dir. Gut. Und sag: ›Es ist mir ein Vergnügen, Sie kennenzulernen‹.«

»Es ist mir ein Vergnügen, Sie kennenzulernen«, wiederholte Kenny.

»Jetzt kommt der wichtigste Teil. Wir fragen uns gegenseitig etwas, stellen uns aufeinander ein, von Mann zu Mann, verstehst du? Ich frage dich das: Weißt du, was ›Fiat‹ bedeutet?«

Kenny schüttelte den Kopf. Ihn verwirrte die Frage, und er hatte keine Ahnung, wozu das alles gut sein sollte. Nein, ihm hatte noch nie jemand erklärt, wie man sich die Hände schüttelte.

»*Fehlerhaft in allen Teilen.*« Mr Garcia lachte. »Und jetzt fragst du mich was. Los doch.«

»Ähm.« Kenny musste sich etwas überlegen. Er betrachtete Mr Garcias dichtes pechschwarzes Haar, das so fest dalag und glänzte, und da erinnerte er sich daran, dass er ihn schon gesehen hatte, als er noch klein gewesen war und mit seinem Bruder und seiner Schwester im Hotel gespielt hatte. Er erinnerte sich, dass Mr Garcia nicht in der Küche mit seinem Dad, sondern mit einem Anzug in der Hotelhalle gearbeitet hatte. »Sie arbeiten hier auch, wie meine Mom, oder?«

Mr Garcia und seine Mom wechselten einen Blick und ein Lächeln. »Früher, Kenny, heute nicht mehr. Heute bin ich im Senator.«

»Sie sind ein Senator?« Aus den Nachrichten auf Kanal 12 wusste Kenny, was ein Senator war.

»Mr Garcia arbeitet im Senator Hotel, Kenny«, sagte seine Mutter, »und er hat eine große Überraschung für dich.«

»Hast du's ihm noch nicht gesagt?«, fragte Mr Garcia.

»Ich dachte, das solltest du tun«, sagte sie.

»Okay.« Mr Garcia sah Kenny an. »Wie ich höre, hast du bald Geburtstag, stimmt das?«

Kenny nickte. »Ich werde zehn.«

»Bist du schon mal geflogen?«

»Sie meinen, in einem Flugzeug?«

»Bist du?«

Kenny sah seine Mutter an. Vielleicht hatte sie ihn als Baby mit in ein Flugzeug genommen, aber er war zu klein gewesen, um sich daran zu erinnern. »Bin ich, Mom?«

»José ist Pilot. Er hat ein Flugzeug und möchte mit dir einen kleinen Rundflug machen. Wäre das nicht schön?«

Kenny hatte noch nie einen Piloten getroffen, der ein eigenes Flugzeug besaß. Wo hatte er seine Uniform? War er in der Air Force?

»Was machst du morgen?«, fragte ihn Mr Garcia. »Willst du mit mir fliegen?«

Kenny sah seine Mutter an. »Darf ich, Mom?«

»Jepp«, sagte sie. »Ich bin flexibel.«

———————

Kenny und seine Mutter aßen in einem Restaurant zu Abend, das The Rosemount hieß. Sie kannte alle, die dort arbeiteten. Der Kellner nahm zwei der Gedecke weg, weil seine Mom sagte, sie habe eine »besondere Verabredung mit diesem jungen Mann«, womit sie Kenny meinte. Die Speisekarten waren groß wie Zeitungen. Kenny nahm Spaghetti, und zum Nachtisch brachte ihm der Kellner einen Schokoladenkuchen, der so groß wie sein Schuh war. Er schaffte ihn nicht ganz. Seine Mutter rauchte ihre langen Zigaretten und trank nach dem Essen einen Kaffee. Einer der Köche kam, jemand, an den sich Kenny aus seinen Tagen im Leamington erinnerte. Er hieß Bruce. Bruce setzte sich zu ihnen an den Tisch und unterhielt sich eine Weile mit Kennys Mom, wobei er hauptsächlich lachte.

»Großer Gott, Kenny«, sagte er zu ihm. »Du wächst so schnell wie Alfalfa.« Bruce kannte einen super Trick. Er konnte einen Strohhalm in eine rohe Kartoffel werfen, sodass er wie ein Pfeil drin stecken blieb. Mom hatte den Fiat hinter dem Haus geparkt, und auf dem Weg hinaus durch die Küche führte Bruce Kenny den Trick noch mal vor. Zack! Der Strohhalm durchstieß fast die ganze Kartoffel. Wahnsinn!

Seine Mom wohnte in einem zweistöckigen Haus mit einer Treppe in der Mitte, von der links und rechts jeweils eine Wohnung abging. Im Wohnzimmer gab es etwas, das sie ein Murphy-Bett nannte und das ganz in der Wand verschwand. Als sie es nach unten zog, war es bereits gemacht. Sie hatte einen kleinen Farbfernseher auf einem Rolltischchen, den sie zum Bett hindrehte, aber bevor er ihn einschalten durfte, musste Kenny ein Bad nehmen.

Das Bad war klein und die Wanne so winzig, dass sie schnell voll war. Auf einem Regal standen Badeseifen und andere Frauensachen, alles in bunten Flaschen und Tuben mit aufgedruckten Blumen. Auf einem anderen Regal stand eine Dose Gillette-Rasierschaum, und daneben lag ein Rasierer von Wilkinson Sword. Kenny spielte in der Wanne, bis die Fingerspitzen schrumpelten und das Wasser kalt wurde. Im rosa Koffer, den er von zu Hause mitgebracht hatte, lag ein Schlafanzug, und als er hineinstieg, roch er Popcorn. Seine Mom bereitete es zu und erweckte es in einem Topf auf ihrem Küchenherd zum Leben.

»Such dir was im Fernsehen, was du ansehen magst, Schatz«, rief sie, während sie in einer Pfanne Butter schmolz, um sie über das Popkorn zu gießen.

Kenny schaltete den Fernseher ein, und er ging sofort an, ohne erst warm werden zu müssen wie zu Hause. Es war so schön, all die alten Sender wiederzusehen, die er angeschaut hatte, bevor seine Mom ausgezogen war und sein Dad neu geheiratet hatte. Auf Kanal 3, 6, 10 und 13 liefen Filme. Und mit dem anderen Senderwahlknopf, dem, der nicht klickte, sondern nur gedreht wurde, bekam man noch den Kanal 40 rein. Alles war in Farbe, nur der alte Film auf Kanal 40 nicht. Er entschied sich für eine Serie, die *The Name of the Game* hieß, womit seine Mom einverstanden war.

Sie lagen gemeinsam auf dem Murphy-Bett und aßen Popcorn. Seine Mom trat sich die Schuhe von den Füßen, legte einen Arm um ihren Sohn und spielte mit seinen Haaren. Irgendwann setzte sie sich auf und sagte: »Reib mal Mommas Nacken ein bisschen.« Kenny kniete sich hin und versuchte, sie zu massieren, schob das Haar an die Seite und mied die dünne Kette um ihren Hals. Nach ein paar Minuten dankte sie ihm und sagte, sie liebe ihren kleinen Kenny. Beide legten sich wieder hin. Danach kam *Bracken's World*, und da redeten Erwachsene über lauter Dinge, die Kenny nicht verstand. Er schlief noch vor der ersten Werbung ein.

———

Als Kenny am Morgen aufwachte, spielte im Radio Musik. Seine Mutter war in der Küche und hatte bereits Kaffee gekocht, mit einem gläsernen Filter. Kenny musste vom Murphy herunterhopsen, weil es so hoch war.

»Oh, hallo, mein Schlafbär.« Seine Mutter küsste ihn auf den Kopf. »Wir haben ein großes Problem.«

»Was?« Kenny rieb sich die Augen und setzte sich an den kleinen Küchentisch.

»Ich habe gestern keine Milch gekauft.« Sie hatte nur eine Dose mit etwas, das Kondensmilch hieß (auf dem Etikett war eine Zeichentrickkuh zu sehen) und sie für ihren Kaffee benutzte. »Könntest du um die Ecke in Louie's Market gehen und einen Karton Milch holen? Du brauchst welche für deine Cornflakes.«

»Klar.«

Kenny hatte keine Ahnung, wo Louie's Market war. Seine Mom erklärte ihm, dass er vorm Haus nach rechts und dann nach links müsse. Drei Minuten, dann sei er da. Auf der Kommode im Schlafzimmer lägen ein paar Dollar-Scheine. Er solle zwei nehmen und sich gleich auch was Süßes für später kaufen.

Kenny zog die Sachen vom Vortag an und ging ins winzige Schlafzimmer seiner Mom. Auf der Kommode lag Geld. Er nahm zwei Ein-Dollar-Scheine. Der Schrank stand offen und war beleuchtet. Kenny konnte all ihre Schuhe sehen. Auf den Bügeln hingen ihre Kleider und Blusen, auch eine Männeranzugjacke und eine Hose, und an ein paar Haken baumelten verschiedene Krawatten. Und zwischen den Pumps stand auch ein Paar Männerschuhe.

Die Straßen rund ums Haus wurden von großen Bäumen gesäumt, aber nicht von Eukalyptusbäumen wie die Webster Road. Die Bäume hier hatten große grüne Blätter und dicke, aufragende Äste. Die Wurzeln waren so riesig, dass sie die Bürgersteige anhoben und uneben machten. Kenny hielt die beiden Dollarscheine in der Hand, ging nach rechts, dann nach links und fand Louie's Market in weniger als drei Minuten.

An der Kasse stand ein Japaner, umgeben von lauter Süßigkeiten. Kenny suchte die Milch und trug eine Packung zu ihm vor, um sie zu bezahlen. Der Japaner öffnete die Kasse und fragte: »Wer bist du? Ich habe dich hier noch nie gesehen?«

Kenny erzählte ihm, dass seine Mutter um die Ecke wohnte und vergessen hatte, Milch zu kaufen.

»Wer ist deine Mutter?«, fragte der Mann. Kenny erklärte es ihm, und er sagte: »Oh! Sie ist eine sehr nette Frau. Und sehr hübsch. Und du bist ihr Junge? Wie alt bist du?«

»In neun Tagen werde ich zehn«, sagte Kenny.

»Meine Tochter ist genauso alt«, sagte der Mann.

Für später kaufte Kenny eine doppelte Packung Hostess CupCakes, Schokolade mit einem Kringel Zuckerguss in der Mitte. Sie kosteten fünfundzwanzig Cent, und er hoffte, dass das nicht zu viel war. Seine Mutter sagte nichts, als er mit der Milch zurückkam. Sie machte ihm Toast zu seiner Schüssel Rice Krispies und schnitt ihm eine kernlose Orange klein.

Kenny guckte Kanal 40, ein ganzer Morgen mit Zeichentrickfilmen und Spielzeugwerbung, als das Telefon an der Wand klingelte. Nach ihrem »Hallo« sagte seine Mutter etwas, das er nicht verstand.

»*Qué pasó, mi amor?* Was? O nein! Er hat sich so darauf gefreut. Bist du dir sicher?« Kenny sah seine Mom und sie ihn an, während sie zuhörte. »Oh! Ja, das könnte gehen. Zwei Fliegen mit einer Klappe. Super. Okay.« Sie lauschte noch eine Weile, kicherte und legte auf.

»Kenny-Bär«, sang sie und kam ins Zimmer. »Die Pläne haben sich geändert. José, Mr Garcia, hat geschäftliche Verpflichtungen, und er kann heute nicht mit dir fliegen. Aber ...« Sie legte den Kopf zur Seite, als könnte sie etwas noch Tolleres als Ersatz ankündigen, zum Beispiel eine Fahrt in einem Raumschiff. »Er kann dich morgen nach Hause fliegen! Dann müssen wir nicht fahren.«

Kenny verstand nicht ganz, wie sie mit einem Flugzeug nach Hause kommen sollten. Würden sie direkt vor ihrem Haus auf der Webster Road landen? Würden sie dann nicht in die Eukalyptusbäume krachen?

————

Jetzt, da sie den ganzen Tag zur Verfügung hatten, verbrachten Kenny und seine Mom den späten Vormittag im Märchenwald, einem Ort für Kinder, der von der städtischen Parkverwaltung betrieben wurde. Es gab kleine Häuser, die so angemalt waren, dass sie aussahen, als wären sie aus Stroh, Stöcken und Steinen, einen langen gewundenen gelben Ziegelsteinweg und bis drei Uhr nachmittags jede

Stunde ein Puppentheater. Als Kenny klein gewesen war, war die ganze Familie in den Märchenwald gefahren, wenn auch nie mit Dad, der zu Hause geblieben war und geschlafen hatte. Da Kenny jetzt fast zehn war, war er zu groß für die einzelnen Märchenbilder. Selbst die Schaukeln waren für Kinder, die kleiner waren als er.

Der Zoo lag ganz in der Nähe. Er war früher ebenfalls ein beliebtes Ziel gewesen, und die Affen reckten ihre Glieder auch heute noch, indem sie an den Ringen in ihrem Käfig hin- und herschwangen. Auch die Elefanten waren noch in ihrem Gehege auf der anderen Seite des Zaunes, der allerdings nicht mehr so hoch war wie früher, und die Giraffen konnten noch mit Karotten gefüttert werden, die die Tierpfleger in Eimern dabeihatten. Kenny und seine Mom blieben länger im Zoo als im Märchenwald, vor allem im Reptilienhaus, wo es eine riesige Python gab, die sich um einen Baum gewickelt hatte, mit dem Kopf, groß wie ein Fußball, direkt an der Scheibe.

Zu Mittag aßen sie an einem Tisch mit karierter Decke vor einem kleinen Markt. Kenny nahm ein Thunfischsandwich ohne Salat und Tomate, nur mit Thunfisch, seine Mutter eine kleine Schüssel Nudelsalat. Zu trinken gab es goldenen Saft, der aus Flaschen in Apfelform kam. Statt Cola. Erst war Kenny enttäuscht, aber der Apfelsaft war so süß und fruchtig, dass er ihn mit einem wunderbaren Wohlgefühl erfüllte, als er ihm durch die Kehle hinunter in den Bauch rann. Kenny stellte sich vor, dass es so sein musste, Wein zu trinken, weil die Erwachsenen immer so ein Getue um »gute Weine« machten. Zum Nachtisch aß er seine Hostess Cup-Cakes.

»Was machen wir jetzt, Kenny-Bär?«, fragte seine Mom. »Wie wär's, wenn wir uns an etwas Minigolf versuchten?«

Sie steuerte den roten Fiat auf den Freeway und fuhr nach Westen in die Gebirgsausläufer. Als sie über den Fluss kamen, sah Kenny, dass sie in der Nähe der Ausfahrt zur Sunset Avenue waren, über die sie früher immer nach Hause gefahren waren, zu ihrem alten Haus. Er erkannte das große grüne Schild mit dem weißen Pfeil und der Aufschrift SUN-SET AVE und sah die Chevron-Tankstelle auf der einen und die Phillips 66 auf der anderen Seite der Straße. Aber seine Mom bog nicht ab, sie fuhr geradeaus. Etwas weiter den Highway hinunter tauchte eine bunte kleine Stadt mit winzigen Windmühlen und Burgen auf, das Miniature Golf & Family Fun Center. Es sah ganz neu und magisch aus.

Es war Samstag und ziemlich voll. Familien waren mit dem Auto gekommen, Kinder, die sonst nichts zu tun hatten, mit ihren Fahrrädern, oder sie waren hergebracht worden, mit genug Geld in der Tasche, um einen Tag lang S-P-A-S-S zu haben. Es gab einen Kreis mit Baseballschlagkäfigen und Pitch-Maschinen und eine Spielhalle mit Flippern und Schießspielen. An einer Snackbar bekam man Corn-Dogs, riesige Brezeln und Pepsi-Cola. Für die Minigolfbälle und die Schläger mussten sich Kenny und seine Mom hinten an einer Schlange anstellen. Der Teenager am Ausgabeschalter lächelte seine Mom mit den gleichen Kuhaugen an wie der Mann an der Tankstelle in Iron Bend. Sie konnten zwischen zwei Anlagen wählen, und der Junge hinter der Theke schlug ihnen nicht nur den Magic-Land-Kurs (mit einer Burg) vor, sondern begleitete sie auch zur ersten Bahn und zeigte ihnen, wie man die Ergebnisse mit dem kleinen Bleistift auf der Karte eintrug. Und er erklärte ihnen, dass es ein Freispiel gebe, wenn sie das achtzehnte Loch mit einem Schlag schafften.

»Ich denke, wir haben es verstanden«, sagte Kennys Mom und hoffte, ihn damit loszuwerden. Trotzdem sah er noch zu, bis sie beide mit der ersten Bahn fertig waren. Dann wünschte er ihnen ein gutes Spiel und ging zurück zur Theke, um weiter Bälle und Schläger auszugeben.

Sie machten sich nicht die Mühe, die Ergebnisse aufzuschreiben. Kenny holte kräftig aus. Ihm ging es mehr um die Entfernung als um Genauigkeit, und er schlug einfach so oft, bis er seinen Ball, den lilafarbenen, eingelocht hatte. Seine Mom war etwas vorsichtiger. Die beste Bahn war die, bei der Kenny mit dem Ball in einen gepunkteten Pilz treffen musste. Der Ball verschwand für ein paar Sekunden und rollte dann aus einer von drei Röhren auf ein tieferes grünes Rund. Von dort galt es ihn ins Maul eines Riesenfrosches zu befördern, der sich wie die Zugbrücke einer Burg auf- und abbewegte. Wieder verschwand der Ball, landete auf einem noch längeren Grün und wäre beinahe direkt ins Loch gerollt. Kenny musste ihm nur noch einen letzten Stupser versetzen. Seine Mom brauchte ewig, um das Froschmaul zu treffen.

»Minigolf macht richtig Spaß«, sagte er zu seiner Mom, als sie wieder im Fiat saßen. Sie hatte ihm einen Corn-Dog gekauft, den er gegessen hatte, bevor er in den Sportwagen gestiegen war.

»Du bist ja auch richtig gut«, sagte sie, schaltete in den nächsten Gang, bog vom Parkplatz des Vergnügungsparks und fuhr zurück in Richtung Sunset Avenue und Stadt.

»Mom?«, fragte er. Sie steckte sich eine weitere lange Zigarette mit dem Anzünder des Fiat an. »Können wir zu unserem alten Haus fahren?«

Seine Mutter blies den Rauch aus dem Mund und blickte ihm hinterher, wie er im Wind verwehte. Sie wollte das alte

Haus nicht sehen. Zwei Tage nach Kennys Geburt hatte sie ihn aus dem Krankenhaus dorthin gebracht. Sein Bruder und seine Schwester waren in Berkeley geboren, konnten sich jedoch kaum an die Wohnung dort erinnern. Seine Mutter hatte ihren älteren Kindern beim Spielen im Garten hinter dem Haus zugesehen, während sie Kenny auf der Hüfte herumtrug. Kenny war über den Stickteppich im Wohnzimmer gekrabbelt, den alten Stickteppich ihrer Mutter, bis er laufen lernte. Mit dem Haus waren Erinnerungen an Weihnachtsfeste und Halloween verbunden, an Geburtstagspartys für die Kinder aus der Nachbarschaft, die schönen Tage ihrer Ehe und ihr Leben als Mutter.

Aber da lauerte auch die Einsamkeit der Nächte, wenn die Kinder schliefen, und der Tage, wenn sie ihre Mutter verrückt zu machen drohten. Um all dem zu entkommen, dem Haus, den Kindern, der Langeweile im Schatten der Unzufriedenheit, hatte sie einen Job im Leamington Hotel angenommen, als Kellnerin. Sie fuhr hinüber, bevor ihr Mann zur Mittags- und Abendschicht aufbrach, und ließ die Kinder bei einem der jungen Mormonenmädchen, die ein Stück die Straße hinunter wohnten. Das Geld tat natürlich gut, doch vor allem freute sie sich jeden Tag auf die Arbeit – einen Ort zu haben, wo sie hinkonnte und es etwas zu tun gab und Leute, mit denen sie reden konnte. Sie war immer noch Mrs Karl Stahl, ihr Mann hatte schließlich die Küche unter sich, aber alle, José Garcia eingeschlossen, sprachen sie mit dem Vornamen an, und sie erwies sich als so gut mit Zahlen, dass der Direktor des Hotels sie bald schon aus dem Café in die Buchhaltung holte. Nach der Trennung von Kennys Vater war sie in den Verkauf aufgestiegen und nicht mehr Mrs Karl Stahl.

Es schien ein ganzes Leben her zu sein, dass sie das alte

Haus hinter sich gelassen hatte. Sie wollte nicht dorthin zurück.

»Klar«, sagte sie zu ihrem Sohn. »Ich bin flexibel.«

Sie bog vom Freeway, fuhr an der Phillips-66-Tankstelle rechts und weiter die Sunset Avenue hinunter zur Palmetto Street. Von der Palmetto ging es links in die Derby Street, in der Rechtskurve schaltete sie herunter, überquerte die Vista Street und die Bush Street und hielt dann vor dem Haus mit der Nummer 4114.

Kenny konnte nur zwei Orte sein Zuhause nennen, und dieses hier war sein erstes gewesen. Er starrte es an. Der Briefkasten neben der Einfahrt war noch derselbe, das Kreuzgitter der Veranda auch noch so wie in seiner Erinnerung, aber der Baum im Vorgarten kam ihm merkwürdig klein vor. Der Rasen war gemäht, er hatte ihn nie so ordentlich gesehen, und direkt vor dem Haus wuchsen bunte Blumen. Sie hatten früher keine Blumen vorm Haus gehabt. Hinter dem großen Fenster sah er blaue Vorhänge, nicht die weißen, an die er sich erinnerte. Das Garagentor war zu. Früher war es immer offen gewesen, damit man leicht an die Fahrräder und das Spielzeug herankam und Zugang zu den hinteren Räumen des Hauses hatte. Und statt des alten Kombis seines Vaters oder des Corollas seiner Mutter stand ein neuer Dodge Dart in der Einfahrt.

Nebenan hatten die Anhalters gewohnt. Kenny hatte mit ihrem weißen Pick-up gerechnet, doch der war nirgends zu sehen. Vor dem Haus gegenüber stand ein Zu-verkaufen-Schild. »Die Callendars verkaufen ihr Haus«, sagte Kenny.

»Sieht aus, als wären sie schon ausgezogen«, erwiderte

seine Mutter. Ja, das Haus wirkte leer. Die Kinder der Callendars, Brenda und Steve, waren keine Zwillinge, sahen aber aus, als wären sie am selben Tag geboren. Sie fuhren Schwinn-Räder, hatten einen Hund namens Biscuit, waren in der Schwimmmannschaft und wohnten jetzt offenbar woanders.

Kenny und seine Mutter saßen ein paar Minuten so da. Kenny sah zum Fenster seines alten Zimmers hinüber. Die Fensterläden mit den beweglichen Latten waren noch da, aber blau gestrichen. Im selben Blau, das auch die Vorhänge im Wohnzimmer hatten.

Als er und Kirk da in ihren Betten gelegen hatten, waren sie noch holzfarben gewesen. Es schien nicht richtig, dass sie jetzt blau waren.

»Da bin ich geboren worden, stimmt's, Mom?«

Sie sah die Straße hinunter, nicht zum Haus mit den blauen Fensterläden hinüber. »Du bist im Krankenhaus zur Welt gekommen.«

»Das weiß ich doch«, sagte er. »Aber hier war ich ein kleines Baby, oder?«

Seine Mutter startete den Motor des Fiat und legte den ersten Gang ein. »Jepp«, sagte sie gegen das Brummen des Motors an. An dem Abend, als sie das Haus in der Derby Street 4114 verlassen hatte, lagen ihre Kinder im Bett und schliefen, der Vater stand in der Küche und schwieg. Sie sah sie sieben Wochen lang nicht. Kenny war fünf Jahre alt.

Bis zu ihrer Wohnung rauchte sie drei ihrer langen Zigaretten, den Rauch wehte der Wind aus dem offenen Sportwagen.

―――――――

Zum Abendessen ging sie mit ihm ins Senator Hotel, das wie das Leamington in der Innenstadt lag, nur weit nobler war und voller Männer in Anzügen mit Namensschildchen. Sie aßen im Coffeeshop. José begrüßte sie, als Kenny gerade den Nachtisch aß, ein großes Stück Kirschkuchen mit Eis – *à la mode* hatte die Kellnerin es genannt. Kenny war kein großer Kirschenliebhaber, aber vom Eis ließ er nichts übrig.

»Wie wär's, wenn wir so gegen Mittag losfliegen?«, sagte Mr Garcia. »Wie schauen uns eine Weile die Flussmündung an und fliegen dann nach Norden. Bist du schon mal mit einem Flugzeug geflogen, Kenny?«

Die Frage hatte er Kenny schon gestellt, doch der sagte höflich: »Noch nie.«

»Vielleicht verliebst du dich in den Himmel«, sagte Mr Garcia. Als er ging, gab er Kennys Mom einen Kuss auf die Wange. Kenny hatte das noch nie gesehen: dass ein Mann eine Frau auf die Wange küsste. Sein Dad küsste seine Stiefmutter nie so, nur weil er jetzt rausging. Jemanden auf die Wange küssen, das taten die Leute im Fernsehen.

———

José Garcia lud sie am nächsten Morgen zum Frühstück in ein Café namens Pancake Parade ein, das dekoriert war wie ein Zirkus. Die beiden Männer bestellten Waffeln und für Kennys Mom wieder ein Hüttenkäse-Iglu. Während sie aßen, fuhr ein Auto nach dem anderen mit gut gekleideten Familien vor, und es wurde ziemlich voll. Alle trugen ihre Sonntagssachen für die Kirche, die Dads Anzüge und die Moms und Mädchen hübsche Kleider. Einige von den Jungs hatten Krawatten umgebunden und waren so alt wie Kenny. Und da alle redeten und bestellten, war es auch laut wie im Zirkus.

Als José und seine Mom endlich ihren Kaffee ausgetrunken hatten (ständig kam die Kellnerin und bot an nachzuschenken), zog Mom ihre Lippen nach, und sie gingen hinaus zum Fiat. Mr Garcia fuhr. Er trug eine verspiegelte goldene Brille mit Bügeln, die sich ganz um die Ohren legten, seine Mom ihre Ski-Sonnenbrille. Kenny saß auf dem schmalen Platz hinten, wo der Wind am stärksten war und es schwer machte, etwas zu hören. Die ganze Fahrt über konnte er nicht sagen, worüber die Erwachsenen redeten.

Trotzdem machte es Spaß dahinten. Er setzte sich quer zur Fahrtrichtung und reckte die Hände hoch aus dem Windschatten. Sie kamen an robusten Ziegelhäusern mit großen Rasenflächen und einem riesigen grünen Park mit einem Golfplatz vorbei und erreichten schließlich etwas, das »Executive Field« hieß und sich als Flugplatz entpuppte. Aber José hielt nicht auf dem Parkplatz vorn, sondern fuhr um den Zaun herum zu einem Tor, das sich öffnete, und parkte bei ein paar kleinen, nebeneinanderstehenden Flugzeugen.

»Bist du bereit, dem Schicksal eins auszuwischen, Ken?«, fragte Mr Garcia.

»Fliegen wir in einem von denen?« Kenny deutete auf die Flugzeuge. Sie sahen nicht aus wie seine Modellflugzeuge zu Hause, die alle Kriegsmaschinen waren – Kampfjets und B-17-Bomber. Diese Flugzeuge waren klein und ohne Maschinengewehre, und sie schienen auch nicht so schnell zu sein, obwohl einige zwei Motoren hatten.

»Mit der Comanche«, sagte Mr Garcia und ging auf ein weißes Flugzeug mit einem roten Streifen zu. Es war eine der einmotorigen Maschinen.

Die Türen des Flugzeugs öffneten sich genau wie bei einem Auto, und Mr Garcia ließ sie eine Weile offen stehen, damit es drinnen kühler wurde. Kenny durfte sich auf den Flügel stellen und sah hinein, sah die Instrumente, die Steuerknüppel und die Pedale. Es gab alles zweimal, und ein paar komische Schalter und Anzeigen, die sehr wissenschaftlich wirkten. Mr Garcia ging ein paarmal um das Flugzeug herum und blätterte einige Papiere durch, die in der Tasche an einer der Türen steckten. Kennys Mom brachte den rosa Koffer aus dem Fiat. »Ich nehme an, du möchtest vorn mitfliegen, oder?«, sagte sie zu ihm. Sie klappte einen Sitz vor und kletterte nach hinten. Den rosa Koffer stellte sie neben sich.

»Ich werde da sitzen?« Kenny meinte, hinter einem der Steuerknüppel, wie ein Co-Pilot.

»Ich brauche einen Co-Piloten«, sagte Mr Garcia. »Deine Mom ist etwas zittrig am Steuer.« Er lachte und zeigte Kenny, wie man sich anschnallte. Mr Garcia musste ihm aber dabei helfen, die Gurte stramm zu ziehen. Dann holte er eine dunkle Sonnenbrille aus der Tasche und gab sie Kenny. »Die Sonne ist da oben sehr hell.«

Die Brille hatte einen goldenen Rahmen wie die von Mr Garcia, war aber lange nicht so teuer. Und die Bügel reichten auch ganz um die Ohren. Kenny setzte die Brille auf, sie war viel zu groß für seinen fast zehnjährigen Kopf, doch das wusste er nicht. Er sah nach hinten zu seiner Mom, um ihr zu zeigen, wie er aussah, hob die Daumen, und alle lachten.

Der startende Motor war sehr laut, und das nicht nur, weil die Türen der Comanche noch offen waren. Das ganze Flugzeug erzitterte, und der Propeller schien bei jeder Umdrehung wegzuknicken. Mr Garcia bediente ein paar Schalter und Knöpfe und ließ den Motor ein paarmal aufheulen. Er setzte einen Kopfhörer auf und tat etwas, wodurch sich das

Flugzeug in Bewegung setzte, obwohl die Türen noch offen waren. So fuhren sie an den parkenden Flugzeugen vorbei, dann an breiten Grasstreifen, in denen kleine Schilder mit Buchstaben und Zahlen steckten. Am Ende der langen Rollbahn kam das Flugzeug zum Stehen. Mr Garcia beugte sich über Kennys Schoß, verriegelte zuerst seine Tür und tat dann das Gleiche auf seiner Seite. Der Motor war immer noch sehr laut, das Flugzeug fühlte sich aber nicht mehr so wacklig an.

»Bereit?«, rief Mr Garcia. Kenny nickte. Seine Mutter hob die Daumen. Sie beugte sich vor und wuschelte ihrem Sohn über den Kopf. Kenny konnte nicht hören, ob sie etwas sagte, doch er sah ihr breites Grinsen.

Während das Flugzeug beschleunigte und der Lärm immer größer wurde, ergriff Kenny ein Gefühl, das er noch nie, nie gehabt hatte. Sie wurden schneller und schneller und hoben schließlich ab, sein Magen sank nach unten, doch sein Kopf stieg auf. Die Erde wurde schnell kleiner, und bald schon sahen Straßen, Häuser und Autos nicht mehr echt aus. Kenny schaute aus dem Seitenfenster. Der Flügel verstellte seinen Blick, und so beugte er sich vor, um Erde und Himmel vor dem Flugzeug zu sehen.

Da lagen die Gebäude der Stadt, und er erkannte, was einmal seine Welt gewesen war: das Tower Theatre und das Netz der Straßen, das alte Fort – Sutter's Mill wurde es genannt, da war in der Pionierzeit Gold gefunden worden –, und da war auch das Leamington Hotel. Er konnte das Schild lesen.

Kennys erster Flug war das tollste Erlebnis seines Lebens. Sein Kopf schien sich mit Luft zu füllen, und sein Atem ging ganz schnell. Die Sonne war heller, als er sie je gesehen hatte, und Kenny war froh, dass er die dunkle Sonnenbrille hatte.

Mr Garcia flog einen Bogen, der Flügel links senkte sich nach unten, und das riesige Mündungsgebiet des Flusses kam in den Blick. Da unten gab es Inseln, die von gewundenen Wasserwegen und Deichen voneinander getrennt wurden. Direkt neben der Stadt, in der Kenny geboren war, lebten Farmer, die ein Boot brauchten, um einkaufen zu fahren. Kenny hatte ja keine Ahnung von alldem gehabt!

»So sieht auch der Mekong aus!«, rief Mr Garcia. Er zeigte aus dem Fenster. Kenny nickte aus Gewohnheit und war sich nicht sicher, ob von ihm erwartet wurde, dass er etwas sagte. »Das ist der Handel, den du mit Onkel Sam machst! Er bringt dir bei, wie man fliegt, und dann schickt er dich in Vietnam auf die Pirsch!«

Kenny wusste von Vietnam, weil der Krieg auch auf Kanal 12 aus Chico kam. Was ein Mekong war, keine Ahnung.

Sie flogen nach Südwesten und stiegen so hoch in den Himmel, dass die Autos und Lastwagen auf den Highways aussahen, als bewegten sie sich kaum. Die Flussarme wurden breiter und veränderten ihre Farbe, wo sie auf das Salzwasser der Bucht von San Francisco trafen. Schiffe waren auf dem breiten Fluss zu sehen, große Schiffe, die trotzdem wie das Spielzeug aussah, mit dem Kenny auf dem Couchtisch spielte. Als Mr Garcia seinen Flügel ein weiteres Mal senkte, sackte Kenny kurz der Magen weg, aber nur kurz.

Sie flogen jetzt nach Norden. Mr Garcia schob sich den Kopfhörer von einem Ohr. »Du musst ein paar Minuten für mich fliegen, Kenny«, sagte er laut.

»Aber ich weiß nicht, wie man ein Flugzeug fliegt!« Kenny sah Mr Garcia an, als wäre er verrückt.

»Kannst du dir vorstellen, ein Auto zu fahren?«

»Ja.«

»Nimm den Steuerknüppel«, sagte Mr Garcia. Das Ding

sah halb aus wie ein Lenkrad, halb wie ein Fahrradlenker. Kenny musste sich aufrecht hinsetzen, um es zu erreichen. »Das Flugzeug fliegt dahin, wohin du es lenkst. Zieh etwas daran, um ein Gefühl für den Knüppel zu bekommen.«

Kenny musste mehr Kraft aufwenden, als er gedacht hatte, und, tatsächlich, das Steuer bewegte sich auf ihn zu. Gleichzeitig füllte der Himmel die Windschutzscheibe, und der Motor wurde langsamer.

»Siehst du?«, sagte Mr Garcia. »Und jetzt wieder flach geradeaus.«

Der Erwachsene hielt seinen eigenen Steuerknüppel, ließ Kenny jedoch den Druck ausüben, dass die Nase des Flugzeugs wieder herunterkam. Im Fenster war ein Stück Erde zu sehen.

»Darf ich eine Kurve?«, rief Kenny.

»Du bist der Pilot«, sagte Mr Garcia.

Sehr, sehr vorsichtig drehte Kenny das Steuer nach rechts, und das Flugzeug neigte sich ein wenig zur Seite. Kenny spürte, wie sie die Richtung änderten. Er bewegte das Steuer zurück und spürte, wie sich auch das Flugzeug wieder zurückbewegte.

»Wenn du etwas größer wärst«, sagte Mr Garcia, »würde ich dich die Ruder betätigen lassen, aber du kommst nicht an die Pedale. Vielleicht in einem Jahr. Nächstes Jahr.«

Kenny stellte sich vor, wie er, elf Jahre alt, die Comanche ganz allein flog, und seine Mom saß hinten auf dem Rücksitz.

»Was du jetzt für mich tun musst, ist ... Siehst du den Mount Shasta da vor uns?« Der Shasta, der riesige Vulkan, der sich nördlich über dem Valley erhob, war das ganze Jahr über mit Schnee bedeckt. An klaren Tagen sah er von Iron

Bend wie ein gewaltiges fernes Gemälde aus. Von Kennys Platz vorn im Flugzeug war der Mount Shasta ein weißes Dreieck, das über den Horizont hinausstieß. »Flieg direkt darauf zu, okay?«

»Okay!« Kenny richtete den Blick auf den Berg und versuchte die Nase des Flugzeugs immer genau darauf gerichtet zu halten, während Mr Garcia ein paar Blätter seitlich aus seinem Sitz und einen Kuli aus der Tasche zog. Er schrieb einige Sachen auf und studierte eine Karte. Kenny war sich nicht sicher, wie lange er das Flugzeug strikt geradeaus steuerte. Es konnten ein paar Minuten oder auch der Großteil ihres Heimfluges sein, auf jeden Fall ließ er die Comanche nie vom Kurs abkommen. Der Mount Shasta war größer geworden, als Mr Garcia die Karte wieder zusammenfaltete und den Kuli wegsteckte.«

»Bist ein Guter, Kenny«, sagte er und griff nach dem Steuerknüppel. »Du hast alles, was ein guter Pilot braucht.«

»Gut gemacht, Schatz!«, rief auch seine Mom von hinten. Als Kenny sich zu ihr umdrehte, war das Lächeln auf ihrem Gesicht fast so groß wie seines.

Aus dem Fenster sah Kenny die Fahrbahn des Highways, der mitten durchs Valley und Städte wie Willows und Orland nach Iron Bend und weiter führte. Erst vor zwei Tagen waren er und seine Mom da unten entlanggefahren. Jetzt war er kilometerweit darüber.

Nachdem Kenny selbst geflogen war, musste er schlucken, gähnen, sich die Nase zuhalten und mit geschlossenem Mund auszuatmen versuchen, um die Ohren freizubekommen. Weh tat es nicht. Das Flugzeug ging tiefer, und der Motor klang lauter, während die Erde näher kam und Iron Bend sichtbar wurde. Südlich der Stadt gab es einen großen Holzplatz, dann zwei Motels beim Highway, die alten, heute leeren Getreidesilos und den Parkplatz der Shopping Plaza mit dem Montgomery-Markt. Kenny hatte nicht gewusst, dass es einen Flugplatz in Iron Bend gab, aber da war einer, hinter dem Footballfeld der Union High.

Das Flugzeug ruckte und wackelte, als Mr Garcia zum Landen ansetzte. Er stellte etwas mit dem Motor an, der ganz sanft und leise wurde, bevor die Reifen mit einem Quietschen auf der Betonrollbahn aufsetzten. Dann fuhr er das Flugzeug wie ein Auto und parkte neben ein paar anderen Maschinen. Als er den Motor ausstellte, drehte sich der Propeller noch ein paarmal, bis er mit einem Ruck stehen blieb. Die Stille ohne das Motorgeräusch war merkwürdig, und das Öffnen der Sitzgurte klang hell und klar darin, wie etwas in einem Film im State Theater.

»Da haben wir dem Tod wieder mal eins ausgewischt«, sagte Mr Garcia, ohne die Stimme heben zu müssen.

»Ehrlich«, sagte Kennys Mom. »*Musst* du das so ausdrücken?«

Mr Garcia lachte, lehnte sich nach hinten und drückte ihr einen Kuss auf die Wange.

———

Im Flughafen gab es ein sehr kleines Café ohne Gäste und, wie es schien, auch ohne Personal. Kenny trug immer noch seine dunkle Pilotenbrille und setzte sich an einen Tisch. Er stellte den rosa Koffer neben sich, während seine Mom ein paar Münzen in das Telefon an der Wand steckte. Sie wählte eine Nummer, wartete, legte auf und fütterte dieselben Münzen noch einmal in den Apparat. Wieder wählte sie, diesmal eine andere Nummer, und erreichte schließlich jemanden.

»Nun, es war besetzt«, sagte sie ins Telefon. »Kannst du

kommen und ihn holen? Weil wir zurückmüssen. Wie lang? In Ordnung.« Sie legte auf und kam zu Kenny. »Dein Dad kommt von der Arbeit und holt dich ab. Sehen wir mal, ob es eine heiße Schokolade für dich und einen Kaffee für mich gibt.«

Kenny konnte durch die gläserne Tür des Cafés ins Büro des Flughafens sehen. Mr Garcia hatte auch noch seine dunkle Brille auf und redete mit einem Mann hinter einem Schreibtisch. Kenny hörte ein lautes Sirren, das, wie sich herausstellte, von der Maschine stammte, aus der sein Kakao kam. Seine Mom brachte ihn in einem Styroporbecher, aber Kenny schmeckte beim ersten kleinen Schluck schon, dass er zu wässrig war. Er trank ihn nicht aus.

Sein Dad kam mit seinem Kombi, ließ den Motor laufen und stieg aus. Er trug seine Kochmontur und schwere Schuhe, schüttelte Mr Garcia die Hand, wechselte ein paar Worte mit Kennys Mom, nahm den kleinen rosa Koffer und brachte ihn zum Wagen.

Kenny setzte sich nach vorn, genau wie im Flugzeug. Als sie vom Parkplatz fuhren, fragte sein Vater ihn nach der dunklen Brille.

»Mr Garcia hat sie mir geschenkt«, sagte Kenny.

Er erzählte seinem Vater davon, wie er auf den Mount Shasta zugesteuert war, vom Zoo, vom Minigolf und vom alten Haus.

»Ah«, sagte sein Vater und sagte es noch einmal, als Kenny ihm berichtete, dass die Callendars weggezogen waren.

Während sie zum Blue-Gum-Restaurant fuhren, sah Kenny aus dem Fenster und suchte durch seine metallgerahmte dunkle Brille den tiefblauen Himmel ab. Mr Garcia hatte seine wahrscheinlich abgenommen. Kenny hoffte, das

Flugzeug dort oben zu entdecken. Sein Mom würde jetzt auf dem Platz des Co-Piloten sitzen.

Aber es war nichts von ihnen zu sehen. Gar nichts.

Das sind die Betrachtungen meines Herzens

Sie wollte eigentlich keine alte Schreibmaschine kaufen. Sie brauchte nichts und wollte nichts, ob neu, gebraucht oder »antik«, gar nichts. Sie hatte sich vorgenommen, ihre letzten persönlichen Rückschläge mit einer spartanischen Phase zu verarbeiten. Einem neuen Minimalismus, einem Leben, das komplett in ihr Auto passte.

Ihr gefiel ihre kleine Wohnung westlich vom Cuyahoga River. Die Kleider, die sie getragen hatte, wenn sie mit ihm, dem Wirrkopf, zusammen gewesen war, hatte sie alle weggeworfen, sie kochte fast jeden Abend für sich, hörte reichlich Podcasts und hatte genug Geld gespart, um bis ins neue Jahr zu kommen, was ihr einen faulen, freien Sommer erlaubte. Im Januar würde der See zufrieren, und wahrscheinlich platzten die Rohre im Haus, doch da wollte sie lange weg sein. In New York oder Atlanta, Austin oder New Orleans. Sie hatte jede Menge Möglichkeiten, solange sie nicht zu viel Ballast ansammelte. Aber die Lakewooder Methodisten veranstalteten einen Samstagsflohmarkt, an der Ecke Michigan und Sycamore, um Geld für Gemeindeprojekte zu sammeln, für eine kostenlose Kinderbetreuung, Entwöhnungshilfsgruppen und, sie wusste es nicht, vielleicht auch Essen auf Rädern. Sie war weder eine Kirchgängerin noch eine getaufte Methodistin, aber doch ziemlich sicher, dass es kein religiöser Akt war, über einen Parkplatz voller Klapptische mit Flohmarktkram zu bummeln.

Aus Spaß hätte sie beinahe einen Satz Esstabletts aus Aluminium gekauft, aber drei von ihnen waren bereits leicht angerostet. In einer Reihe Kartons mit Kostümschmuck fanden sich keine Kostbarkeiten. Doch dann sah sie ein Set Tupperware-Eisformen. Als Kind war es ihre Aufgabe gewesen, genau solche Formen mit Brause oder Orangensaft zu füllen und die patentierten Plastikgriffe hineinzustecken, die, wenn der Gefrierschrank seinen Dienst getan hatte, daraus billige Eislutscher machten. Fast konnte sie den warmen Sommerwind in den Bergen spüren, die Hände klebrig vom schmelzenden, fruchtigen Eis. Ohne handeln zu müssen, bekam sie das Set für einen Dollar.

Auf demselben Tisch stand auch eine verblichene pop-art-rote Schreibmaschine, die kein besonderer Blickfang war. Was ihre Aufmerksamkeit dennoch auf sie zog, war ein Aufkleber oben links auf dem Gehäuse. In Kleinbuchstaben und unterstrichen (mit der Hochstelltaste und der 6 getippt) hatte wohl der ursprüngliche Besitzer da geschrieben:

das sind die betrachtungen meines herzens

Das war vor mindestens dreißig Jahren geschrieben worden, als die Maschine noch nagelneu war, gerade ausgepackt, vielleicht das Geschenk zum dreizehnten Geburtstag eines Mädchens. Der jetzige Besitzer hatte ein Blatt eingespannt und KAUF MICH FÜR $ 5 daraufgetippt.

Es war eine tragbare Maschine, das Gehäuse aus Plastik. Das Farbband war zweifarbig, Schwarz über Rot, und wo einmal der Markenname angebracht gewesen war, Smith Corona, Brother oder Olivetti, klaffte ein Loch. Dazu gab es einen rötlichen Tragekoffer aus Kunstleder mit einer abnehmbaren Haube und einem Verschlussknopf. Sie drückte drei der Tasten: A, F, P, und alle klackten aufs Papier und fielen wieder zurück. Das Ding schien zu funktionieren, mehr oder weniger.

»Kostet die Schreibmaschine wirklich nur fünf Dollar?«, fragte sie die Methodistin am Nebentisch.

»Die?«, sagte die Frau. »Ich glaube, sie funktioniert, aber wer benutzt heute noch eine Schreibmaschine?«

Danach hatte sie nicht gefragt, doch das war egal. »Ich nehme sie.«

»Geben Sie mir das Geld.«

So einfach waren die Methodisten fünf Dollar reicher.

————

In ihrer Wohnung bereitete sie mehrere Ananaseis für später zu. Sie würde sie essen, wenn es kühler wurde, sie die Fenster öffnen und die ersten Glühwürmchen des Abends beobachten konnte. Sie zog die Schreibmaschine aus ihrem billigen Koffer, stellte sie auf den winzigen Küchentisch und spannte einen Bogen Papier aus ihrem Laserdrucker ein. Etliche der Tasten, die sie probierte, klemmten, und einer der Gummifüße fehlte, sodass das Ding leicht wackelte. Sie drückte die Tasten Reihe für Reihe von oben bis unten und wechselte dabei auch zu den Großbuchstaben, um die Mechanik zu lockern, durchaus mit einem gewissen Erfolg. Obwohl das Farbband alt war, konnte man die Buchstaben lesen. Sie probierte den Zeilenabstand beim Walzenrücklauf, einfach, doppelt, was funktionierte, nur die Klingel nicht. Die Tabulatorschieber kratzten und verhakten sich.

Die Schreibmaschine musste gesäubert und geölt werden, was, wie sie annahm, etwa fünfundzwanzig Dollar kosten würde. Aber sie sann über ein größeres Rätsel nach, eines, dem sich alle gegenübersehen, die im dritten Jahrtausend eine Schreibmaschine kaufen: Was ist ihr Zweck? Umschläge zu beschriften. Ihre Mom würde ihre Freude daran haben, getippte Briefe von ihrer rastlosen Tochter zu bekommen. Und sie könnte anonyme Briefe an ihren Ex schicken, so wie: »Hey, Wirrkopf, du hast einen verdammten Fehler gemacht!«, ohne Angst davor zu haben, dass ihre E-Mail zurückverfolgt werden würde. Sie könnte eine Bemerkung aufschreiben, mit ihrem Handy ein Foto davon machen und es in ihren Blog und auf ihr Facebookprofil stellen. Sie könnte To-do-Listen für die Kühlschranktür schreiben. Das waren jetzt schon fünf Hipster-Retro-Gründe für ihre neue alte Schreibmaschine. Jetzt noch ein paar von Herzen kommende Betrachtungen dazu, und du hast sechs brauchbare Gründe.

Sie tippte die Gebrauchsabsicht des ursprünglichen Besitzers in die Maschine.

`D as sin d d ie Betr ac htu n ge nm ein e s`
`Her ze n s.`

Die Leertaste war defekt, das ging nicht. Sie nahm ihr Telefon und googelte: *Reparatur alte Schreibmaschinen.*

Drei Treffer zeigten, dass sie die Wahl hatte zwischen einem zwei Stunden entfernten Laden in Ashtabula, einem Geschäft in der Stadt, wo niemand ans Telefon ging, und, verrückterweise, dem Detroit Avenue Business Machines, das gerade mal fünf Minuten zu Fuß entfernt war. Sie kannte den Laden, direkt daneben war ein Reifendienst. So oft schon war sie auf dem Weg zu einer tollen Pizzeria daran vorbeispaziert und zu einem Künstlerbedarf ein paar Türen weiter, der kurz davorstand zu schließen. Sie hatte gedacht, der kleine Laden kümmere sich nur um Computer und Druckerreparaturen, und fand es lustig, dass sie nach den paar

Minuten zu Fuß und bei näherem Hinsehen eine alte Rechenmaschine, einen dreißig Jahre alten Anrufbeantworter, »Diktafon« genannt, und eine alte Schreibmaschine in der Auslage entdeckte. Die Glocke über der Tür läutete, als sie eintrat.

Auf der einen Seite des Ladens standen nur Drucker, Kartons über Kartons und Druckerpatronen für alle möglichen Modelle. Die andere Seite glich einem Museum für Büromaschinen vergangener Zeiten. Da gab es Rechenmaschinen mit einundachtzig Knöpfen und Hebeln zum Ziehen, Stromkostenrechner, eine Stenografiermaschine und IBM-Selectric-Schreibmaschinen, die meisten in beigefarbenen Gehäusen. Auf einem Wandregal standen zudem Dutzende mechanische Schreibmaschinen, schwarz schimmernd, rot, grün, sogar babyblau. Alle schienen in perfektem Zustand zu sein.

Die Ladentheke befand sich im rückwärtigen Teil. Hinter ihr standen Tische und eine Werkbank, an der ein älterer Mann irgendwelche Unterlagen durchsah.

»Wie kann ich Ihnen helfen, junge Dame?«, fragte er mit einem leichten, wahrscheinlich polnischen Akzent.

»Ich hoffe, Sie können meine Errungenschaft retten«, sagte sie und stellte den kunstledernen Koffer auf die Theke. Sie öffnete den Verschluss und holte die Schreibmaschine hervor. Der alte Mann seufzte, als er sie sah.

»Ich weiß«, sagte sie. »Das Prachtstück muss überholt werden. Die Hälfte der Tasten klemmt, sie wackelt beim Schreiben, und die Leertaste geht nicht richtig. Und die Klingel fehlt.«

»Die Klingel«, sagte er. »Ah.«

»Können Sie mir armem Mädchen da helfen? Ich habe fünf Dollar für das Ding bezahlt.«

Der alte Mann sah sie an, dann wieder die Maschine. Er ließ einen weiteren Seufzer hören. »Junge Dame, da kann ich nichts für Sie tun.«

Sie war verwirrt. Nach allem, was sie sah, war dies *der* Laden, um eine Schreibmaschine wieder in Gang setzen zu lassen. Auf der Werkbank hinter dem alten Mann konnte sie etliche zerlegte Maschinen und Einzelteile sehen, Himmel noch mal. »Weil keins von den Teilen dahinten in meine Schreibmaschine passt?«

»Dafür gibt es keine Teile«, sagte er und fuhr mit der Hand über die blassrote Maschine und ihren Kunstlederkoffer.

»Sie müssten sie bestellen? Ich kann warten.«

»Sie verstehen mich nicht.« Ganz am Rand der Theke stand ein kleines Kästchen mit seinen Visitenkarten. Er nahm eine heraus und gab sie ihr. »Was lesen Sie da, junge Dame?«

Sie las vor. »DETROIT AVENUE BUSINESS MA-CHINES. *Drucker. Verkauf. Instandhaltung. Reparatur. Sonntags geschlossen* …, das ist morgen«, sagte sie. »*Öffnungszeiten neun bis sechzehn Uhr, samstags zehn bis fünfzehn.* Nach meiner und Ihrer Uhr haben wir jetzt zwölf Uhr neunzehn.« Sie drehte die Karte um. Da stand nichts. »Was verstehe ich hier falsch?«

»Den Namen dieses Geschäfts«, sagte der alte Mann. »Lesen Sie ihn noch einmal.«

»*Detroit Avenue Business Machines.*«

»Ja«, sagte er. »*Machines.*«

»Okay«, sagte sie. »Yeah.«

»Junge Dame, ich befasse mich mit Maschinen, und *das*?« Wieder fuhr er mit der Hand über ihre Fünf-Dollar-Akquisition. »Das ist ein *Spielzeug*.« Das Wort hörte sich wie ein

Fluch an. »Aus Plastik hergestellt, damit es wie eine Schreibmaschine aussieht. Aber es ist keine.«

Er nahm die Abdeckung dessen, was er ein Spielzeug nannte, herunter, bog das Plastik, bis es sich mit einem Knacken löste und das Innere preisgab. »Die Tastenhebel, die Typenhebel, die Spulen – alles Plastik. Die Bandlaufumkehrung. Die Gabel.«

Sie hatte keine Ahnung, was die Gabel sein sollte.

Er drückte einige Tasten, zog Hebel, schob den Schlitten hin und her, drehte die Walze, drückte die Rücktaste, alles wie angeekelt. »Eine Schreibmaschine ist ein Werkzeug. In den richtigen Händen eines, mit dem man die Welt ändern kann. Und das hier? Dieses Ding verschwendet nur Platz und macht Krach.«

»Könnten Sie sie wenigstens etwas ölen, damit ich versuchen kann, die Welt zu ändern?«, fragte sie.

»Ich könnte sie säubern, ölen, die Schrauben neu anziehen. Die Klingel richten, Ihnen sechzig Dollar in Rechnung stellen und das Ding mit Feenstaub bestreuen. Aber dann würde ich Sie übervorteilen. Spätestens in einem Jahr wäre die Leertaste wieder ...«

»Kaputt?«

»Nehmen Sie das Ding am besten wieder mit nach Hause, und stellen Sie eine Blume hinein.« Er hob die Maschine zurück in ihren Koffer, als wickelte er einen toten Fisch in eine Zeitung.

Sie fühlte sich schlecht, ganz so, als hätte sie einen ihrer Lehrer mit einer nachlässigen Arbeit enttäuscht, einem schlecht geschriebenen Aufsatz. Wäre sie noch mit ihrem Wirrkopf zusammen, stände der jetzt neben ihr und würde dem alten Mann zustimmen: »Ich hab dir doch gesagt, dass das ein Haufen Schrott ist. Fünf Dollar? Aus dem Fenster!«

»Sehen Sie her!« Der alte Mann machte eine Geste zu den Schreibmaschinen auf dem Wandregal hin. »Das sind *Maschinen*. Sie sind aus Stahl. Entwickelt von Ingenieuren. Sie wurden in Fabriken in Amerika, Deutschland und der Schweiz gebaut. Wissen Sie, warum sie da jetzt auf diesem Regal stehen?«

»Weil sie zu verkaufen sind?«

»Weil sie für die Ewigkeit gebaut sind!« Der alte Mann schrie jetzt geradezu. Sie hörte ihren Vater in seiner Stimme. »Wer hat die Fahrräder vorn auf dem Rasen liegen lassen? … Warum bin ich als Einziger für die Kirche angezogen? … Der Vater ist zu Hause und muss in den Arm genommen werden!« Ihr wurde bewusst, dass sie den alten Mann anlächelte.

»Die hier«, sagte er, trat ans Regal und nahm eine schwarze Remington 7 heraus, ein Modell mit dem Namen *Noiseless*. »Geben Sie mir mal das Papier da.« Sie sah einen leeren Block auf der Theke und gab ihn ihm. Er riss zwei Blätter herunter und spannte sie in die schimmernde, glänzende Maschine. »Hören Sie zu.« Er schrieb die Worte

Detroit Avenue Business Machines.

Einer nach dem anderen trafen die Buchstaben flüsternd aufs Papier.

»Amerika war auf dem Weg nach oben«, sagte er. »Überall wurde gearbeitet, in übervollen Büros, kleinen Wohnungen und Zügen. Remington verkaufte schon seit langer Zeit Schreibmaschinen. Jemand sagte: ›Bauen wir eine kleinere, ruhigere Maschine. Verringern wir den Lärm.‹ Und sie taten es! Haben sie Plastikteile verwandt? Nein! Sie überarbeiteten die Spannung, den nötigen Tastendruck. Sie bauten eine

Schreibmaschine, die so leise war, dass sie als *geräuschlos* verkauft wurde: die *Noiseless*. Hier. Schreiben Sie etwas!«

Er drehte die Maschine vor sie hin. Sie tippte:

`Ganz ruhig. Ich schreibe hier.`

»Es ist kaum was zu hören«, sagte sie. »Ich bin beein-
druckt.« Sie zeigte auf eine zweifarbige Maschine, elfenbein
und blau, mit einem gerundeten Gehäuse. »Wie leise ist
die?«

»Ah. Eine Royal.« Er stellte die schwarze Remington 7
zurück ins Regal und zog eine prächtige kleine Schreibmaschine heraus. »Eine Safari. Tragbar. Ein ordentliches
Ding.« Er spannte weitere zwei Blätter ein und ließ sie tippen. Sie überlegte sich zu einer Safari passende Worte.

`Mogambo.`
`Bwana Devil.`
`»Ich hatte eine Farm in Afrika ...«`

Die Maschine war lauter als die Remington, und die Hebel
flogen nicht so mühelos. Aber die Royal hatte ein paar Beson-
derheiten, die offenbar erst nach der Remington entwickelt
worden waren. Über der 1 stand ein Rufzeichen !, und auf
einem Knopf hieß es MAGIC COLUMN SET. Und sie war
zweifarbig!

»Ist dieses Stück *Royalty* zu verkaufen?«, fragte sie.

Der alte Mann sah sie mit einem Lächeln an und nickte.

»Ja. Aber sagen Sie: Warum?«

»Warum ich eine Schreibmaschine will?«

»Warum wollen Sie *diese* Schreibmaschine?«

»Versuchen Sie sie mir auszureden?«

»Junge Dame, ich verkaufe Ihnen jede Schreibmaschine, die Sie wollen. Ich nehme Ihr Geld und winke Ihnen zum Abschied zu. Aber sagen Sie mir, warum die Royal Safari? Wegen der Farbe? Der Schrift? Der weißen Tasten?«

Sie musste überlegen. Wieder fühlte sie sich wie in der Schule, kurz vor einer Prüfung, die sie verpatzen würde. Einem unangekündigten Test, für den sie nichts gelesen hatte.

»Wegen meines unberechenbaren Geschmacks«, sagte sie. »Weil ich eine Spielzeugschreibmaschine mit nach Hause gebracht habe und dachte, ich würde lieber mit einer Maschine schreiben als mit einem Kuli oder Bleistift, aber das verflixte Ding ist verklebt, und stellen Sie sich vor: Der Schreibmaschinenladen um die Ecke weigert sich, es anzufassen. In meiner Vorstellung sehe ich mich an meinem kleinen Tisch in meiner kleinen Wohnung, wie ich Gedanken und Briefe in die Tasten hacke. Ich habe einen Laptop, einen Drucker, ein iPad und auch das hier«, sie hielt ihr iPhone hoch. »Und ich benutze das alles wie jede moderne Frau, aber …«

Sie hielt inne und dachte mit einem Mal darüber nach, was sie dazu gebracht hatte, die Fünf-Dollar-Schreibmaschine zu kaufen, dieses Ding mit unverlässlicher Leertaste und ohne Klingel, und warum sie sich jetzt hier in diesem Laden mit dem alten Mann praktisch stritt, wo sie doch tags zuvor noch überhaupt keine Meinung zu alten mechanischen Schreibmaschinen gehabt hatte.

Sie fuhr fort. »Ich habe eine naive Handschrift, wie ein kleines Mädchen. Alles, was ich schreibe, wirkt wie das Motivationsplakat in einem Gesundheitszentrum. Ich bin kein Mensch, der rauchend wie ein Schlot und harte Drinks kippend in die Tasten greift. Ich will nur ein paar Wahrheiten aufschreiben, die ich begriffen habe.«

Sie ging zurück zur Theke, packte den Kunstlederkoffer, holte das Plastikdings heraus und trug es herüber. Fast warf sie es neben die Royal Safari. Sie deutete auf den Aufkleber obendrauf.

»Ich möchte, dass meine noch nicht empfangenen Kinder eines Tages die *Betrachtungen meines Herzens* lesen, und ich werde sie höchstpersönlich in die Fasern des Papiers gestempelt haben, Seite um Seite gedankliche Ergüsse, die ich in einem Schuhkarton aufbewahre, bis mein Nachwuchs eines Tages alt genug ist, diese meine Betrachtungen über das Menschsein zu lesen *und* darüber nachzudenken.« Sie hörte, wie laut sie wurde. »Sie werden sich die Seiten hin- und herreichen und sagen: ›Damit also hat sich Mom beschäftigt, während sie mit ihrer Tipperei all den Lärm veranstaltet hat.‹ Aber entschuldigen Sie, ich schreie ja förmlich.«

»Ah«, sagte er.

»Warum schreie ich?«

Der alte Mann sah die junge Dame blinzelnd an. »Sie suchen nach Beständigkeit.«

»Das nehme ich an!« Sie hielt lange genug inne, um tief durchatmen und ihre Lunge mit einem die Wangen aufblähenden Seufzer entleeren zu können. »Also, wie viel wollen Sie für die Dschungelland-Schreibmaschine?«

Einen Moment lang war es still im Geschäft. Der alte Mann hob eine Hand an die Lippen und dachte nach, überlegte, was er sagen sollte.

»Das ist nicht die richtige Schreibmaschine für Sie.« Er nahm die zweifarbige Royal und stellte sie zurück ins Regal. »Die war für ein junges Mädchen gedacht, in ihrem ersten Jahr an der Universität, den Kopf voller Unsinn und in dem Glauben, dass sie bald schon den Mann ihrer Träume finden würde. Sie ist für Hausaufgaben gedacht.«

Er griff nach einer kompakten Maschine in der Farbe grüner Meeresgischt. Die Tasten waren einen Hauch heller.

»Die hier«, sagte er und spannte zwei Blatt Papier ein, »wurde in der Schweiz hergestellt. Zusammen mit Kuckucksuhren, Schokolade und teuren Armbanduhren haben die Schweizer früher die besten Schreibmaschinen der Welt produziert. Diese hier stammt aus dem Jahr 1959. Es ist eine Hermes 2000. Der Höhepunkt, die fortgeschrittenste mechanische Schreibmaschine überhaupt, nie übertroffen. Sie den Mercedes-Benz der Schreibmaschinen zu nennen hieße, die Qualität von Mercedes über die Maßen aufzuwerten. Bitte. Schreiben Sie!«

Sie fühlte sich von der grünen mechanischen Schreibmaschine vor sich eingeschüchtert. Was in aller Welt sollte sie auf einem sechzig Jahre alten Wunder schweizerischer Handwerkskunst schreiben? Wohin würde sie mit einem alten Benz fahren?

In den Bergen über Genf
Fällt der Schnee weiß und rein,
Und die Kinder essen Kakao-Krispies,
Aus Schüsseln ohne Milch.

»Die Schrift heißt Epoca«, sagte er. »Sehen Sie, wie gerade und gleichmäßig sie ist. Wie mit dem Lineal gezogen. So sind die Schweizer. Sehen Sie die Löcher in der Papierführung, links und rechts von der Gabel?«

Das war also die Gabel.

»Aufgepasst!« Der alte Mann nahm einen Stift aus seiner Hemdtasche und steckte die Spitze durch eines der Löcher. Er löste die Arretierung des Schlittens, bewegte ihn vor und zurück und unterstrich, was sie geschrieben hatte.

In den Bergen über Genf
Fällt der Schnee weiß und rein

»Sie können verschiedene Farben benutzen, um unterschiedliche Betonungen zu setzen. Und sehen Sie das hier auf der Rückseite?« Da war ein fingerhutgroßer Knopf mit einem sanft geriffelten Rand. »Drehen Sie ihn fester, oder lockern Sie ihn, um die Tastenbewegungen zu justieren.«

Sie tat es. Die Tasten wurden merklich fester unter ihren Fingerspitzen, und sie musste stärker drücken.

Kuckucksuhren.

»Wenn Kohlepapier benutzt wurde, um drei oder vier Durchschläge zu machen, gelangten die Buchstaben bei der festeren Einstellung bis aufs letzte Blatt.« Er kicherte. »Die Schweizer bewahren viele Durchschläge auf.«

Wenn man den Knopf in die andere Richtung drehte, wurde der Anschlag federleicht.

Uhren. Mercedes Hermes 2000000

»Ebenfalls fast geräuschlos«, sagte sie.

»In der Tat, ja«, sagte er und zeigte ihr, wie leicht es war, den Seitenrand links und rechts einzustellen, indem er den Hebel oben auf dem Schlitten drückte. Für den Tabulator gab es eine eigene Taste: TAB. »Diese Hermes wurde im Jahr meines zehnten Geburtstags gebaut. Sie ist unverwüstlich.«

»Wie Sie«, sagte sie.

Der alte Mann lächelte die junge Dame an. »Ihre Kinder werden darauf schreiben lernen.«

Der Gedanke gefiel ihr. »Wie viel kostet sie?«

»Nicht so viel«, sagte der alte Mann. »Ich verkaufe sie Ihnen unter einer Bedingung: dass Sie sie benutzen.«

»Ich will ja nicht unhöflich sein«, sagte sie, »aber *was sonst!*«

»Machen Sie die Maschine zu einem Teil Ihres Lebens. Zu einem Teil Ihres Tages. Benutzen Sie sie nicht nur ein paarmal und stellen sie dann in ihrem Koffer in einen Schrank, weil Sie den Platz auf dem Tisch für etwas anderes brauchen. Wenn Sie das tun, schreiben Sie womöglich nie wieder auf ihr.« Er hatte einen Schrank unter einer Vitrine mit alten Rechenmaschinen geöffnet, suchte zwischen verschiedenen Koffern und zog schließlich einen heraus, eckig, grün, mit Schnappverschluss. »Würden Sie eine Stereoanlage besitzen und nie anschalten? Eine Schreibmaschine muss benutzt werden. Wie ein Boot aufs Wasser gehört, ein Flugzeug in die Luft. Wozu ist ein Klavier gut, auf dem niemand spielt? Es verstaubt nur, und Ihrem Leben fehlt die Musik.«

Er stellte die Hermes 2000 in den grünen Koffer. »Lassen Sie die Schreibmaschine auf dem Tisch stehen, wo Sie sie im Blick haben. Halten Sie einen Stapel Papier bereit. Spannen Sie immer zwei Bögen ein, um die Walze zu schonen. Bestellen Sie Umschläge und Ihr eigenes Briefpapier. Ich gebe Ihnen noch eine Schutzhaube mit, sie ist umsonst, aber nehmen Sie sie herunter, wenn Sie zu Hause sind, damit Sie die Maschine benutzen können.«

»Heißt das, dass wir jetzt über den Preis reden?«

»Das nehme ich an.«

»Wie viel?«

»Ah«, sagte der alte Mann. »Diese Schreibmaschinen sind unbezahlbar. Die letzte habe ich für dreihundert Dollar verkauft. Aber für junge Damen? Fünfzig.«

»Wie wäre es, wenn Sie meine alte in Zahlung nähmen?«
Sie zeigte auf die Spielzeugschreibmaschine, die sie mitgebracht hatte. Sie wollte ihn herunterhandeln.

Der alte Mann schenkte ihr etwas, das einem *Bösen Blick* ähnelte. »Was haben Sie dafür bezahlt, sagten Sie?«

»Fünf Dollar.«

»Da hat man Sie über den Tisch gezogen.« Er schob die Lippen vor. »Fünfundvierzig. Wenn meine Frau herausfindet, dass ich solche Geschäfte mache, lässt sie sich scheiden.«

»Dann bleibt es wohl besser unter uns.«

———

Was ihr an der Hermes 2000 nicht so gefiel, war ihr Gewicht. Sie war weit schwerer als die Spielzeugmaschine. Der grüne Koffer schlug ihr auf dem Nachhauseweg gegen die Beine. Zweimal blieb sie stehen und stellte ihn ab, nicht weil sie Kraft schöpfen musste, sondern weil ihre Handfläche schweißnass war.

In ihrer Wohnung tat sie, was ihr aufgetragen worden war und sie versprochen hatte. Die gischtgrüne Schreibmaschine kam auf ihren kleinen Küchentisch, daneben ein Stapel Druckerpapier. Sie machte sich zwei Scheiben Toast mit Avocado und schnitt eine Birne klein. Ihr Abendessen. Sie öffnete iTunes, tippte auf PLAY, stellte das Telefon zur Verstärkung des Tons in einen leeren Kaffeebecher und ließ Joni ihre alten und Adele ihre neuen Songs singen, während sie an ihrem Toast knabberte.

Endlich wischte sie sich die Krümel von den Händen, errötete vor Stolz darüber, eine der besten Schreibmaschinen zu besitzen, die je aus den Alpen gekommen waren, spannte zwei Bögen in die Maschine und begann zu tippen.

TO DO:
BRIEFPAPIER – UMSCHLÄGE, BRIEFBÖGEN
MOM EINMAL DIE WOCHE SCHREIBEN?
Lebensmittel: Joghurt, Honig, Milch
Säfte
Nüsse (gemischt)
Olivenöl (griechisch)
Tomaten & Zwiebeln/Schalotten, GURKEN!
Billiger Plattenspieler/HiFi, bei den Methodisten?
Yogamatte
Waxing
Zahnarzttermin
Klavierunterricht (warum nicht?)

»Okay«, sagte sie laut zu sich selbst, allein in ihrer Wohnung. »Ich hab was geschrieben.«

Sie drückte sich vom Tisch zurück, weg vom Gischtgrün ihrer Hermes, zog die Liste aus der Maschine und befestigte sie mit einem Magneten am Kühlschrank. Befriedigt holte sie die Eisform aus dem Gefrierschrank, hielt sie über der Spüle kurz unter warmes Wasser und befreite einen ihrer Ananaseislutscher. Sie wusste, dass sie noch einen essen würde, stellte die Tupperware-Form aber zurück in den Gefrierschrank, damit er nicht auftaute, bevor sie bereit dafür war.

Sie ging ins Wohnzimmer und öffnete die Fenster, um etwas frische Luft hereinzulassen. Die Sonne war untergegangen, und bald schon würden die ersten Glühwürmchen des Abends aufleuchten. Sie setzte sich auf die Fensterbank, genoss das kalte, schlanke Ananaseis und beobachtete die Eichhörnchen auf den Telefonkabeln, deren Körper und Schwänze perfekte Sinuskurven bildeten. So saß sie da und aß auch ihr zweites Eis, bis die Glühwürmchen voller Magie über Gras und Bürgersteig zu schweben begannen.

Sie wusch sich die Hände und stellte die Tupperware-Form zurück in den Gefrierschrank. Für morgen blieben ihr noch sechs weitere Eis. Sie sah zur Schreibmaschine auf dem Tisch hinüber.

Ihr kam ein Gedanke. Wie kann es sein, dachte sie, dass die Standardversion einer alleinstehenden Frau nach einer Trennung Wein trinkend in ihrer traurigen, leeren Wohnung auf dem Sofa sitzt und die Besinnung verliert, während dazu im Fernsehen, sie hat es nicht mitbekommen, *Real Housewives* läuft? Sie selbst hatte keinen Fernseher, und ihr letztes verbliebenes Laster waren die selbst gemachten Eislutscher. Wein getrunken bis zur Besinnungslosigkeit hatte sie in ihrem ganzen Leben nicht.

Sie setzte sich zurück an den Tisch und spannte zwei weitere Bögen Papier in die Hermes 2000. Sie stellte die Ränder ganz eng ein, wie bei einer Zeitungsspalte, und den Zeilenabstand auf anderthalb.

Sie schrieb:

Eine Betrachtung von Meinem Herzen

schob den Schlitten zurück und begann einen Absatz. Ihr fast geräuschloses Tippen hallte sanft durch die Wohnung und aus dem offenen Fenster, noch bis lange nach Mitternacht.

Unsere Stadt heute
von
Hank Fiset

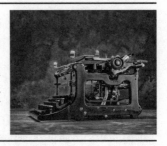

Zurück aus der Vergangenheit

Gelegentlich bezahlen mich die Tyrannen (habe ich Tyrannen gesagt? Ich meinte Titanen), die den *Tri-Cities Daily News Herald* herausbringen, dafür, mit meiner Frau auf Reisen zu gehen, bei denen sich das Geschäft mit dem Vergnügen verbindet. Ich spreche von bezahlten Urlauben an Orten wie Rom (Ohio), Paris (Illinois) und dem Familiensitz (ihrem) an den Ufern des Lake Nixon, kurze Ausflüge, aus denen ich jeweils um die tausend Worte Qualitätsjournalismus mache, wenigstens sagt mir das die Redaktion. Letzte Woche erst erlebte ich ein *prachtvolles* bezahltes Abenteuer. Ich bin in der Zeit zurückgereist! Nicht zu den Dinosauriern, nicht um den Fall des Zaren mitzuerleben oder den Kapitän der *Titanic* zur Vernunft zu bringen. Nein, es ging zurück in meine eigene Vergangenheit, meine vernebelte Erinnerung, mit dem Vehikel einer einfachen, aber doch magischen Maschine ...

Unschuld gebiert Abenteuer: Eigentlich wollte ich Sie, meine Leser, mit einer Kolumne über den wöchentlichen Tauschmarkt im alten Empire-Autokino in Santa Almeda erfreuen, einen wahren Monsterflohmarkt, der in sein neununddreißigstes Jahr geht und überfließt von Sentimentalschutt und Gebrauchtwaren. Alten Küchengeräten, Kleidern, Büchern, zahllosen Kunstobjekten, netten, aber auch unglaublich lausigen, haufenweise gebrauchten Werkzeugen und jeder Menge neuer. Von Spielzeug, Lampen, ausgefallenen Stühlen und Hunderten nagelneuen Sonnenbrillen. Das alles lässt Geld fließen, wo einst Kinofans ihre Autos parkten, um *Krakatoa – Das größte Abenteuer des letzten Jahrhunderts* auf einer fernen Leinwand

zu sehen. Der Ton kam aus toaster-
großen Lautsprechern, die an die
Fenster gehängt wurden. Filme in
Mono …

Stellen Sie sich den größten
Floh-Dachboden-und-Haushaltsauf-
lösungs-Markt kombiniert mit einem Geschäftsaufgabe-Alles-muss-
raus!-Ausverkauf jedes einzelnen
Sears Store dieses Landes vor, und
Sie bekommen in etwa eine Ahnung
von der Idee und der Größe dieses
»Tauschmarkts«, wie er von seinen
Stammkunden genannt wird. Einen
ganzen Tag lang können Sie durch die
Reihen der Stände auf den Erhöhun-
gen zwischen den alten Lautspre-
cherpfosten wandern, können sich
an Chili-Dogs und Kesselpopcorn
gütlich tun und alles kaufen wollen,
was Ihr Auge reizt, zurückgehalten
nur durch das Geld in Ihrer Tasche
und den begrenzten Laderaum Ihres Autos. Hätte ich es gewollt,
hätte ich weniger als zweihundert
Dollar für einen Tisch aus dem knorrigen Holz eines Mammutbaums
zahlen können, für eine Amana-
Gefrier-Kühl-Kombination aus den
1960ern oder die Vorder- und Rück-
sitze eines Mercury Montego. Zum
Glück habe ich das alles bereits zu
Hause!

Ich wollte mich gerade zu einem Li-
metteneis an eine Snackbar zurück-
ziehen, als mein Blick auf eine alte
Schreibmaschine fiel, eine tragbare,
ebenholzfarbene Underwood, die,
und das ist kein Witz, wie ein Springs-
teen-Hot-Rod in der Sonne glänzte.
Eine schnelle Prüfung ergab, dass
das Farbband noch in Ordnung war,
wenn man es ein paar Zentimeter
vordrehte, und der Koffer (der Griff
war zerbrochen) einen kleinen Vorrat an wiederverwendbarem Durch-
schlagpapier enthielt. Und obwohl
ein Mann heute eine Schreibmaschine so unbedingt braucht wie
eine Axt zum Baumfällen, bot ich
dem Jungen hinter dem Stand »vierzig Dollar für diese alte Schreibmaschine mit dem kaputten Koffer«,
worauf der einfach nur sagte:
»Deal.« Ich hätte ihm einen Zwanziger anbieten sollen. Oder einen
Fünfer.

Zu Hause stellte ich die Maschine auf den Küchentisch und
machte schnell den *Vogel-Quax-
zwickt-Johnys-Pferd-Bim*-Test. Das
D klemmte etwas, und das A sackte
leicht ab. Die Zahlen waren alle
in Ordnung, und nach ein paar Wie-
derholungen lockerten sich auch die
Satzzeichen. Ich schrieb: »Ich habe
diese Schreibmaschine heute

gekauft, und was soll ich sagen, das Ding funktioniert ...«, und als die Klingel am Ende der Zeile erklang, klar und deutlich, da wurde ich, einfach so, auf eine Reise in ein Raum-Zeit-Kontinuum katapultiert, die einen Lidschlag dauerte und doch all diese Momente der vergangenen neunundvierzig Jahre in mir wachrief ...

Ding! Der erste Halt war das Hinterzimmer im Auto-Ersatzteile-Laden meines Dads an der Ecke Webster und Alcorn, wo sich heute der öffentliche Parkplatz Nummer 9 befindet. Da stand eine große, alte Schreibmaschine, die ich ihn allerdings nie habe benutzen sehen. Als Kind habe ich am Wochenende mit meinen kleinen Fingern meinen Namen auf ein Blatt geschrieben. Als Teenager habe ich den Laden eher gemieden, denn sobald ich mich da blicken ließ, verdonnerte mich Dad dazu, für den Rest des Tages Bestände aufzulisten ...

Ding! Ich bin in der achten Klasse, Redakteur beim *Frick Junior High School Banner* (»Go, Bobcats!«) und sehe zu, wie Mrs Kaye, unsere Journalismuslehrerin, meine »Willkommen, Anfänger!«-Kolumne in die Druckvorlage tippt, aus der

dreihundertfünfzig Exemplare unserer Schulzeitung werden sollen, die von wenigstens vierzig Leuten gelesen wird. Damals platzte ich vor Stolz, meinen Namen zum ersten Mal in einer richtigen Zeitung zu sehen ...

Ding! Ich bin jetzt in der Highschool, auf dem Campus der alten Logan High, im obersten Stock eines Gebäudes, das nicht erdbebensicher war (ich hab da allerdings nie was wackeln gespürt), in einem Raum, der allein einem Zweck diente: Schreibmaschinenkursen in drei Leistungsstufen für Schüler, die einmal professionelle SekretärInnen werden wollten. Alles stand voller Tische mit unverwüstlichen Schreibmaschinen, und der/die LehrerIn war so wenig interessiert an seinen/ihren SchülerInnen, dass ich mich nicht erinnere, ihn/sie überhaupt einmal gesehen zu haben. Jemand setzte einen Plattenspieler in Gang, und wir schrieben, was immer für ein Buchstabe auch aufgerufen wurde. Nach dem ersten Halbjahr hatte ich genug und meldete mich freiwillig für die audiovisuelle Hilfsmannschaft, lief durch die Logan, lieferte Filmprojektoren aus und fädelte den Lehrern, die nicht damit umzugehen wussten, die Zelluloidstreifen ein. Deshalb habe ich nie all die Geschäftsbriefformate gelernt und keine Ahnung, was zum Teufel eine »Grußformel« ist. Ich wäre ein lausiger Sekretär geworden. Trotzdem haue ich seitdem in die Tasten ...

Ding! Es ist zwei Uhr nachts in meinem Wohnheimzimmer am Wardell-Pierce College, und ich tippe eine Hausarbeit (Abgabetermin in acht Stunden) für den Rhetorikkurs – ja, so was gab's da. Das Thema meiner Arbeit, »Unterschiede in der Sportberichterstattung zwischen Baseball und Leichtathletik«, hatte ich bekommen, weil ich Sportreporter beim *Wardell-Pierce Pioneer* war und in der Woche zuvor über ein Ballspiel und einen Laufwettbewerb geschrieben hatte. Mein Mitbewohner, Don Gammelgaard, versuchte zu schlafen, aber ich hatte meinen Abgabetermin. Und weil es draußen regnete, wollte ich keinesfalls quer über den Hof gehen, um in der Bibliothek zu arbeiten. Wie ich mich erinnere, bekam ich in Rhetorik eine glatte 1.[1]

Ding! Ich sitze in der sogenannten Redaktion des sogenannten Büros des *Greensheet Give-Away*, des Gratiseinkaufführers, der die Tri-Cities einst mit jeder Menge Coupons, Anzeigen und, weiter hinten, Geschichten aus der Region versorgte, in denen normale Leute ihren Namen gedruckt sehen konnten. Ich schrieb gerade etwas über eine im Bürgersaal stattfindende Hundeschau (fünfzehn Dollar bekam ich dafür!), als die schönste Frau, die je ein Gespräch mit mir angefangen hat, vorbeikam und sagte: »Du schreibst schnell.« Recht hatte sie, und da ich von der schnellen Truppe war, umwarb ich sie, heiratete sie und bin seit vierzig Jahren der Mann an ihrer Seite.

Genau dieser Stern amerikanischer Weiblichkeit holte mich zurück von meiner Reise, als sie in die Küche kam und sagte, ich solle die Schreibmaschine wegstellen und den Tisch fürs Abendessen decken. Die Enkel kamen zu einem Mach-deinen-eigenen-Taco-Abend, erhebliche Verwüstungen standen in Aussicht. Die

---

[1] Anmerkung: Ein Blick in die alten Zeugnisse zeigt, dass es doch nur eine 2 minus war in Rhetorik am W.-P. Mein Fehler ...

Underwood hat unerklärte Kräfte, ist ein Gefährt meiner Träume, ich schloss sie zurück in ihren Koffer und stellte sie ins Regal meines Arbeitszimmers. *Pronto*. Nachts, glaube ich, leuchtet sie in der Dunkelheit ...

Die Vergangenheit ist uns wichtig

Weil sein Flugzeug eine neue Designer-Innenausstattung bekam, ließ sich J.J. Cox von Bert Allenberry in dessen WhisperJet ViewLiner nach New York mitnehmen.

»Ich hätte dich für klüger gehalten, Bert!«, rief J.J. seinem Freund zu.

Die beiden hatten sich als zwanzigjährige College-Kids kennengelernt, FedEx-Fahrer in Saft und Kraft, die Köpfe übervoll mit Ideen. Sie warfen ihren Lohn zusammen, mieteten eine fensterlose Garage am Rand von Salina, Kansas, und machten sie zu ihrer Wohn-Werkstatt. Nach dreieinhalb Jahren voller Hundertzwanzig-Stunden-Wochen hielten sie einen Prototyp ihres Shuffle-Access Digital Valve-Relay in Händen. Genauso gut hätten sie das Feuer erfinden können. Und *jetzt*, dreißig Jahre und 756 Milliarden Dollar später, erfuhr J.J., dass Bert einem Laden namens Chronometric Adventures jeweils sechs Millionen Dollar für – haltet euch fest! – mehrere *Zeitreisenurlaube* bezahlt hatte. Nein, nein, nein!

Cindee, die vierte und bisher jüngste Mrs Allenberry, räumte den Mittagstisch selbst ab. Darin hatte sie Übung, war sie doch bis vor einem Jahr noch die Flugbegleiterin in diesem Flugzeug gewesen. Aber sie musste sich beeilen, es waren nur noch Minuten bis zur Landung. Zwei Probleme gab es mit dem ViewLiner: sein Tempo und die Gefahr von Schwindelanfällen. Die Flüge von Salinas nach New York dauerten ganze sechsundvierzig Minuten, was kaum genug

Zeit ließ, sich nach den Spareribs die Finger abzulecken. Und der durchsichtige Boden und die übergroßen Fenster machten die Flüge, besonders für Leute mit Höhenangst, zu einer Zitterpartie.

»Ich dachte, sie hätten uns irgendeine Droge verabreicht«, rief Cindee aus der Bordküche. »Du wachst mit fürchterlichen Kopfschmerzen auf, und das Zimmer sieht ganz anders aus. Dann kippst du gleich wieder weg und schläfst stundenlang.«

J.J. konnte nicht glauben, was er da hörte. »Nehmen wir diesen Humbug mal genauer unter die Lupe. Ihr geht in einen Raum, schlaft ein und wacht wann auf?«

»Neunzehnhundertneununddreißig«, zirpte Bert.

»Aber klar doch«, feixte J.J. »Und dann kippt ihr weg und wacht *wieder* 1939 auf.«

»Direkt hier in der Stadt. In einem Hotel an der Eighth Avenue.« Bert sah nach unten aus dem Rumpf. Aus Pennsylvania wurde New Jersey. »In Zimmer 1114.«

»Und ihr habt den Tag in einem Hotelzimmer verbracht?« J.J. wollte sich vor den Kopf schlagen und damit gleichzeitig seinen Freund und Partner zur Vernunft bringen.

»Alles sieht echt aus«, fuhr Cindee fort, während sie zu ihrem Platz zurückkehrte und sich zur Landung anschnallte. »Du kannst alles anfassen, kannst es essen, trinken und riechen. Die Männer stinken nach Haaröl, die Frauen benutzen viel zu viel Make-up, und alle rauchen. Und ihre Zähne! Schief und verfärbt.«

»Der Geruch von frisch geröstetem Kaffee liegt in der Luft.« Bert lächelte. »Von einer Rösterei in New Jersey.«

»Ihr seid also 1939 aufgewacht«, sagte J.J., »und habt Kaffee gerochen.«

»Dann ist Cindee mit mir zur Weltausstellung gegangen«, sagte Bert. »Als Geburtstagsgeschenk. Wir hatten VIP-Karten.«

»Es war eine Überraschung.« Cindee lächelte ihren Mann an, und er nahm ihre Hand. »Man wird nur einmal sechzig.«

J.J. hatte eine Frage. »Warum reist ihr nicht weiter zurück, um die Unterzeichnung der Unabhängigkeitserklärung mitzuerleben oder Jesus am Kreuz zu sehen?«

»Du kannst nur ins Jahr 1939«, erklärte Bert. »Zum 8. Juni 1939. Allerdings hat Chronometric Adventures noch eine Zweigstelle in Cleveland. Da kannst du zurück nach 1927 und Babe Ruth einen Homerun schlagen sehen, aber ich bin kein Baseballfan.«

»Babe Ruth. In Cleveland.« J.J. spuckte fast. »Heiliger Herr im Himmel.«

»Er war schon viermal ohne mich da«, sagte Cindee. »Ich hab genug davon, dass alle denken, wir seien Vater und Tochter.«

»Morgen geht's wieder los.« Bert lächelte bei dem Gedanken daran.

J.J. lachte jetzt. »Sechsunddreißig Millionen Dollar! Bert, für die Hälfte arrangiere ich es, dass du Adam und Eva im Paradies siehst, wie sie nackt Limbo tanzen. Du musst mir nur glauben, dass ich es kann.«

»Mein Mann würde 1939 leben wollen«, sagte Cindee. »Aber er kann immer nur zweiundzwanzig Stunden bleiben.«

»Warum nur zweiundzwanzig Stunden?«, wollte J.J. wissen.

Bert erklärte es ihm. »Die Wellenlänge im Raum-Zeit-Kontinuum ist endlich. Du kannst nur eine gewisse Zeit auf dem Echo reiten.«

»Sie haben dieses Papiergeld und altmodische Münzen«,

sagte Cindee. »Ich habe mir eine winzige vergoldete Weltraumnadel und eine Kugel gekauft.«

»Trylon und Perisphere«, korrigierte Bert sie.

»Richtig, genau. Aber als wir wieder aufwachten, war es nur noch ausgetrockneter Kitt.«

»Das liegt an der *molekularen Singularität*.« Bert schnallte sich nicht zur Landung an. Ihm gehörte das Flugzeug. Scheiß auf die Flugaufsichtsbehörde.

»Warum nicht zurückgehen und die Geschichte verändern?«, wollte J.J. jetzt wissen. »Warum bringst du nicht Hitler um?«

»Hitler war an dem Tag nicht auf der Weltausstellung.« Der WhisperJet wurde langsamer, die Erde kam näher. Die Steuertriebwerke kippten präzise und würden es ihnen gleich erlauben, auf dem Dach von 909 Fifth Avenue zu landen. »Im Übrigen würde es nichts ändern.«

»Warum nicht, zum Teufel?«

»Wegen der *singulären Dimensionaltangenten*«, sagte Bert und sah hinunter in den Central Park, der sich seit 1939 nicht so sehr verändert hatte. »Es gibt unzählig viele Tangenten, aber wir existieren alle nur in einer.«

J.J. warf einen Blick zu Cindee hinüber. Sie zuckte mit den Schultern – was konnte sie mit dem alten Kerl machen?

»Ihm gefällt, wie die Leute sich damals die Zukunft vorgestellt haben. Aber wir *leben* in der Zukunft. Man sollte denken, dass das alles verdirbt«, sagte sie.

Zwölf Minuten später zischte J.J. in seinem Floater die HoverLine hinunter, hinaus auf seine private Insel im Sound. Bert und Cindee nahmen ihren Aufzug vom Landepad hinunter in ihre Wohnung in den Stockwerken 97 bis 102. Cindee zog sich gleich etwas aus einem ihrer Schränke dort an.

Sie wollten zu Kick Adler-Johnsons Geburtstagsparty, mit einem privaten Hologramm-Auftritt der Rolling Stones. Kick wurde fünfundzwanzig. Bert konnte Kick Adler-Johnson nicht ausstehen, sosehr er Nick, ihren Mann, respektierte, der mit dem Kauf von Luft- und Wasserrechten rund um die Welt reich geworden war. Im Übrigen hatte Bert 2019 auf einer Weihnachtsfeier der Firma die echten Stones erlebt, als er mit L'Audrey verheiratet gewesen war, Frau Nummer drei. Er wollte zu Hause bleiben, aber Cindee erlaubte es nicht.

Bert wünschte, schon jetzt durch die Zeit reisen zu können, erst mal vor zum nächsten Morgen und dann zurück nach 1939, zu der Ausstellung, die so voller Versprechungen für eine Welt war, wie sie hätte werden können.

———

Cindee war sich bei jener ersten Reise, der Geburtstagreise, in den altmodischen Kleidern lächerlich vorgekommen. Bert dagegen fühlte sich in seinem von den Chronometric-Adventures-Schneidern gefertigten zweireihigen Maßanzug wie im Himmel. Er bewunderte jedes kleine Detail, jede Sekunde der zweiundzwanzig Stunden, die sie im Jahr 1939 verbrachten. Wie klein ihm New York City erschien! Die Häuser waren ganz und gar nicht groß und der Himmel viel offener. Auf den Bürgersteigen gab es Platz für alle, und Automobile und Taxis waren so *riesig* und so *geräumig*. Der Taxifahrer *trug eine Krawatte* und beschwerte sich über den Verkehr nach Flushing Meadows, aber wenn *das* ein Verkehrsstau war, kam Bert damit klar.

Auf dem Ausstellungsgelände standen der hohe »Trylon« und eine riesige, »Perisphere« genannte Kugel, beides einzigartige Architekturwunder, die bleichweiß vor dem offenen blauen Himmel aufstrahlten. Die Avenues der Patrioten und Pioniere waren ernst gemeint, und – stellt euch das vor! – ganze sogenannte *Courts* waren Eisenbahnen und Schiffen gewidmet und feierten Technologien mit Maschinen von der Größe seines WhisperJets. Es gab eine riesige Underwood-Schreibmaschine, eine gigantische Wassershow und Electro, den mechanischen Mann, der gehen und mit seinen Stahlfingern Zahlen addieren konnte! Chronometric Adventures hatte Bert und Cindee mit VIP-Ausweisen versorgt, sodass sie sich nirgends anstellen mussten.

Das Ausstellungsgelände wurde makellos gehalten. Fahnen und Wimpel wehten in einer leichten Brise, und ein Hotdog kostete fünf Cent. Die Ausstellungsbesucher waren wie aus dem Ei gepellt, einige der Frauen trugen sogar Handschuhe, die meisten Männer Hüte. Bert wollte alles sehen, die ganze »Welt von morgen«, aber Cindee fühlte sich unwohl in ihren hässlichen Schuhen und mochte keinen Hotdog essen. So verließen sie denn die Ausstellung gegen drei Uhr nachmittags, um im Hotel Astor am Times Square noch einen Drink zu nehmen und etwas gegen ihren Hunger zu tun. Als sie zurück in Zimmer 1114 kamen, um die Progression vorwärts in der Zeit anzutreten, war Cindee leicht beduselt, müde und all den Zigarettenrauch gründlich leid.

Zwei Wochen später belud Cindee den WhisperJet mit ihren Freundinnen und flog in ein Bad in Marokko, was Bert die Zeit für weitere zweiundzwanzig Stunden im Jahr 1939 gab. Er bestellte sich bei Percy, dem Zimmerkellner, einen Morgenkaffee, nur für sich, und frühstückte im Café des Hotel Astor, diesem wunderbaren Haus direkt am Times Square. Das Taxi fuhr derselbe Fahrer mit der Krawatte, und Bert besuchte die Teile der Ausstellung, die sie beim letzten Mal nicht gesehen hatten, zum Beispiel die »Stadt von morgen« und die elektrifizierte Farm. Zu Mittag aß er im Heinz Dome, blickte auf den Tempel der Religionen und feierte das Arbeiterparadies der Union der Sozialistischen Sowjetrepubliken. Er lauschte den Gesprächen um sich herum, sah die Begeisterung der Ausstellungsbesucher, registrierte das Fehlen anstößiger Ausdrücke und die farbenfrohe Kleidung der Leute – kein Schwarz-in-Schwarz weit und breit. Die Angestellten schienen auf ihre verschiedenen Uniformen stolz zu sein, und ja, viele Leute rauchten.

Bei diesem zweiten Besuch ohne Cindee fiel ihm eine zierliche, hübsche Frau in einem grünen Kleid auf. Sie saß auf einer Bank an der Lagune der Nationen, überragt von den massigen Skulpturen der Vier Freiheiten. Sie zeigte ein maßvolles Stück Bein, trug braune Riemchenschuhe, eine kleine Handtasche und einen Hut mit einer weißen Blüte, fast eher eine Kappe, und unterhielt sich angeregt mit einem jungen Mädchen, das eher für die Sonntagsschule gekleidet schien als für einen Tag auf der Weltausstellung.

Die beiden lachten, gestikulierten und flüsterten sich Geheimnisse zu, als wären sie die besten Freundinnen am besten aller Tage und aller Orte. Sie waren der Geist der Ausstellung in weiblicher Form.

Bert konnte sich nicht von ihnen losreißen. Als sie aufstanden und Arm in Arm zum Eastman Kodak Building gingen, überlegte er, ob er ihnen folgen und die Ausstellung mit ihren Augen sehen sollte. Aber seiner Uhr nach war es bereits kurz vor fünf, was bedeutete, dass ihm kaum mehr als zwei von seinen zweiundzwanzig Stunden blieben. Widerstrebend wandte er sich zum Taxistand draußen vor dem Nordeingang des Corona Gate.

Ein anderer Krawatte tragender Taxifahrer brachte ihn zurück nach Manhattan.

»Ist die Weltausstellung nicht was Besonderes?«, fragte der Taxifahrer.

»Doch, das ist sie«, antwortete Bert.

»Haben Sie das Futurama gesehen? Die Reise ins Jahr 1960?«

»Nein, habe ich nicht.« Der 1966 geborene Bert gluckste in sich hinein.

»Oh, das Futurama müssen Sie sich ansehen«, sagte der Mann. »Es ist im GM-Gebäude. Da gibt's immer 'ne lange Schlange, aber es lohnt sich.«

Bert fragte sich, ob die hübsche Frau im grünen Kleid das Futurama gesehen hatte. Und wenn, was sie über das Jahr 1960 dachte.

————

Obwohl der menschliche Körper einiges aushalten muss, wenn er in der Zeit vor- und zurückreist, gab das medizinische Team von Chronometric Adventures Bert grünes Licht für eine dritte Reise. Die Weltausstellung sei zu riesig für nur zwei Besuche, erklärte er Cindee, was stimmte. Was er ihr nicht erzählte, war, dass er bei seiner Rückkehr nach Flushing Meadows 1939 den Tag damit zubrachte, nach der Frau im grünen Kleid Ausschau zu halten.

Sie war in keinem der Gebäude, die den großen humanitären Anstrengungen von U.S. Steel, Westinghouse oder General Electric gewidmet waren, und sie fand sich auch nicht auf der Plaza of Light, der Avenue of Labor oder der Continental Avenue. Nirgends, wo Bert suchte, war sie zu entdecken, und so lief er ein paar Minuten vor fünf wieder zur Lagune der Nationen, und ja, da saß sie, die Frau im grünen Kleid, mit ihrer kleinen Freundin, auf der Bank unter den Vier Freiheiten.

Er fand einen Platz, der nahe genug war, um hören zu können, wie sie von den Wunderdingen der Ausstellung schwärmten und in ihren regionalen Akzenten New York zu so etwas wie *Nuh Yoohk* wurde. Sie konnten sich nicht entscheiden, was sie als Nächstes tun sollten, bevor es Abend wurde und die Fountains of Light ein technisches Farbenwunder entfesseln würden. Bert versuchte den Mut aufzubringen, sie anzusprechen, als sie aufstanden und schwatzend und kichernd Arm in Arm in Richtung Eastman Kodak liefen. Er sah ihnen hinterher, bewunderte die feminine Haltung der Frau im grünen Kleid, das Haar, das in ihrem Nacken wippte, und überlegte, ob er ihnen folgen sollte. Aber es wurde spät, und er musste zurück in Zimmer 1114.

Wochenlang dachte Bert fast schon ständig an die Frau im grünen Kleid – wie sie mit den Händen redete und ihr Haar gewippt hatte. Er wollte ihren Namen erfahren, sie kennenlernen, und wenn nur für eine zusätzliche Stunde im Jahr 1939. Als Cindee dann verkündete, dass sie Kick Adler-Johnson zum Reiten in Kuba begleiten wolle, buchte er eine weitere Untersuchung beim medizinischen Team von Chronometric Adventures.

———

Um Viertel vor fünf saß er auf der Bank bei der Lagune der Nationen, und ja, genau dem *Zeitplan der Singularität* entsprechend kam die Frau im grünen Kleid mit ihrer jungen Freundin, und die beiden setzten sich und begannen ihr Gespräch. Bert schätzte, dass sie Mitte dreißig war, wobei die Mode der Zeit für das heutige Auge alles etwas älter wirken ließ. Sie wog mehr als Cindee, als die meisten Frauen heute, da sich die Leute 1939 längst nicht so kalorienbewusst ernährten und Sport und Bewegung etwas für Athleten und

Arbeiter war. Die Frau hatte eine *Figur*, und die Kurven standen ihr gut zu Gesicht.

Bert hatte sich überlegt, was er in seinem ersten Gespräch mit einer Frau sagen würde, die er seit acht Jahrzehnten kennenlernen wollte.

»Entschuldigen Sie«, sagte er. »Wissen die Damen, ob das Futurama heute geöffnet hat?«

»Ja, aber die Schlange ist sehr lang«, sagte die Frau im grünen Kleid. »Wir haben den ganzen Nachmittag im Vergnügungsbereich verbracht. Was für einen Spaß wir hatten!«

»Sind Sie mit dem Fallschirmkarussell gefahren, Mister?« Das Mädchen hätte nicht auf entzückendere Weise begeistert sein können.

»Nein«, gestand Bert. »Sollte ich?«

»Es ist nichts für schwache Gemüter«, sagte die Frau.

»Sie fahren hoch, hoch, hoch«, sagte das Mädchen und wedelte mit den Händen, »und Sie denken, Sie schweben herab, langsam und sanft. Aber nein. Das geht *ka-wumm!*, wenn Sie landen.«

»Stimmt.« Die Frau und das Mädchen lachten sich an.

»Waren Sie schon im Futurama?«, fragte Bert.

»Wir wollten nicht so lange anstehen«, sagte die Frau.

»Nun«, sagte Bert und griff in die Tasche seines Zweireihers. »Ich habe ein paar spezielle Karten, die ich nicht brauche.«

Bert gab ihnen zwei nobel aussehende VIP-Ausweise, wie er und Cindee sie schon bei ihrer ersten Reise von Chronometric Adventures bekommen hatten. Der Trylon, die Perisphere und die Buchstaben *VIP* waren in den Karton geprägt. »Wenn Sie die den Männern unten an der Rampe zeigen, ich meine, am *Helicline*, bringen die Sie auf einem versteckten Weg hinein.«

»Oh, das ist aber nett von Ihnen«, sagte die Frau. »Aber wir sind bestimmt keine VIPs.«

»Glauben Sie mir, ich auch nicht«, sagte Bert. »Ich muss zurück in die Stadt. Bitte, benutzen Sie sie.«

»Dürfen wir, Tante Carmen?«, bettelte das Mädchen.

Carmen. Die Frau im grünen Kleid hieß Carmen. Der Name passte perfekt zu ihr.

»Ich fühl mich wie eine Hochstaplerin«, sagte Carmen und machte eine Pause. »Aber sei's drum! Vielen Dank.«

»Ja, danke!«, sagte die Nichte. »Ich heiße Virginia, und das ist meine Tante Carmen. Und wie heißen Sie?«

»Bert Allenberry.«

»Nun, danke, Mr Allenberry«, sagte Virginia. »Wir schulden Ihnen unsere Zukunft!« Arm in Arm gingen die beiden Frauen die Constitution Mall hinunter zum GM Building, in dem das Futurama untergebracht war. Bert sah ihnen hinterher und fühlte sich wunderbar. Er war froh, nach 1939 zurückgekehrt zu sein.

Monatelang füllte die entzückende Carmen seine Tagträume. Er saß im Büro in Salina, in einer Vorstandssitzung in Tokio, auf einer Jacht vor Mykonos und war mit den Gedanken in Flushing Meadows, auf einer Bank unter den Vier Freiheiten, Anfang Juni 1939. Als ein Aktionärstreffen seine Anwesenheit in *Nuh Yoohk* verlangte, nahm er sich die Zeit für eine weitere Sechs-Millionen-Reise in Zimmer 1114.

———

Alles lief wie zuvor. Er bot Carmen und Virginia die VIP-Karten an, und sie zogen los und schuldeten ihm ihre Zukunft. Bert wollte jedoch ein wenig mehr Zeit mit Carmen, nicht viel, nur eine halbe Stunde oder so, und so stellte er sich an den Ausgang des Futuramas und winkte ihnen zu, als sie herauskamen.

»Wie war's?«, rief er.

»Mr Allenberry!«, sagte Carmen. »Ich dachte, Sie müssten weg.«

»Oh, ich bin der Chef, und so habe ich entschieden, die Regeln zu ändern.«

»Sie sind der Chef?«, fragte Virginia. »Wovon?«

»Von all den Leuten, die ich herumkommandiere.«

»Da Sie sich nun in Gesellschaft zweier VIPs befinden«, sagte Carmen lachend, »darf ich Sie vielleicht zu einem Kuchen einladen?«

»Zufällig liebe ich Kuchen.«

»Gehen wir zu Borden's«, juchzte Virginia. »Besuchen wir Elsie, die Kuh.«

So saßen die drei denn zusammen, jeder mit einem perfekt bemessenen Zehn-Cent-Kuchen, und Carmen und Bert tranken einen Kaffee für fünf Cent. Virginia hatte ein Glas Milch bestellt und sprach von den Wundern, die das Jahr 1960 bringen würde laut den Voraussagen des Futuramas.

»Ich hoffe, ich wohne 1960 noch in der Bronx«, sagte sie. Virginia lebte mit ihrer Familie am Parkway, mit ihrer Mutter (Carmens Schwester) und ihrem Vater, der Metzger war. Sie ging in die fünfte Klasse, war im Radioklub und wollte einmal Lehrerin werden, falls sie sich das College leisten konnte. Carmen teilte sich mit zwei weiteren Frauen, Sekretärinnen einer Versicherungsgesellschaft, eine Wohnung in der East 38th Street, im dritten Stock, ohne Aufzug. Sie arbeitete als Buchhalterin downtown in einer Handtaschenfabrik. Alle drei stimmten überein, dass die Weltausstellung 1939 in Wirklichkeit noch weit besser sei als in der Wochenschau im Kino.

»Ist Ihre Frau in New York, Mr Allenberry?« Bert fragte sich, woher Carmen wusste, dass er verheiratet war, doch dann wurde ihm bewusst, dass er den Ehering trug, den Chronometric Adventures ihm zur Verfügung gestellt hatte. Aus reiner Gewohnheit hatte er ihn auf den Finger gesteckt.

»Ach, nein«, sagte er. »Cindee ist bei Freunden. Auf Kuba.«

»Da sind Mom und Dad auf ihrer Hochzeitsreise gewesen«, sagte Virginia. »Ich bin nicht lange danach gekommen!«

»Virginia!« Carmen konnte nicht glauben, womit ihre Nichte da herausplatzte. »Das gehört sich nicht!«

»Aber es stimmt!«, sagte Virginia. Sie hatte die Kuchenfüllung zuerst gegessen und sich den Teig bis zum Schluss aufgespart.

»Sind Sie verheiratet, Carmen?«, fragte Bert. »Entschuldigen Sie, ich weiß nicht mal Ihren Zunamen.«

»Perry«, sagte sie. »Carmen Perry. Wie unhöflich von mir. Und nein, ich bin nicht verheiratet.«

Bert wusste das bereits, da sie keinen Ring an ihrer linken Hand trug.

»Mama sagt, wenn du nicht bald einen Mann findest, bleibt keiner für dich übrig!«, sagte Virginia. »Du bist fast *siebenundzwanzig*!«

»Sei still«, zischte Carmen, langte mit ihrer Gabel über den Tisch und stibitzte ihr das beste Stück Kuchenkruste.

»Du gemeines Biest!«, lachte Virginia.

Carmen betupfte sich die Lippen und lächelte Bert an. »Es stimmt, ich bin das letzte Huhn im Stall.«

Carmen war erst sechsundzwanzig? Bert hätte schwören können, dass sie älter war.

Nach dem Kuchen sahen sie sich Elsie, die Kuh, an, liefen

durch die Sportakademie und sahen einen Film über Trick-wasserskier. Bert blickte auf seine alte Uhr. Es war fast sechs.

»Ich muss jetzt wirklich gehen.«

»Wie schade, dass Sie nicht die Show mit den Lichtfontä-nen sehen können«, sagte Carmen. »Sie soll so schön sein, heißt es.«

»Und jeden Abend gibt es ein Feuerwerk«, meldete sich auch Virginia. »Als wäre der ganze Sommer ein einziger Vierter Juli.«

»Virginia und ich haben uns einen Platz zum Zuschauen ausgesucht.« Carmens Augen ruhten auf Bert. »Sind Sie sicher, dass Sie nicht bleiben können?«

»Ich wünschte, es ginge.« Das wünschte sich Bert wirk-lich. Carmen war die entzückendste Frau, die er je gesehen hatte. Ihre Lippen waren nicht zu schmal, ihr Lächeln fest und spitzbübisch, und ihre Augen leuchteten haselnussfar-ben, diamantgrün mit einem Stich Braun.

»Danke für eine tolle Erfahrung!«, sagte Virginia. »Wir waren VIPs!«

»Ja, danke, Mr Allenberry.« Carmen bot ihm ihre Hand. »Sie waren sehr nett, und es war sehr schön.«

Bert nahm Carmens Hand, ihre linke Hand, die ohne Ring. »Ich hatte einen wunderbaren Tag.«

Im Taxi zurück nach Manhattan meinte Bert fast Car-mens Parfüm riechen zu können. Flieder, mit einem Hauch Vanille.

––––––––

Nach der letzten, überflüssigen Zugabe der holografischen Rolling Stones hatte Kick Adler-Johnsons Geburtstagsparty bis vier Uhr morgens gedauert. Cindee schlief noch. Ihre Tür war geschlossen und die Verdunkelungsrollos heruntergelassen. Bert war jedoch um acht schon wieder auf den Beinen, geduscht, angezogen und mit einem Kaffee in der Hand. Zum Frühstück gab es einen gemischten Saft und ein Alles-in-einem-Protein-Brötchen. Im Aufzug hinunter zur Straße bestellte er einen SoloCar.

Kaum dass er Chronometric Adventures als Ziel bestätigt hatte, steuerte der Wagen selbstständig mit algorithmisch errechneten 27 Stundenkilometern die Fifth Avenue hinunter, bog rechts in die 52nd, umkreiste den Times Square Dome, fuhr dreimal links und hielt schließlich auf der Eighth Avenue zwischen West 44th und West 45th Street.

Bert stieg vor dem Gebäude aus, das, in umgekehrter Reihenfolge, einmal das Milford Plaza, das Royal Manhattan Hotel und, 1939, das Hotel Lincoln gewesen war. Der größte Teil diente heute der Versorgung des angrenzenden Domes, und es enthielt Büros der Times Square Authority.

Chronometric Adventures war in den Stockwerken 9 bis 13 untergebracht, aber nicht weil ihnen die Räumlichkeiten so gut gefallen hätten oder sie besonders günstig wären, sondern wegen eines historischen Zufalls und der Wunder der Wissenschaft. Ein ausreichender Teil des Gebäudes war seit seinen Hotelzeiten nicht umgebaut worden, und ein Zimmer ganz besonders, Zimmer 1114, war wunderbarerweise jedem Umbau und jeder Renovierung entgangen, seit das Haus 1928 eröffnet worden war. Mit seinen völlig unveränderten Abmessungen besaß das Zimmer die *Umfangsauthentizität*, die nötig war, um mit höchster Genauigkeit ein Kräuseln im Raum-Zeit-Kontinuum wiederzugeben, einen Bogen, der sich mit dem 8. Juni 1939 schnitt. Die gewaltigen für eine Zeitreise nötigen Rohre, Kabel und Plasmagitter waren ans Äußere des ehemaligen Hotel Lincoln gebaut worden, darüber, darunter, und führten in Zimmer 1114. Die

Ausrüstung enthielt etwa eine Million der von Bert Allen-berry erfundenen Shuffle-Access Digital Valve-Relays.

Er fuhr mit dem Aufzug in den neunten Stock und hörte eine Frauenstimme »Chronometric Adventures« sagen, bevor sich die Tür öffnete. Das Motto der Firma, *Die Vergangenheit ist uns wichtig*, stand groß an der Wand, und darunter wartete Howard Frye.

»Mr Allenberry. Gut, Sie wiederzusehen.« Howard hatte bisher jedes einzelne von Berts Abenteuern begleitet. »Ich nehme an, es geht Ihnen gut?«

»Bestens. Und Ihnen?«

»Ich habe gerade eine Erkältung hinter mich gebracht. Mein Sohn hat sie aus der Schule eingeschleppt.«

»Das ist der Vorteil, keine Kinder zu haben«, erwiderte Bert. Cindee hatte noch nie etwas dazu gesagt, ob sie ein Kind wollte. Ihre Vorgängerin L'Audrey wäre als Mutter genauso schrecklich gewesen wie als Lebensgefährtin. Mary-Lynn dagegen hatte unbedingt geschwängert werden wollen, und als der Arzt ihr sagte, dass Berts geringe Spermienzahl das sehr unwahrscheinlich mache, sah sie sich bei anderen Männern um. Sie hatte wieder geheiratet und in schneller Folge zwei Mädchen und einen Jungen in die Welt gesetzt. Berts erste Ehe mit Barb hatte ein kleines Mädchen hervorgebracht, aber die Scheidung war so voller Hass und Verbitterung gewesen, dass Bert seine Tochter erst seit ihrem achtzehnten Geburtstag gelegentlich zum Essen in London traf, wo sie dank seiner Überweisungen viel zu angenehm lebte.

»Gehen wir zum VorAb?«, fragte Howard.

»Verschwenden wir keine Zeit.«

»Es ist schon komisch, aber Zeit gibt's eigentlich reichlich«, gluckste Howard.

Im Vor-Abenteuer-Raum wurde Bert vom medizinischen Team durchgecheckt. Seine Flüssigkeiten wurden angezapft und gescannt und sein Herz untersucht, dazu die zwölf weiteren körperlichen Merkmale, die von der *Progression/Reprogression* betroffen waren. Er bekam die fünf Spritzen, die seinen Körper auf Molekularebene stärkten, und die Antiübelkeitsmedikamente, um die ersten Momente im Jahr 1939 zu erleichtern. Er zog sich aus und legte Uhr, Ringe und die dünne Goldkette ab, die er um den Hals trug. Keine Gegenstände aus dem Heute überlebten die Reise ins Gestern, zudem konnten ihre Moleküle den Prozess unwiderruflich stören. Völlig nackt zog er den Morgenmantel von Chronometric Adventures an und ließ die vorgeschriebene Rechtsbelehrung über sich ergehen.

Erst kam das Video, das clever und schwungvoll vor den Gefahren warnte und die Regeln erklärte. Dann erhielt er einen Text, der Wort für Wort wiederholte, was gerade gesagt worden war. Bert wusste längst, dass man im Zuge der Reprogression sterben konnte, auch wenn es noch keinen solchen Vorfall gegeben hatte. Am Zielort hatte der Abenteurer verschiedene Optionen, und er konnte den Tag ganz nach seinen Wünschen verbringen, allerdings waren bestimmte zentrale Abläufe ausgeschlossen. Mit seinem Daumenabdruck bestätigte Bert ein weiteres Mal, dass er alles verstanden hatte und zustimmte. Endlich gelangte Howard mit einem großen shakeartigen Getränk in den VorAb-Raum, das Berts Verdauungstrakt vor lästigen Keimen aus der Zeit um 1939 schützen würde.

»Machen Sie schon, Howard«, sagte Bert und hob das Glas in seine Richtung.

»Mittlerweile sollten Sie das selbst herunterbeten können«, sagte Howard und räusperte sich, und während Bert seinen Trunk mit Blaubeergeschmack schluckte, fasste Howard noch einmal die von Bert bereits akzeptierten Bedingungen in einfache Worte: »Sie haben freiwillig entschieden, sich von Chronometric Adventures in einer körperlichen *Zeit-Reprogression* zu genau diesem Ort am 8. Januar 1939 bringen zu lassen, und zwar für nicht weniger und nicht mehr als zweiundzwanzig Stunden, gemessen in der allgemein anerkannten Definition. Vom selben Ort kehren Sie am 8. Juni 1939 um neunzehn Uhr zu genau diesem Tag heute zurück. Das haben Sie verstanden, nicht wahr?«

Bert nickte. »Jepp.«

»Chronometric Adventures behauptet nicht, dass Ihr Urlaub in der Vergangenheit ohne Risiko ist. Er wird von den gleichen physikalischen Gesetzen, den Regeln und Verhaltensweisen bestimmt, die wir für normal halten.«

»Wenn ich falle, breche ich mir ein Bein. Wenn ich eins auf die Nase bekomme, bricht sie ebenfalls.«

»So ist es. Sie sind während der zweiundzwanzig Stunden unbeaufsichtigt. Wir schlagen vor, sich an das Programm zu halten, das wir für Sie vorbereitet haben. Es geht wieder auf die Weltausstellung, oder?«

»Das sollten Sie auch mal hinfahren, Howard.«

Howard lachte. »Als Afroamerikaner besitzt das New York des Jahres 1939 nicht den gleichen Zauber für mich.«

»Das verstehe ich«, sagte Bert. Auf seinen Reisen in die Vergangenheit gehörte so gut wie jedes schwarze Gesicht einem Pförtner oder Hausmeister. Wobei es durchaus auch schwarze Familien auf der Ausstellung gab, die sich, entsprechend gekleidet, dieselben Dinge ansahen wie er, aber nach Versprechungen einer Zukunft suchten, die sich von seiner unterschied.

»Sollten Sie Ihre Pläne ändern und lieber eine Show sehen

oder durch den Park spazieren wollen, birgt das kein zusätzliches Risiko, solange Sie sich an die *Progressionsregeln* halten.«

»Ich gehe wieder nach Flushing Meadows. Vielleicht mache ich das nächste Mal einen Spaziergang durch den Park.« Bert dachte daran, mit Carmen einen Tag im Central Park zu verbringen, und überlegte, wie ihm das gelingen könnte. Virginia könnte Karussell fahren! Und sie könnten in den Zoo gehen, so wie er ursprünglich war!

»Ach, ja. *Das nächste Mal.*« Howard rief sich Berts Unterlagen auf sein Pad. »Mr Allenberry, ich fürchte, Sie haben in dieser CA-Niederlassung Ihr *Reprogressionslimit* erreicht.«

»Was?« Bert hatte noch ein Drittel seines Shakes vor sich.

»Ihre Werte in der VorAb-Untersuchung weichen leicht von denen Ihrer letzten Reise mit uns ab«, sagte Howard. »Sie haben erhöhte Trilliumwerte im Blut und weniger Zellflüssigkeit.«

Bert gefiel das gar nicht.

»Jeder hat eine andere Konstitution, Mr Allenberry. Die Reise ins Jahr 1939 ist sehr weit für Ihr Gewebe, Ihre Körperproteine, die Dichte Ihres Knochenmarks und Ihre Nervenenden. Wir dürfen das Risiko nicht eingehen, Sie überzubeanspruchen. Rein hypothetisch wäre es möglich, dass Sie auch noch eine siebte oder gar achte Reise zur Weltausstellung vertragen, aber unser Versicherungskonzept erlaubt das nicht. Das ist die schlechte Nachricht.«

Bert dachte an Carmen, an Virginia und wie sie zu dritt Kuchen aßen und Elsie, die Kuh, besuchten. Er konnte das alles nur noch ein einziges Mal tun. Das war wirklich keine gute Nachricht.

»Die gute Nachricht ist«, zirpte Howard, »dass Ihre Chronometric Adventures nicht 1939 in New York enden müssen.

Es gibt noch Nashville 1961. Sie könnten in die Grand Ole Opry gehen. Und wir eröffnen eine Niederlassung in Gunnison, Colorado – eine wunderschöne Hütte im Jahr 1979. Da passiert zwar nicht sehr viel, aber die Aussicht ist herrlich.«

Bert hörte auf zu trinken. Er dachte an Carmen, an ihren Flieder-Vanille-Duft und ihre Haselnussaugen.

»Es tut mir leid, Mr Allenberry, aber so ist es nun mal. Die Vergangenheit ist uns wichtig, aber Ihr Leben noch wichtiger.«

»In dem Fall muss ich noch was mitnehmen«, sagte Bert.

———————

Bert spürte, wie der Kompressionsanzug enger wurde, als sämtliche Atome des Zimmer 1114, einschließlich seiner, durch die Mechanik der Chronometric Adventures in Bewegung gesetzt wurden. Er hatte gelernt, während der Reprogression nicht in Panik zu geraten, hatte sich jedoch nicht daran gewöhnt, wie *kalt* es wurde, so kalt, dass er allen Halt verlor, jedes Gleichgewicht. Er wusste, er lag auf etwas, das sein Bett 1939 werden würde, aber alles taumelte. Er kämpfte darum, wach zu bleiben, aufmerksam, den tatsächlichen Prozess zu verfolgen, in dem sich der Raum in der Zeit zurückbewegte, doch wie schon zuvor verlor er das Bewusstsein.

Die pochenden Kopfschmerzen sagten ihm, dass er im Jahr 1939 war. Die Schmerzen waren brutal, aber von gnädig kurzer Dauer. Bert kämpfte sich aus seinem Kompressionsanzug, einer Art Taucheranzug, nur um eine Nummer zu klein, saß nackt auf dem Bettrand und wartete, bis die Rundhämmer aufhörten, auf seinen Kopf einzuschlagen.

Wie die ersten Male hing sein Zweireiher im offenen Schrank, die Schuhe standen auf dem Boden, daneben lagen die Socken. Auf einem Drahtbügel hingen ein knöpfbares

Hemd und eine Krawatte. Die Unterwäsche befand sich in einem Korb auf dem Stuhl. Auf dem Nachttisch lagen seine Uhr, ein Ehering, ein Siegelring und die Brieftasche mit seinem Ausweis und anderen Dingen, die in die Zeit gehörten und aus Vorkriegsmaterialien gefertigt waren. In der Brieftasche war Bargeld, insgesamt fünfzig Dollar in den komisch aussehenden Papiernoten, die ehedem das gesetzliche Zahlungsmittel gewesen waren. Es gab auch ein paar schwere Münzen – einen halben Dollar mit dem Bild einer Frau, die eine Garbe Weizen hielt und zur untergehenden Sonne hinsah, dazu Zehn-Cent-Stücke, *Dime* genannt, mit dem Kopf des Gottes Merkur. *Nickel* waren fünf Cent wert, und selbst noch ein Penny hatte 1939 einen wirklichen Wert.

Er legte den Kompressionsanzug zusammen und schloss ihn in dem alten Koffer auf dem Gepäckständer ein, wo ihn keiner sah, bis er ihn für die Progression wieder anziehen musste, band sich die Uhr ums Handgelenk, die drei Minuten nach neun abends anzeigte, schob sich den Siegelring auf die rechte Hand und achtete darauf, den Ehering an seinem Platz liegen zu lassen.

Er sah in den Umschlag auf dem Tisch, in dem die VIP-Karten für die Ausstellung waren. Für diese, seine nun letzte Reise ins Jahr 1939, hatte er *drei* bestellt.

Das Fenster hinaus auf die Eighth Avenue stand nur einen Spalt weit offen und erlaubte der Abendluft, ins Zimmer zu dringen, das noch keine Klimaanlagen kannte, aber auch den Verkehrslärm vom Times Square nicht. Bert wollte aufstehen, sich anziehen und hinunter in die East 38th Street gehen, wo Carmen wohnte, doch sein Körper schmerzte so sehr. Verdammte Physik! Er war müde wie die letzten Male, legte sich zurück aufs Bett und schlief ein. Wie die letzten Male.

Er erwachte im schwachen durchs Fenster fallenden Morgenlicht, und die Stadt draußen war ruhig. Er fühlte sich normal, als hätte er eine Grüne genommen und gesunde zehn Stunden geschlafen. Laut seiner Uhr war es zehn vor sieben. Es war der Morgen des 8. Juni 1939, und er hatte zwölf Stunden, um Carmen und Virginia zu finden. Er hob den schweren Telefonhörer ans Ohr, drückte den einzigen Knopf darauf und wurde mit der Rezeption des Hotels verbunden. Er bat um den Zimmerservice, und nach den gewohnten fünf Minuten stand der uniformierte Kellner namens Percy mit einem Tablett vor der Tür. Er brachte eine silberne Kanne Kaffee, ein Kännchen mit richtiger Sahne, Würfelzucker, ein Glas Wasser und die Vormittagsausgabe des New Yorker *Daily Mirror*. An den fünf vorhergehenden Morgen hatte Bert dem Kellner einen Dime Trinkgeld gegeben, was ein höfliches »Ich danke Ihnen, Mr Allenberry« zur Folge gehabt hatte. Heute drückte Bert Percy einen halben Dollar in die Hand, woraufhin der Mann große Augen machte. »Oh, Mr Allenberry, Sie müssen's aber *haben!*«

Richtige Sahne macht Kaffee zu einem cremigen, himmlischen Vergnügen. Bert genoss die zweite Tasse, während das Wasser für seine Dusche heiß wurde. 1939 brauchte das Wasser dafür eine Weile. Nachdem er sich gewaschen hatte, zog er sich an. Ihm war beigebracht worden, wie man sich eine Krawatte band, die er für ein dummes Detail hielt, aber er liebte seinen zweireihigen Anzug, der fast ein Jahrhundert später für ihn geschneidert worden war. Die Materialien stammten aus der Zeit, die Socken hatten kaum ein Gummi, und die Schuhe waren Kanonenboote, aber bequem.

Im Aufzug nach unten roch Bert wieder das Haarwasser des Fahrstuhlführers. So sehr stank es gar nicht.

»Der Empfang, Sir«, sagte der Mann und öffnete die Gittertür.

Bert war mittlerweile vertraut mit den Gerüchen des Hotels, und er mochte sie. Es roch nach Zigarre, Wollteppichen, den von den schwarzen Hotelangestellten kunstvoll arrangierten Blumen und dem frischen Parfüm all der gut gekleideten Damen, die einem Tag in Manhattan entgegensahen. Draußen auf der Eighth Avenue warteten Taxis, Busse fuhren uptown die Straße hinauf und zogen ihre Abgasschwaden hinter sich her.

An diesem 8. Juni 1939 frühstückte er nicht im Hotel Astor mit seiner berühmten Uhr und der opulenten Ausstattung. Stattdessen wollte er, soweit es seine Zeit zuließ, den Kopf in alle umliegenden Coffeeshops und Cafés stecken. Carmen wohnte nur sieben Straßen entfernt. Was, wenn sie ganz in der Nähe war und einen schnellen Kaffee trank, bevor sie die Subway in die Bronx nahm, um Virginia abzuholen? Vielleicht saß sie in diesem Augenblick in einem Diner am Broadway, trank Kaffee und aß Donuts. Dann konnte er sie jetzt schon kennenlernen und musste nicht den ganzen Tag auf den Moment auf der Bank unter den Vier Freiheiten warten.

Er klapperte den Times Square und seine Seitenstraßen ab, ging in ein Café nach dem anderen und sah durch Dinerfenster, doch Carmen war nirgends zu entdecken. Widerstrebend gab er auf, setzte sich an die Theke eines Coffeeshops in der Seventh und zahlte fünfundzwanzig Cent für ein Frühstück mit Eiern, Würstchen, Pfannkuchen, Saft und Kaffee.

Bert ließ einen Merkur-Dime Trinkgeld auf der Theke liegen. »Ma'am«, sagte er zu der uniformierten Kellnerin mit den übermalten Lippen, »komme ich von hier mit der Subway zur Weltausstellung?«

»Schätzchen«, sagte die Kellnerin. »Besser geht's gar

nicht.« Sie schob den Dime in ihre Schürzentasche und erklärte Bert, wie er zur IRT-Line kam.

Seine erste Fahrt überhaupt mit der Subway kostete ihn eine Indianerkopf-Nickel. Im Wagen drängte sich ein wildes Durcheinander von Leuten, die alle nach irgendetwas rochen, und wenn nur nach der Stärke ihrer frisch gebügelten Hemden. Niemand starrte auf ein Telefon oder Tablet. Die meisten lasen die Morgenzeitung, übergroße, bedruckte Bögen, oder kleinere, das waren die Boulevardblätter. Und es gab Zeitschriften mit mehr Text als Bildern. Viele Leute rauchten, einige sogar Zigarren, zwei nuckelten an einer Pfeife. Nach all den Fremdenführern und Flugblättern zu urteilen, waren viele der Mitfahrenden wie Bert auf dem Weg zur Weltausstellung.

Bei jedem Halt trat Bert kurz aus dem Wagen, um den Bahnsteig nach Carmen und Virginia abzusuchen. Wer wusste? Vielleicht waren auch sie gerade mit der IRT-Line unterwegs nach Flushing Meadows. Wenn ja, konnte Bert sie nach dem Weg fragen, und sie würden ihm anbieten, ihn mitzunehmen, schließlich wollten sie doch auch dorthin. Dann konnte er ihnen gestehen, dass ihm seine drei VIP-Karten ein Loch in die Tasche brannten, und durfte er die beiden Damen vielleicht zu einem gedrängefreien Tag ohne Anstehen und Warten einladen? Und schon würde aus weniger als zwei Stunden beim letzten Mal ein ganzer Tag mit Carmen werden.

Aber sie stieg nicht in den Zug.

»Wow! Seht euch das an!«, rief ein Mitfahrer. Draußen vor dem Fenster waren Trylon und Perisphere aufgetaucht. Das Ausstellungsgelände. Bert sah die riesige Kugel und den daneben stehenden Turm, hell und weiß vor dem Morgenhimmel. Alle im Zug warfen einen Blick hinüber.

Die IRT-Line lud die Ausstellungsbesucher am Bowling Green Gate aus, wo Bert seine fünfundsiebzig Cent Eintritt und einen Dime für einen Ausstellungsführer zahlte.

Es war erst halb elf, und wenn es das Schicksal nicht anders wollte, würde es noch Stunden dauern, bis er Carmen wiedersah. Er ging ins Home Building Center, bewunderte die Sofabetten im Möbelbereich und gluckste immer wieder in sich hinein, als er die für jene Zeit »umwerfenden« Präsentationen von RCA und AT&T im Communications Building sah, die museumsreife Selbstdarstellung der Crosley Radio Corporation nicht zu vergessen.

Anschließend mischte er sich unter die Besucher der *Democracity*, der sozialen Studie künftigen Zusammenlebens in der Perisphere, und unterhielt sich bald schon mit den Gammelgards, einer sechsköpfigen Familie, die Großeltern eingeschlossen, die mit dem Zug aus Topeka, Kansas, gekommen war, um eine Woche auf der Ausstellung zu verbringen. Es war ihr erster Tag, und Pop-Pop Gammelgard sagte zu Bert: »Junger Mann, nicht im Traum hätte ich gedacht, dass mich der Herr einmal so etwas sehen lassen würde.« Bert freute sich, als *junger Mann* bezeichnet zu werden. Mit seinen 756 Milliarden konnte er sich jede weltweit verfügbare Prozedur leisten, die ihn (weit) jünger als seine einundsechzig aussehen ließ.

Er erzählte den Leuten aus Kansas, er habe Freunde in Salina, was eine Einladung der Gammelgards nach sich zog, sollte er je nach Topeka kommen.

Den ganzen Morgen über hielt er nach Frauen in grünen Kleidern Ausschau und hoffte, Carmen zu finden. Er lief durch jedes Gebäude am Court of Power, der Plaza of Light und entlang der Avenue of Labor, wo uniformierte, für Swift & Co. arbeitende Damen demonstrierten, wie frischer Schinkenspeck geschnitten und verpackt wurde. Um zwölf gab er bei Child's zwei Nickel für Hotdogs aus und verglich den Schnitt seines Zweireihers mit den künftigen Moden, wenn man den Propheten von Men's Apparel Glauben schenken sollte. Endlich ging er in den Vergnügungsbereich hinüber und steuerte auf den hohen Eisenturm zu, wo man sich mit einem Fallschirm in die Tiefe rauschen lassen konnte. Der Vergnügungsbereich war der beliebteste Teil der Ausstellung, und die Leute drängten sich bunt durcheinander. Bert durchstreifte das Gelände wieder und wieder, blieb zum soundsovielten Mal bei den Fallschirmen stehen und erwartete Carmen und Virginia in die Höhe schweben zu sehen, höher und höher, und *ka-wumm!* in die Tiefe zu stürzen. Doch sie kamen nicht. Also drehte er eine letzte, langsame Runde und wandte sich wieder dem Hauptausstellungsgelände zu.

Da sah er sie! Nicht gleich Carmen, aber Virginia! Er ging über die Brücke beim Amphitheater mit dem Aquacade, als eine Bahn an ihm vorbeifuhr. Virginia saß darin und, ja, Carmen neben ihr! Also waren sie doch im Vergnügungsbereich gewesen und jetzt auf dem Weg zur Plaza of Light. Bert sah auf die Uhr. Wenn er den Zug einholte, traf er Carmen fast eine Stunde früher! Er rannte.

Bert behielt den Zug die ganze Avenue of Labor hinunter im Blick, verlor ihn dann aber beim Schaefer Center auf der Rainbow Avenue. Er kam einfach nicht mit. Der Zug fuhr am Court of States vorbei und hielt schließlich an der Constitution Mall, leerte und füllte sich mit neuen Fahrgästen. Sie mussten ganz in der Nähe sein! In seinem Zweireiher schwitzend, sah er ins Beech-Nut Building, den jüdischen Palästina-Pavillon, das YMCA, den Tempel der Religionen und das Gebäude der Arbeitsbeschaffungsbehörde. Aber er hatte kein Glück. Sich der Singularität des Raum-Zeit-Kontinuums ergebend, wandte sich Bert in Richtung der Lagunenbänke, als sie direkt vor ihm auftauchte.

Carmen kam aus dem brasilianischen Pavillon und hielt Virginias Hand. Sie lachten. Großer Gott, diese Frau lachte so viel, und ihr Lächeln war so hinreißend. Fast hätte er ihren Namen gerufen, doch dann erinnerte er sich, dass sie sich erst noch kennenlernen mussten, und so folgte er ihnen mit ein paar Meter Abstand über den Kanal, der die Lagune der Nationen speiste. Er ging nicht mit in den englischen Pavillon, sondern direkt zu den Bänken hinüber. Ein paar Minuten später war sie wieder da, mit Virginia. Genau pünktlich.

»Entschuldigen Sie«, sagte Bert sofort, als sich Carmen und Virginia setzten. »Wissen die Damen, ob das Futurama heute geöffnet hat?«

»Ja, aber die Schlange ist sehr lang. Wir haben den ganzen Nachmittag im Vergnügungsbereich verbracht. Was für einen Spaß wir hatten!«

»Sind Sie mit dem Fallschirmkarussell gefahren, Mister?«

»Nein. Sollte ich?«

»Es ist nichts für schwache Gemüter.«

»Sie fahren hoch, hoch, hoch, und Sie denken, Sie schweben herab, langsam und sanft. Aber nein. Das geht *kawumm!*, wenn Sie landen.«

»Stimmt.«

»Waren Sie schon im Futurama?«

»Wir wollten nicht so lange anstehen.«

»Ich möchte es nicht verpassen«, sagte Bert und griff in die Innentasche seines Zweireihers. »Und ich habe ein paar spezielle Karten.«

Bert zeigte ihnen die drei noblen Ausweise, in die der Trylon, die Perisphere und die Buchstaben *VIP* geprägt waren. »Mir wurde gesagt, dass man damit durch einen Nebeneingang ins Futurama kommt. Ohne zu warten. Ich habe drei, und ich bin allein. Würden Sie mich begleiten?«

»Oh, das ist aber nett von Ihnen. Aber wir sind bestimmt keine VIPs.«

»Glauben Sie mir, ich auch nicht. Ich weiß gar nicht, warum ich sie bekommen habe.«

»Dürfen wir, Tante Carmen?«

»Ich fühl mich wie eine Hochstaplerin. Aber sei's drum! Vielen Dank.«

»Ja, danke! Ich heiße Virginia, und das ist meine Tante Carmen. Und wie heißen Sie?«

»Bert Allenberry.«

»Nun, danke, Mr Allenberry. Wir schulden Ihnen unsere Zukunft!«

Die drei unterhielten sich, während sie die Constitutional Mall hinuntergingen, an der riesigen Statue George Washingtons vorbei und um Trylon und Perisphere herum. Virginia erzählte von allem, was sie an diesem Tag in der Ausstellung gesehen hatten. Den Großteil der Zeit hatten sie auf den Karussells des Vergnügungsbereichs verbracht.

»Haben Sie Electro, den mechanischen Mann, gesehen?«, fragte Bert. »Er kann mit seinen Metallhänden Zahlen addieren.«

Das General Motors Building war neben der Ford Motor Company. Ford zeigte den Ausstellungsbesuchern, wie seine Automobile gebaut wurden, und ließ sie einen Wagen auf einem Zickzackkurs durch das Gebäude steuern. GM nahm seine Besucher mit in die Zukunft. Erst ging es eine lange Rampe hinauf, die so modern war, dass sie ein »Helicline«

genannt wurde, hin zu einer Öffnung im Gebäude, die majestätisch wirkte wie der Eingang zum Gelobten Land. Die Schlange vorm Eingang zum Futurama schien endlos lang.

Aber als sie einem hübschen Mädchen in GM-Uniform ihre VIP-Karten zeigten, wurden Bert, Carmen und Virginia zu einer Tür im Erdgeschoss geführt.

»Ich hoffe, Sie sind nicht bereits zu müde«, sagte das Mädchen. »Wir haben einige Treppen zu steigen.«

Die Maschinerie des Futurama ratterte und sirrte um sie herum, sie hörten Musik durch die Wände und das Murmeln einer Stimme, die erzählte.

»Sie werden feststellen, dass Musik und Ton genau zu dem passen, was Sie jeweils sehen«, erklärte das Mädchen. »GM ist wirklich stolz auf die Ingenieursleistung, die ins Futurama eingegangen ist. Es ist absolut modern.«

»Werden wir ein *Automobil* fahren?«, fragte Virginia.

»Sie werden sehen!« Das Mädchen öffnete eine Tür, und sie waren am Anfangspunkt der Präsentation. Sonnenlicht und Leute strömten durch den Eingang. »Ich wünsche einen schönen Aufenthalt«, sagte das Mädchen.

Automobile gab es keine, aber einen langen Zug sofaartiger, aneinanderhängender Wagen, die alle eine Haube hatten. Die Passagiere kletterten darunter, ohne dass die durch die Öffnung eines Tunnels kommenden Wagen wirklich anhielten.

Die drei kühnen Reisenden stiegen ein, Virginia als Erste, gefolgt von Carmen, und schließlich kam Bert, und ehe sie sich versahen, wurde es dunkel. Musik erklang, und ein Sprecher hieß sie im Amerika des Jahres 1960 willkommen. Die Stimme war so klar, als säße er bei ihnen im Wagen.

Eine Stadt erschien vor ihnen, eine Miniaturwelt, die bis an den Horizont reichte. Wie Trophäen standen Wolkenkratzer in der Mitte, und einige von ihnen waren durch Brücken miteinander verbunden. Der Sprecher erklärte, in ein paar Jahrzehnten schon würden amerikanische Städte auf ein perfektes Funktionieren hin konzipiert und gebaut werden. Die Highways würden voll mit modernen Automobilen sein, allesamt von GM, ohne dass es zu Stockungen oder Staus komme, der Himmel voll mit Flugzeugen, die Güter und Passagiere zu überall verstreuten Terminals brächten, bequem erreichbar wie die nächste Tankstelle. Das ganze Land werde mit Farmen, Häusern und Kraftwerken überzogen sein, um das amerikanische Volk 1960 mit allen notwendigen Lebensmitteln, mit Raum und Strom zu versorgen.

Die Häuser und Türme, Autos, Züge und Flugzeuge waren voller glücklicher, unsichtbarer Menschen, die das wilde Chaos der Vergangenheit bezwungen hatten. Sie hatten nicht nur herausbekommen, wie die Zukunft zu gestalten war, sondern auch, wie sich Seite an Seite darin leben ließ, friedlich.

Virginia saß gebannt auf ihrem Platz, während sich die Zukunft vor ihren Augen entfaltete. Carmen lächelte ihr zu und sah Bert an. Sie beugte sich zu ihm hin und flüsterte: »Dort wird sie einmal leben, und ihr gefällt, was sie sieht.«

Die Worte trafen Bert wie sanfte Küsse. Der Sprecher hatte eine Pause eingelegt, allein der anschwellende Saitenklang von Geigen und Cellos füllte ihre Kabine. Er roch Carmens Parfüm, den sanften mit Vanille gepaarten Fliederduft. Ihre Lippen verharrten nahe bei seiner Wange.

»Denken Sie, dass das alles so kommt?«, fragte Carmen leise. »So wie hier?«

Er suchte ihr von einer dunklen Locke ihres schwarzen Haares umgebenes Ohr und flüsterte: »Wenn es so kommt, wird es wundervoll.«

Als sie hinausgingen, hatten sich die Nachmittagsschatten verlängert. Auf der Bridge of Wheels überquerten sie den Grand Central Parkway, und Virginia verkündete, dass sie 1960 dreißig werde. »Ich wünschte, ich könnte in eine Zeitmaschine springen, direkt dorthin!«

Bert sah auf seine Uhr. Es war vier vor sechs. Bisher hatte er um diese Zeit im Taxi gesessen und war auf dem Weg zurück zu Zimmer 1114. Um sieben war er ausgezogen, hatte alle Dinge abgelegt, die ihm für sein Abenteuer zur Verfügung gestellt worden waren, die Ringe und die Uhr, hatte sich in den Kompressionsanzug gezwängt und lag auf dem genau ausgerichteten Bett für die Progression hinaus aus dem Jahr 1939. Er sollte jetzt auf der Stelle gehen. Der Taxistand befand sich direkt vor dem Tor auf der anderen Seite von Chrysler Motors. Doch stattdessen fragte er Carmen, wann die Show der Fountains of Light anfangen würde.

»Erst wenn es dunkel ist«, sagte sie. »Hey, da Sie sich nun in Gesellschaft zweier VIPs befinden, darf ich Sie vielleicht zu einem Kuchen einladen?«

»Zufällig liebe ich Kuchen.«

»Gehen wir zu Borden's!«, sagte Virginia. »Besuchen wir Elsie, die Kuh.«

Bei Kaffee und Kuchen erfuhr er wieder einiges über Carmen und ihre Nichte, den Radioklub und die Mitbewohnerinnen in der East 38th Street. Alles war genau wie beim letzten Mal, doch dann nahm die Vergangenheit eine andere Wendung.

»Gibt es einen besonderen Menschen in Ihrem Leben, Mr Allenberry?«

Bert sah Carmen in die Augen. Umgeben von Borden's Food Court, schienen sie noch grüner geworden zu sein.

»Sie meint, ob Sie verheiratet sind!«, stichelte Virginia.

»Virginia! Entschuldigen Sie, Mr Allenberry. Ich möchte nicht zudringlich sein, doch ich sehe, dass Sie keinen Ring tragen, und ich dachte gerade, nun, ein Mann wie Sie *muss* doch jemanden haben.«

»Das denke ich auch immer«, sagte Bert sehnsüchtig. »Ich werde wohl ewig suchen, nehme ich an.«

»Ihr Junggesellen habt so ein Glück. Ihr könnt warten und warten, bis ihr das richtige Mädchen kennenlernt, ohne dass jemand was dazu sagt.« Sie ratterte die Namen von Filmstars und Sportlern herunter, die noch nicht verheiratet waren, Namen, die Bert nicht kannte. »Aber wir Frauen? Wenn wir zu lange warten, werden wir alte Jungfern.«

»Mama sagt, wenn du nicht bald einen Mann findest, bleibt keiner für dich übrig!«, kicherte Virginia. »Du bist fast *siebenundzwanzig!*«

»Sei still«, zischte Carmen, langte mit ihrer Gabel über den Tisch und stibitzte ihr das beste Stück Kuchenkruste.

»Du gemeines Biest!«, lachte Virginia.

Carmen betupfte sich die Lippen und lächelte Bert an. »Es stimmt, ich bin das letzte Huhn im Stall.«

»Wie alt sind Sie, Mr Allenberry?«, fragte Virginia. »Ich nehme an, Sie haben dasselbe Alter wie Mr Lowenstein, mein Schulrektor. Er ist fast vierzig. Sind Sie schon vierzig?«

»Junge Dame, ich werfe dich gleich in die Lagune der Nationen! Mr Allenberry, entschuldigen Sie. Meine Nichte muss noch lernen, taktvoll zu sein. Vielleicht schafft sie es ja bis 1960.«

Bert lachte. »Ich bin wie deine Tante Carmen. Der letzte Hahn im Stall.«

Darüber lachten alle. Carmen streckte die Hand aus und griff sein Handgelenk. »Sind wir nicht zwei?«, sagte sie.

Bert hätte sich jetzt entschuldigen sollen. Es war nach sechs. Wenn er ein Taxi bekam, konnte er es gerade noch rechtzeitig für die Progression in Zimmer 1114 schaffen. Aber das heute war sein letzter Tag mit Carmen. Er würde die Frau im grünen Kleid nie wiedersehen.

Nun, Bert Allenberry *war* ein kluger Mann, viele sagen, ein Genie. Seine Erfindung des Shuffle-Access Digital Valve-Relays hatte die Welt verändert und ihm die uneingeschränkte Aufmerksamkeit auf Tagungen mit den einflussreichsten Menschen in Davos, Wien, Abu Dhabi und Ketchum, Idaho, verschafft. Ganze Anwaltteams folgten seinen Weisungen, Forscher und Entwickler ließen seine grillenhaften Einfälle Wirklichkeit werden. Sein Vermögen war größer als das Bruttosozialprodukt der meisten Länder dieser Welt, einschließlich einiger, in denen ihm Fabriken gehörten. Er hatte so viel für wirklich gute Zwecke gespendet, und sein Name stand auf Gebäuden, die er noch nicht einmal gesehen hatte. Er hatte alles, was ein Mann, ein sehr reicher Mann, haben konnte, brauchte, wollte.

Ausgenommen natürlich Zeit.

Laut Chronometric Adventures hatte er zweiundzwanzig Stunden am 8. Juni 1939, während deren er tun könne, was er wolle. Aber jetzt wollte er *noch ein bisschen* bleiben. Es musste doch etwas Spielraum geben, oder? Schließlich konnte die Progression, oder war es die Reprogression?, er war da nie sicher, erst anfangen, wenn sich all seine Atome und Moleküle im Zimmer 1114 des Lincoln Hotel an der Eighth Avenue befanden. Er wusste, warum Chronometric Adventures seine Modalitäten hatte – um sich abzusichern! Warum *musste* er auf die Sekunde genau in dem engen Kompressionsanzug auf dem Bett liegen? War er das Aschenputtel auf dem Ball? Warum konnte er nicht, sagen wir, gegen

Mitternacht in das Gummidings schlüpfen und *wusch!*, davonfliegen? Was würde das schon machen?

»Hast du die Zeitkapsel gesehen?«, fragte er Virginia.

»Ich habe in der Schule davon gelesen. Sie ist für die nächsten fünftausend Jahre vergraben worden.«

»Was in ihr drin ist, zeigen sie im Westinghouse Building, und Electro, den Roboter. Weißt du, was Fernsehen ist? Das musst du sehen.« Bert stand auf. »Sollen wir ins Westinghouse gehen?«

»Ja, doch!« Carmens Augen lächelten wieder.

Die Zeitkapsel war mit lächerlichen Dingen gefüllt, mit Mickey-Mouse-Comics, Zigaretten und ganzen Buchreihen auf Mikrofilm.

So beeindruckend die Zeitkapsel und Electro waren – es war das Fernsehen, was Virginia komplett begeisterte. Sie konnte ihre Tante und Mr Allenberry auf einem kleinen Bildschirm sehen, in Schwarz-Weiß, fast als wären sie Filmstars, wenn ihre Bilder auch klein waren und der Bildschirm in einem Schränkchen nicht größer als ein Radio. Die beiden standen in einem anderen Raum, vor einer Kamera, wie sie noch nie eine gesehen hatte, und waren doch da vor ihr auf dem Bildschirm. Es war faszinierend. Als sie die Plätze tauschten, winkte Virginia und sagte ins Mikrofon: »Ich bin's, im Fernsehen, sage von *hier* Hallo!, und ihr könnt mich *dort* sehen.«

»Sieh dich nur an!«, sagte Carmen. »Du bist so hübsch! Und so erwachsen! Oh, Bert!« Sie wandte sich ihm zu. »Das sollte unmöglich sein, aber da ist sie!«

Bert sah nicht Virginia auf dem Bildschirm an, sondern Carmen und freute sich, dass er nicht länger Mr Allenberry war.

Er blickte auf die Uhr, es war sechs Minuten nach sieben. Die Frist war abgelaufen, die zweiundzwanzig Stunden waren vorbei, und sieh mal einer an, es *gab* einen Spielraum!

Sie gingen in die Gebäude von DuPont, Carrier und den Petroleum Industries, doch niemand kam mit seinen Exponaten an das Fernsehen heran. Das Glass Building, American Tobacco und Continental Baking, alles diente nur dazu, die Zeit totzuschlagen. Je länger sie umherliefen, desto näher rückten Dunkelheit und Light-Show.

Nachdem sie sich in der Academy of Sports Filme mit Wasserskifahrern angesehen hatten, kaufte er ihnen Eisbecher, die sie mit kleinen hölzernen Löffelchen aßen.

»Von hier aus sehen wir uns die Show an!« Virginia besetzte eine Bank für sie. Im dunkler werdenden Indigoblau des Abends reichte ihr Blick von der Lagune bis hinüber zum gigantisch großen George Washington, der vor der Perisphere aufwuchs und auf die große Nation herabblickte, deren Vater er war. Die Nacht brach herein, und die Ausstellungsgebäude wurden zu hell leuchtenden Umrissen im sich vertiefenden Dunkel. Die Wolkenkratzer Manhattans erhellten den Horizont, und die illuminierten Bäume auf dem Ausstellungsgelände schienen aus sich heraus zu strahlen, mit ihrem eigenen inneren Licht.

Bert Allenberry wünschte sich, dass dieser Moment nie vorübergehen und es auf ewig so bleiben würde. Er wollte neben Carmen an der Lagune der Nationen sitzen, dem Gemurmel der Ausstellung lauschen und den Duft von Flieder und Vanille in der warmen Luft des Jahres 1939 spüren.

Als Virginia ihre Eiskrembecher einsammelte und zu einem Abfalleimer trug, waren Bert und Carmen zum allerersten Mal allein. Er nahm ihre Hand.

»Carmen«, sagte er. »Das war ein vollkommener Tag.«

Carmen sah ihn an. Oh, diese haselnussgrünen Augen. »Nicht wegen des Futuramas oder des Fernsehens.«

»Wegen Elsie, der Kuh?«, fragte Carmen und schnappte lächelnd nach Luft.

»Würden Sie mir erlauben, Sie und Virginia nach Hause zu bringen, wenn die Ausstellung schließt?«

»Oh, das könnte ich nicht. Meine Schwester wohnt zu weit oben in der Bronx.«

»Wir nehmen ein Taxi. Dann kann ich Sie an Ihrer Wohnung absetzen, in der East 38th Street.«

»Das wäre sehr nett von Ihnen, Bert«, sagte Carmen.

Bert wollte Carmen in seinen Armen halten, sie küssen, vielleicht hinten im Taxi auf der East 38th Street. Oder im Zimmer 1114. Am liebsten jedoch im hundertsten Stock seines Gebäudes in der Fifth Avenue 909.

»Ich bin froh, dass ich heute auf die Ausstellung gekommen bin.« Bert lächelte. »Und Sie kennenlernen durfte.«

»Ich bin auch froh«, flüsterte Carmen. Ihre Hand blieb in seiner.

Musik erklang aus den rund um die Lagune der Nationen versteckten Lautsprechern, und Virginia kam genau in dem Moment zurück zur Bank gerannt, als die Springbrunnen Wasser in den Himmel schossen. Scheinwerfer verwandelten die Geysire in Säulen aus flüssiger Farbe. Die Besucher der Ausstellung blieben stehen und sahen staunend zu. Projektoren verwandelten die Perisphere in einen lumineszierenden Wolkenball.

»Wow!« Virginia fand es wunderbar.

»So schön«, sagte Carmen.

Die ersten Feuerwerke schossen in den Himmel, erblühten zu Kometenkaskaden und verblichen in Rauch.

In diesem Moment spürte Bert einen Kugelhammer auf

seine Stirn schlagen. Seine Augen trockneten schmerzhaft aus und juckten fürchterlich. Aus Nase und Ohren rann Blut. Seine Beine wurden taub, sein unterer Teil schien sich von den Hüften zu lösen, und ein heißer, sengender Schmerz schoss ihm durch die Brust, als sich die Moleküle seiner Lunge voneinander zu trennen begannen. Er hatte das Gefühl zu fallen.

Das Letzte, was er hörte, war Virginias Schrei: »Mr Allenberry!« Das Letzte, was er sah, war die Angst in Carmens haselnussfarbenen Augen.

Geh zu Costas

Ibrahim hatte Wort gehalten. Für den Preis einer Flasche Johnnie Walker Red Label hatte er Assan zwei besorgt, höchstwahrscheinlich gestohlen, aber das war ihnen egal, allen beiden. In jenen Tagen war amerikanischer Schnaps wertvoller als Gold, sogar noch wertvoller als amerikanische Zigaretten.

Die beiden Flaschen klackerten in seinem Rucksack, während Assan in seinem fast neuen blauen Nadelstreifenanzug die zahllosen Tavernen rund um den Hafen von Piräus nach dem Chef der *Berengaria* durchsuchte. Es war bekannt, dass der Chef den Geschmack und die Wirkung von Johnnie Walker Red Label zu würdigen wusste. Und es war auch bekannt, dass die *Berengaria* Fracht nach Amerika brachte.

Assan fand ihn in der Taverne Antholis, wo er seinen Morgenkaffee zu genießen versuchte. »Ich brauche nicht noch einen Heizer«, sagte er zu Assan.

»Aber ich kenne mich mit Schiffen aus. Ich spreche viele Sprachen und bin geschickt mit den Händen. Und ich gebe nie an.« Assan lächelte über seinen kleinen Witz. Der Chef nicht. »Sie können alle auf der *Despotiko* fragen.«

Der Chef winkte dem Kellner, damit er ihm noch einen Kaffee brächte.

»Du bist kein Grieche«, sagte er zu Assan.

»Bulgare«, erklärte Assan.

»Was ist das für ein Akzent, mit dem du sprichst?« Im

Krieg hatte der Chef viel mit Bulgaren zu tun gehabt, aber der hier hatte einen komischen Tonfall.

»Ich komme aus den Bergen.«

»Ein Pomake?«

»Ist das was Schlimmes?«

Der Chef schüttelte den Kopf. »Nein, die Pomaken sind ruhig und zäh. Der Krieg hat ihnen übel mitgespielt.«

»Der Krieg hat allen übel mitgespielt«, sagte Assan.

Der Junge brachte den zweiten Kaffee. »Wie lange warst du auf der *Despotiko*?«, fragte der Chef.

»Sechs Monate, bis jetzt.«

»Du willst, dass ich dich anheuere, damit du in Amerika an Land verschwinden kannst.« Der Chef war kein Idiot.

»Ich möchte, dass Sie mich anheuern, weil Ihr Schiff mit Diesel fährt. Da überprüft der Heizer die Blasen im Schlauch, das ist alles. Er muss keine Kohle schaufeln. Wenn Sie zu lange schaufeln, können Sie eines Tages nichts anderes mehr.«

Der Chef steckte sich eine Zigarette an, ohne auch Assan eine anzubieten. »Ich brauche keinen weiteren Heizer.«

Assan griff in den Rucksack zwischen seinen Füßen, zog mit jeder Hand eine Flasche Johnnie Walker Red Label heraus und stellte sie neben den Morgenkaffee des Chefs. »Hier. Ich bin es leid, sie mit mir herumzuschleppen.«

Nach drei Tagen auf See begann die Mannschaft, dem Chef Ärger zu machen. Der zypriotische Steward hatte ein krankes Bein und räumte nach dem Essen nicht schnell genug auf. Seemann Sorianos war ein Lügner, der behauptete, er hätte die Speigatts überprüft, obwohl er es nicht getan hatte. Iasson Kalimeris war von seiner Frau verlassen worden, erneut, was ihn zu einem noch größeren Hitzkopf machte. Jedes Gespräch mit ihm endete im Streit, selbst wenn es um ein Dominospiel ging. Assan dagegen bereitete dem Chef keine Sorgen. Nie stand er mit einer Zigarette zwischen den Lippen tatenlos herum, sondern wischte immer irgendwelche Ventile ab oder ging mit der Drahtbürste auf Rostflecken los. Beim Karten- und Dominospiel bewahrte er Ruhe, und vielleicht das Beste von allem war, dass er dem Kapitän aus den Augen blieb. Der Kapitän sah alles, das wusste der Chef. Assan sah er nicht.

Hinter Gibraltar ging es auf den rauen Atlantik. Auf See stand der Chef morgens immer früh auf und machte einen Rundgang über die *Berengaria*, um nach möglichen Problemen Ausschau zu halten. Auch heute stieg er wie gewohnt zur Brücke hinauf, da es dort immer Kaffee gab, und arbeitete sich anschließend Deck für Deck nach unten. Alles lief gut, bis er in den Maschinenraum kam, wo Bulgarisch gesprochen wurde.

Assan war auf den Knien und massierte die Beine eines am Schott lehnenden Mannes, eines Mannes schwarz von öligem Schmier, dem die feuchten Kleider auf der Haut klebten.

»Es geht wieder. Lass mich, ich muss mich dehnen«, sagte der verdreckte Mann und machte ein paar wacklige Schritte über das stählerne Deck. Auch er sprach Bulgarisch. »Ah, das tut gut.« Er trank gierig aus einer Flasche Wasser und schlang eine dicke Scheibe Brot herunter, die in ein Halstuch gewickelt gewesen war.

»Wir sind jetzt auf dem Ozean«, sagte Assan.

»Das habe ich gespürt. Das Schiff, wie es schaukelt.« Der Mann schluckte das letzte Stück Brot herunter und trank mehr Wasser. »Wie lange noch?«

»Zehn Tage vielleicht.«

»Ich hoffe, weniger.«

»Du gehst besser wieder rein«, sagte Assan. »Hier, deine Dose.«

Assan gab ihm eine leere Keksdose und bekam dafür eine Kaffeedose, in der jetzt aber, der Chef konnte es riechen, Fäkalien waren. Assan legte das Halstuch darüber und gab dem Mann auch noch eine verkorkte Flasche Wasser, worauf der zurück in ein Loch kroch, eine schmale Öffnung im Deck, wo eine Platte entfernt worden war. Mit einiger Mühe drückte sich der dreckige Mann dort hinein und war auch schon verschwunden. Assan benutzte eine Stange, um die Stahlplatte zurück an ihren Platz zu befördern wie ein Puzzleteil.

Der Chef berichtete dem Kapitän nicht, was er gesehen hatte. Stattdessen ging er zurück in seine Kabine und betrachtete die beiden Flaschen Johnnie Walker Red Label, eine für Assan, die andere für seinen Freund, der sich in dem halben Meter Raum unter dem stählernen Deck versteckte. Auf Schiffen nach Amerika waren blinde Passagiere nichts Ungewöhnliches, und das Leben war leichter, wenn niemand etwas sah und keine Fragen gestellt wurden. Natürlich wurde deshalb manchmal ein voller Sarg bei der Ankunft entladen.

Ach, die Welt war ein Schlamassel. Aber nicht mehr ganz so ein Schlamassel, als er einen Schluck aus der ersten offenen Flasche genommen hatte. Wenn jemand den dreckigen Mann im schwarzen Raum zwischen den Decks erwischen sollte, würde es ein fürchterliches Theater geben, und dazu der ganze Papierkram, der dann auf den Kapitän zukam. Es lag an Assan. Wenn der Kapitän nichts davon erfuhr, nun, dann erfuhr er nichts davon.

Zwei Stürme verlangsamten die Fahrt der *Berengaria*, und dann musste das Schiff noch zwei Tage vor Anker draußen warten, bis der Hafenlotse endlich die Lotsenleiter heraufkam und auf die Brücke ging, um das Schiff in den Hafen zu steuern. Es war Nacht, als die *Berengaria* schließlich am Kai vertäut wurde, als ein Schiff von so vielen. Der Chef sah Assan an der Reling, wie er hinüber zur Skyline der fernen Stadt sah.

»Das ist Philadelphia, in Pennsylvania. Amerika.«

»Wo ist Chi-ca-go?«, fragte der Bulgare.

»Weiter weg von Philadelphia als Kairo von Athen.«

»So weit? Heilige Scheiße.«

»Philadelphia sieht wie das Paradies aus, was? Aber wenn wir in New York City anlegen, siehst du eine richtige amerikanische Stadt.«

Assan steckte sich eine Zigarette an und hielt auch dem Chef eine hin.

»In Amerika gibt's bessere.« Der Chef rauchte und betrachtete den Bulgaren, der ihm keinerlei Probleme bereitet hatte, nicht ein einziges. »Morgen durchsuchen sie das Schiff.«

»Wer?«

»Amerikanische Bullen. Sie durchkämmen das Schiff von oben bis unten und suchen nach blinden Passagieren. Kommunisten.«

Beim Wort »Kommunisten« spuckte Assan über die Reling.

»Sie zählen die Mannschaft«, fuhr der Chef fort. »Wenn die Zahl nicht stimmt, gibt es Ärger. Wenn sie nichts finden, laden wir aus und fahren nach New York. Da gehe ich mit dir zum Rasieren. Das können sie da besser als die Türken.«

Assan sagte eine Weile lang nichts. »Wenn es hier auf dem

Schiff Kommunisten gibt, hoffe ich, sie finden sie«, sagte er und spuckte noch mal über die Reling.

———

Assan lag auf seiner Koje und tat so, als schliefe er, während andere Mannschaftsmitglieder kamen und gingen. Um vier Uhr morgens zog er sich leise an und schlüpfte auf den Gang hinaus, blickte um jede Ecke und versicherte sich, dass ihn niemand sah. Er ging hinunter in den Maschinenraum, hebelte die stählerne Deckplatte mit der Stange auf und schob sie zur Seite.

»Es ist so weit«, sagte Assan.

Ibrahim krabbelte aus dem Loch. Seine Ellbogen und Knie waren wund und blutig gerieben von der Zeit in dem niedrigen, dunklen Raum zwischen Deckplatten und Rumpf. Wie lange war er da unten gewesen? Achtzehn Tage? Zwanzig? War das wichtig? »Lass mich meine Dose holen«, flüsterte Ibrahim mit krächzender Stimme.

»Lass sie. Wir gehen. Jetzt.«

»Eine Sekunde bitte, Assan. Meine Beine.«

Assan massierte Ibrahims Beine, so lange er sich traute, dann half er seinem Freund auf. Ibrahim hatte jeden Tag immer nur ein paar Minuten gestanden. Sein Rücken schmerzte fürchterlich, und seine Knie zitterten.

»Wir müssen gehen«, sagte Assan. »Folge mir mit zwei Meter Abstand. An den Ecken warten wir kurz. Wenn du mich mit jemandem reden hörst, versteck dich, wo es gerade geht.«

Ibrahim nickte und folgte mit kleinen Schritten.

Eine Leiter führte zu einer Luke und in einen Raum, der zu einer weiteren Luke führte, einem weiteren Gang und einer weiteren Leiter. Oben gab es noch einen Gang und noch eine Leiter, wobei das eher eine Treppe war. Assan zog an einer schweren Stahltür, die sich nach innen öffnete und so offen stehen blieb. Ibrahim roch zum ersten Mal wieder frische Luft. Einundzwanzig Tage lang hatte er sich unter der Stahlplatte des Decks unten versteckt, so lange hatte es gedauert, bis die *Berengaria* aus Piräus hier angelegt hatte.

»Alles okay«, flüsterte Assan.

Ibrahim trat durch die Tür und war endlich draußen. Die Nacht war ein Segen, da sich seine Augen erst wieder ans Licht gewöhnen mussten. Die Luft war warm. Sommerluft. Sie standen an der Backbordreling, auf der vom Kai abgewandten Seite, zwölf Meter unter ihnen war das Wasser. Stunden zuvor hatte der pomakische Heizer des Schiffs ein Seil, eines der vielen an Deck, an die unterste Sprosse der Reling geknotet. »Klettere da runter, schwimm an den Kai, und such dir eine Stelle, wo du raufkannst.«

»Ich hoffe, ich kann noch schwimmen«, sagte Ibrahim. Er lachte, als wäre das ein guter Witz.

»Ganz in der Nähe ist ein Gebüsch. Versteck dich da, bis ich morgen komme.«

»Was, wenn da Hunde sind?«

»Freunde dich mit ihnen an.« Da musste Ibrahim noch mal lachen und kletterte über die Reling, das Seil in den Händen.

———

Der Chef war beim Kapitän auf der Steuerbordseite des Ruderhauses, und sie tranken ihren Morgenkaffee. Die Schauerleute hatten den Großteil der Ladung gelöscht. Auf den Kaianlagen wurden Lastwagen von Kränen beladen, überall waren Hafenarbeiter.

»Wir gehen ins Waldorf«, sagte der Kapitän, als der Chef

sah, wie Assan die Gangway vom Schiff hinunterging, den Rucksack, in dem die beiden Flaschen Johnnie Walker Red Label gewesen waren, auf dem Rücken und ein Paket unter dem Arm. Mannschaftsmitglieder kamen mit Paketen zurück aufs Schiff, Paketen voller Dinge, die man nur in Amerika kaufen konnte. Assan trug eines an Land.

»Da gibt's solche Steaks.« Der Kapitän zeigte mit den Fingern, wie dick sein Steak sein würde. »Das Waldorf Astoria Hotel. Die haben Steaks.«

»Da ist es gut«, sagte der Chef, als Assan zwischen ein paar Büschen verschwand.

————

Assan fand keine Spur von Ibrahim und sorgte sich, dass die amerikanischen Bullen das Gebüsch nach Kommunisten und nicht gezählten Köpfen ohne Papiere durchsucht hatten. Da er ihn nicht rufen wollte, heulte er wie ein Hund. Er hörte einen Hund antworten, aber es war Ibrahim, der mit freiem Oberkörper aus den Büschen kam und seine verschmierten Schuhe in der Hand hielt.

»Wer ist ein großer Hund?«, fragte er lächelnd.

»Hast du die Nacht gut überstanden?«

»Ich habe mir ein Bett aus Schilf gebaut«, sagte Ibrahim. »So weich. Und es ist nicht richtig kalt geworden.«

Assan öffnete das Päckchen, in dem etwas zum Anziehen, Seife und Rasierzeug waren. Und eine zusammengefaltete, mit einer Schnur umwickelte Zeitung. In ihr war Ibrahims Anteil Drachmen von dem Geld, das die beiden Männer bei ihren verschiedenen Jobs in Griechenland hatten sparen können. Ibrahim steckte die Scheine ein, ohne nachzuzählen. »Wie viel wird der Zug nach Chie-ca-go kosten, Assan?«

»Wie teuer ist es von Athen nach Kairo? Such einen Geldwechsler am Bahnhof.«

Nachdem Ibrahim gegessen und sich gewaschen hatte, setzte Assan seinen Freund auf einen Stein und rasierte ihn, da es keinen Spiegel gab, vor dem er es selbst hätte tun können.

———

Von der Brücke suchte der Chef mit einem Fernglas die Büsche ab. In einer Lücke zwischen wehenden Ästen sah er, wie Assan das Gesicht eines Mannes rasierte, den er nicht erkannte. Ein Problem hatte das Schiff verlassen, ohne dem Kapitän Gedanken zu bereiten. Und ein Sarg war auch nicht gebraucht worden. Assan war ein cleverer Pomake.

———

Während sich Ibrahim mit einem nassen Kamm durch die Haare fuhr, versuchte Assan, die Schuhe seines Freundes zu putzen. »Besser geht's nicht«, sagte er und gab sie ihm.

Ibrahim fasste in seine Tasche, holte eine einzelne Drachme hervor und klatschte sie seinem Freund in die Hand. »Hier. Für ein Paar perfekt geputzter Schuhe.« Assan verbeugte sich, und die beiden Männer lachten.

Sie gingen zum Ende der Hafenanlagen und vermochten sich in den Strom der Kommenden und Gehenden einzureihen. Sie sahen riesige Wagen, Zugmaschinen groß wie Häuser mit laut knirschendem Getriebe, die schwere Lasten zogen, und Schiffe, Schiffe, manche größer und neuer als die *Berengaria*, andere verrostete Eimer. Männer aßen Brötchen mit einer Wurst darin, und oben an einem Verkaufsstand hing ein Schild, das Assan buchstabierte. Er hatte die amerikanischen Buchstaben gelernt: H-O-T-D-O-G-S. Beide Bul garen waren hungrig, aber sie hatten kein amerikanisches Geld. Am Ende der Hafenanlage war ein Tor mit einem Wächter in einem Büro. Die Amerikaner liefen daran vorbei, ohne ihm irgendwelche Beachtung zu schenken.

»Assan, eines Tages sehe ich dich in Chie-ca-go wieder«, sagte Ibrahim. Dann auf Englisch: »*Tänk ju berri mitsch.*«

»Ich hab nur deine Scheiße weggebracht«, sagte Assan. Er nahm sich eine Zigarette, gab Ibrahim das Päckchen und rauchte, während er seinem Freund hinterhersah, der aufs Tor zusteuerte und mit einem Nicken am Wächter vorbeiging. Er verschwand die Straße hinunter in Richtung der Skyline von Philadelphia.

———

Assan kehrte aufs Schiff zurück, war den ganzen Morgen über beschäftigt und kam erst gegen Ende des Essens zur Kombüse, als nur noch ein paar Mannschaftsmitglieder dahockten. Er nahm sich, was an Brot, Gemüse und Suppe übrig war, und setzte sich an einen der Tische. Der Zyprer mit dem lahmen Bein brachte ihm einen Kaffee.

»Zum ersten Mal in Amerika?«, fragte er Assan.

»Ja.«

»Amerika ist das Beste, ich sag's dir. New York, New York hat alles, was du dir wünschst. Warte nur, bis du es siehst.«

»Die Bullen. Wann kommen sie an Bord?«, fragte Assan.

»Welche Bullen?«

»Die Amerikaner, die das Schiff durchsuchen. Nach Roten. Und ein Riesentheater machen.«

»Wovon, verdammt, redest du?«

»Sie kontrollieren, ob wir so viele sind, wie in den Büchern steht, oder? Der Chef hat's gesagt. Bullen kommen und durchsuchen das ganze Schiff.«

»Wonach?« Der Zyprer ging und holte sich auch selbst einen Kaffee.

»Sie überprüfen unsere Papiere, oder? Stellen uns in eine Reihe und überprüfen unsere Papiere?« Assan hatte sich so oft aufstellen müssen, damit sie seine Papiere überprüfen konnten, da schien es nur normal, dass er es in Amerika auch musste.

»Der Kapitän kümmert sich um den Scheiß.« Der Zyprer trank die Hälfte seines Kaffees mit einem Schluck. »Hey, ich kenne einen Puff in New York City. Nimm Geld mit, und ich besorg uns zwei Hübsche.«

———

Zu Hause in seinem Dorf hatte Assan Schwarz-Weiß-Filme auf einer weißen Wand flimmern sehen. Manche kamen aus Amerika, mit Cowboys auf Pferden und Pistolen, aus denen lange Rauchfahnen wehten. Am besten hatte ihm eine Wochenschau gefallen, in der Fabriken und Bauplätze zu sehen waren und wie sie ein Haus bis hoch in den Himmel bauten, in einer Stadt namens Chicago. In Chicago gab es viele hohe Häuser, und die Straßen waren voller schwarzer Limousinen.

Aber New York, New York sah aus wie eine Stadt ohne Ende, warf einen Lichtschleier in die Nacht, der die niedrig hängenden Wolken golden verfärbte und das Wasser wie farbigen Rauch schimmern ließ. Ein heißer Wind wehte, als das Schiff langsam den breiten Fluss hinaufsteuerte und die Stadt wie ein glitzernder Juwelenvorhang an ihnen vorbeizog, eine geballte Masse aus Millionen erleuchteter Fenster, strahlender Türme wie von Burgen, dazu die Lichterpaare zahlloser Autos, die wie Insekten in alle Richtungen surrten. Assan stand an der Reling, der Wind blähte ihm die Kleider, und er sperrte Mund und Augen auf.

»Heilige Scheiße«, sagte er zu New York, New York.

———

Am Morgen kam der Chef zu ihm in den Maschinenraum. »Assan, zieh deinen gestreiften Anzug an. Ich lass mich rasieren.«

»Ich habe zu tun.«

»Ich sage, hast du nicht, und ich bin der Chef. Komm schon. Und lass dein Geld hier, damit du nicht gleich am ersten Tag von Taschendieben ausgenommen wirst.«

Autos flogen die Straßen hinunter, viele von ihnen gelb mit aufgedruckten Worten auf den Seiten. Mit quietschenden Reifen hielten sie an den Straßenecken, Leute stiegen aus und andere ein. Lichter in auf Pfählen gebauten Kisten leuchteten rot, grün, dann orange, wieder und wieder. Überall standen Schilder, an Pfählen, Wänden und in Fenstern. So viele waren es, dass Assan stehen blieb und die Buchstaben zu entziffern versuchte. Reich aussehende Amerikaner eilten vorbei, und die, die nicht so reich schienen, hatten es ebenfalls eilig. Drei schwarze Männer, deren Muskeln die schweißgefleckten Hemden dehnten, schafften eine große Holzkiste die Treppe hinauf in ein Haus. Geschrei war zu hören, Musik, Motorenlärm und Radiostimmen kamen von überall.

Ein Mann röhrte so schnell auf einem motorisierten Zweirad vorbei, fast hätte er Assan und den Chef erwischt, als sie die breite Straße überqueren wollten. In der Wochenschau hatte Assan Polizisten auf großen motorisierten Zweirädern gesehen, aber der junge Bursche war doch kein

Polizist. Durften in Amerika alle mit solchen Dingern fahren?

Sie kamen an einem Kiosk vorbei, der Zeitungen und Zeitschriften, Süßigkeiten, Kämme, Stifte und Feuerzeuge verkaufte. Zwei Minuten später war da noch einer mit den gleichen Sachen. Wie sich herausstellte, gab es diese Kioske überall. Ein Strom sich voranbewegender Automobile, Menschen, übervoller Busse, Lastwagen und sogar Pferdegespanne floss die bis ans Ende des Gesichtsfelds reichenden Straßen entlang.

Der Chef ging schnell. »In New York, New York musst du gehen, als kämst du zu spät zu einer wichtigen Besprechung, oder Diebe nehmen dich ins Visier.« Sie überquerten Straße um Straße und bogen um viele Ecken. Assan hatte sich sein blaues Nadelstreifenjackett über den Arm gelegt. Er schwitzte, und ihm war schwindelig. Da war zu viel Amerika in seinem Kopf.

Der Chef blieb an einer Ecke stehen. »Lass mich mal sehen. Wo sind wir jetzt?«

»Das wissen Sie nicht?«

»Ich überlege nur, wie wir von hier am besten weitergehen.« Der Chef ließ den Blick schweifen und entdeckte etwas, das ihn lachen ließ. »Sieh dir das an!«

Assan legte den Kopf in den Nacken und blickte hoch zu einem Fenster in einem der oberen Stockwerke eines Gebäudes. Er sah eine Flagge, die wie ein Schild dort hing, die blauweiße Flagge Griechenlands mit dem Kreuz für die Kirche und den Streifen für Meer und Himmel. Ein Mann in Hemdsärmeln und mit gelockerter Krawatte stand am Fenster, rief etwas in ein Telefon und wedelte mit einer Zigarre.

»Wir Griechen sind überall, was?« Der Chef lachte wieder und hielt eine Hand in die Höhe. »Sieh mal. New York,

New York ist eine leicht zu begreifende Stadt. Es ist geformt wie deine Hand. Die durchnummerierten Avenues verlaufen von den Fingerspitzen zum Handgelenk. Die ebenfalls durchnummerierten Straßen reichen quer über die Hand, und der Broadway ist die Lebenslinie und führt schräg hindurch. Die zwei Mittelfinger sind der Central Park.«

Assan betrachtete seine eigene Hand.

»Die Schilder dort«, der Chef deutete auf zwei ein Kreuz bildende Schilder an einem Pfahl. »Sie sagen uns, dass wir uns an der Ecke Sechsundzwanzigste Straße und Siebte Avenue befinden. Das bringt uns etwa hierhin, okay?« Der Chef deutete auf den Plan seiner Hand. »Sechsundzwanzigste und Siebte. Verstanden?«

»Wie meine Hand. Heilige Scheiße.« Assan hatte das Gefühl, es zu kapieren. Sie gingen weiter die schattige Seite der Seventh Avenue hinauf und bogen um eine Ecke. Der Chef blieb vor ein paar Stufen stehen, die hinunter in einen Frisörladen führten.

»Da sind wir«, sagte er und ging hinein.

Es war ein Frisör nur für Männer, was ihn an den Frisörläden zu Hause im alten Land erinnern ließ. Alle sahen zum Chef und zu Assan herüber, als sie hereinkamen. Ein Radio spielte, aber keine Musik, sondern ein Mann redete und redete über den Lärm einer Menschenmenge hinweg. Manchmal grölte die Menge oder applaudierte. Die Regale im Laden standen voller Flaschen mit unterschiedlich gefärbten Flüssigkeiten. Es wurde geraucht, so viel, dass zwei Standaschenbecher mit Stummeln überquollen.

Der Chef sprach Englisch mit dem alten Frisör, es gab auch einen jüngeren, vielleicht den Sohn, und setzte sich auf einen Platz an der Seite. Assan nahm neben ihm Platz, lauschte dem Englisch und blätterte durch die Zeitschriften mit bewaffneten Ganoven und Frauen in engen Röcken. Es warteten noch drei Amerikaner, bis sich einer von ihnen zum zweiten Frisör auf einen großen, bequemen Sessel aus Leder und Stahl setzte. Ein Kunde zahlte, sagte etwas, das alle zum Lachen brachte, und ging die Stufen zur Straße hinauf. Als der nächste Kunde fertig war, sagte auch er etwas Witziges, gab dem Frisör ein paar Münzen und verschwand ebenfalls.

Der Chef setzte sich auf den großen Ledersessel und sagte einige Worte, dabei zeigte er auf Assan und schien etwas zu erklären. Der Frisör sah Assan an und sagte: »*Yoo betcha.*« Er breitete ein weißes Tuch über den Chef, steckte es im Nacken fest und rasierte ihn. Dreimal mit dem heißen Tuch, mit Schaum und Messer, so gründlich, wie es die Türken in Konstantinopel machten. Dann schnitt er dem Chef die Haare und rasierte ihn, wieder mit Schaum, um die Ohren und hinten im Nacken. Die Männer lachten und erzählten Geschichten, und der Chef redete so viel Englisch, dass er es flüssig beherrschen musste, dachte Assan. Die Amerikaner lachten und sahen Assan an, als ginge es bei den Witzen um ihn.

Als der Chef sauber war und nach würzigem Rasierwasser roch, bezahlte er den Frisör mit Papiergeld, sagte etwas auf Englisch und zeigte auf Assan. Der Frisör sagte wieder: »*Yoo betcha*« und winkte Assan zu seinem Stuhl.

Während er das Tuch um Assan legte, wandte sich der Chef auf Griechisch an ihn.

»Die Rasur ist umsonst. Ich habe bereits bezahlt. Und das ist für dich.« Der Chef gab ihm ein Bündel zusammengefaltetes Papiergeld.

»Amerikanisches Geld. Ein kluger Mann wie du bringt es zu was in Amerika. Viel Glück.« Das Letzte, was Assan

von ihm sah, waren seine Schuhe auf den Stufen hinauf zur
Straße.

———

Assan ging durch die Straßen, spürte sein glattes Gesicht
und roch das Rasierwasser, während die Sommernacht über
New York, New York hereinbrach und die Lichter eine neue
Wärme annahmen. Er sah so viele erstaunliche Dinge: ein
Fenster voll mit Grillhähnchen, die sich zu Dutzenden auf
mechanischen Spießen drehten, einen Mann, der aufziehbare
Spielzeugautos verkaufte, auf einer Holzkiste mit aufgena-
geltem Rand, damit sie nicht herunterrollten, und ein Restaurant mit einer Wand ganz aus Glas, in dem Amerikaner
an Tischen und auf Hockern an einer langen Theke saßen.
Kellnerinnen liefen zwischen ihnen hin und her, trugen Teller mit vollen Mahlzeiten und kleinere mit Kuchen und Gebäck. Assan kam an einer langen Treppe mit schmiedeeiser-
nem Geländer vorbei, die unter die Straße führte und die
voller sie hinauf- und hinuntereilender Leute war, keiner von
ihnen ein leichtes Ziel für Taschendiebe.

Die Häuser endeten, und auf der anderen Seite der stark
befahrenen Straße standen dicke Bäume. Assan schloss, dass
er bei den Mittelfingern angekommen und das der Central Park war. Er wusste nicht, wie er die breite Straße überqueren sollte, folgte dann aber einfach anderen Leuten, als
sie hinübergingen. Neben einer niedrigen, abgerundeten
Mauer stand ein Mann mit einem Wagen und verkaufte
H O T D O G S, und Assan war plötzlich sehr, sehr hungrig.
Er zog das Papiergeld, das der Chef ihm gegeben hatte, aus
der Tasche und fand einen Schein mit der Zahl 1 darauf. Er
gab ihn dem Mann, der ihm unablässig Fragen stellte, auf die
Assan nichts antworten konnte. Das Einzige, was er ver-

stand, war Coca-Cola, doch damit war sein Englisch auch schon erschöpft.

Der Mann reichte ihm ein Wurstbrötchen voll mit roter und gelber Soße und strähnigen, nassen Zwiebeln und dazu eine Flasche Coca-Cola. Dann gab er ihm eine Handvoll Münzen in drei verschiedenen Größen zurück, die Assan mit seiner freien Hand einsteckte. Er setzte sich auf eine Bank und aß ein äußerst köstliches Mahl. Die Flasche Coca-Cola war noch halb voll, als er zurück zu dem Mann ging und ihm die Münzen hinhielt. Der Mann nahm eine von den dünnsten und machte ihm ein weiteres reich beladenes Wurstbrötchen.

Die Sonne war untergegangen, der Himmel dunkel, und die Laternen beleuchteten die Wege des wundervollen Parks, durch den Assan ging, während er seine Coca-Cola austrank. Er sah Springbrunnen und Statuen. Er sah Männer und Frauen, Pärchen, die sich bei den Händen hielten und lachten. Eine reiche Dame führte einen winzigen Hund spazieren, den komischsten Hund, den Assan je gesehen hatte. Fast hätte er ihn aus Spaß angeheult, aber Assan dachte, vielleicht würde sich die reiche Dame dann bei einem Polizisten beschweren, und das Letzte, was er brauchen konnte, war ein Polizist, der seine Papiere sehen wollte.

Durch einen Seiteneingang, ein Tor in der Mauer, gelangte Assan zurück in die Stadt. Es war spät, Leute kamen über die Straße und gingen mit Decken und Kissen in den Park. Assan sah, dass sie nicht wie die reiche Dame mit ihrem Hund waren, sondern da kamen weiße, schwarze und braune Familien, kichernde Kinder und nach einem arbeitsreichen Tag müde aussehende Männer und Frauen. Auch Assan fühlte sich mit einem Mal fürchterlich müde. Er folgte einer Familie zurück in den Park und erreichte eine große Wiese, auf der die Leute bereits Decken ausbreiteten, um draußen in der heißen, feuchten Nacht zu schlafen. Einige lagen schon da, andere brachten ihre Kinder zum Schlafen und bauten sich kleine Lager am Rand der Wiese.

Assan fand eine Stelle mit weichem Gras, zog die Schuhe aus und benutzte sein Jackett als Kissen. Er hörte das Rauschen des fernen Verkehrs, hörte Männer leise mit ihren Frauen reden und schlief ein.

———

Assan wusch sein Gesicht in der öffentlichen Toilette eines steinernen Gebäudes. Er fuhr mit den Händen über Hose und Jackett und schlug sein schickes Hemd aus, zog sich wieder an und überlegte, wo er heute hingehen sollte.

Da fiel ihm der Mann ein, der in sein Telefon geschrien und den Chef zum Lachen gebracht hatte, der Mann am Fenster mit der griechischen Flagge. Wo war das wieder gewesen? Er betrachtete seine Hand, den Plan darin, und erinnerte sich, dass der Chef von der Siebenundzwanzigsten Straße und der Siebten Avenue gesprochen hatte. Assan wusste, wie er dort hinfand.

Niemand stand am Fenster an der Ecke Siebenundzwanzigste und Siebte, als Assan hinaufsah, aber die griechische Flagge hing noch da. Assan fand den Eingang und ein kleines Schild mit einer weiteren griechischen Flagge und den Worten, auf Griechisch: »Die Internationale Hellenische Gesellschaft«. Assan trat ein und stieg die Treppe hinauf.

Die Hitze draußen war bereits sehr groß, und auch im Büro war es brütend heiß, obwohl Tür und Fenster leicht aufstanden. Assan hörte Musik, eine langsame Melodie mit einer Stimme, die einzelne Worte wiederholte. *Ah ... ah ... ah ... Leertaste ... ess ... ess ... ess ... Leertaste*, und auf jedes Wort folgte das Klacken einer Schreibmaschine. *Deh ...* *klack ... deh ... klack ... deh ... klack.* Von der Tür aus sah Assan nur einen unaufgeräumten Schreibtisch und ein paar Sessel.

Eff ... klack ... eff ... klack ... eff ... klack ... Leer-stelle ... klonk. Assan trat ein. Eine junge Frau saß in einem schmalen Büro, vor ihr auf einem winzigen Tisch stand eine kleine Schreibmaschine. Sie konzentrierte sich auf die Finger der linken Hand und drückte die Tasten gemäß der Anweisungen von einer Platte.

»*Ti kanis?*«

Assan drehte sich um. Der Mann, der gestern ins Telefon geschrien hatte, hatte den Raum betreten und hielt eine Papiertüte in der Hand. »Wer sind Sie?«, fragte der Mann auf Griechisch.

»Assan Chepik.«

»Kein Grieche?«

»Nein, Bulgare. Aber ich komme gerade aus Griechenland. Ich habe die Flagge gesehen.«

Der Mann zog einen Pappbecher mit etwas, das wie Kaffee roch, aus der Tüte, dazu ein rundes Stück Gebäck mit einem Loch in der Mitte. »Sie haben mir nicht gesagt, dass Sie heute Morgen kommen würden, Assan, sonst hätte ich Ihnen etwas zum Frühstücken mitgebracht!« Der Mann lachte laut. »Dorothy! Wir brauchen einen Kaffee für unseren Assan hier.«

Ell ... ell ... ell ... Leertaste. »Ich habe gerade eine Übung angefangen!«

»Nimm den Arm von der Platte! Wenn Bulgaren Hunger haben, werden sie verrückt.« Der Mann wandte sich an Assan. »Dorothy bringt Ihnen einen Kaffee. Also das, was sie hier Kaffee nennen.«

Assan nippte an seinem heißen Getränk, das hauptsächlich aus Milch mit Zucker bestand und etwas, das nach Kaffee schmeckte. Dorothy saß wieder an ihrer Schreibmaschine und folgte ihrer Schallplatte: *Uh … uh … uh … Leerstelle … ih … ih … ih … Leerstelle.* Demetri Bakas, so hieß der Mann, stellte Assan Fragen. Assan erzählte ihm von seiner Arbeit auf der *Berengaria* und dass er das Schiff gestern verlassen habe, erwähnte Ibrahim unter der Deckplatte und Philadelphia aber mit keinem Wort.

Wovon Assan auch nichts erzählte, waren die vier Jahre seit Ende des Krieges, all seine Versuche, die Grenze zwischen Bulgarien und Griechenland zu überwinden. Er erzählte nichts von dem Morgen, als sein Bruder den Fehler gemacht hatte, ein Feuer anzuzünden, um etwas Wasser heiß zu machen. Sie waren in den Bergen, hatten zwischen zwei Felsen geschlafen und wollten schnell weiter, aber Assan hatte etwas Kaffee in der Tasche. Sein Bruder wollte nur eine Tasse, es gebe ihm Energie, sagte er, tatsächlich hatte er an diesem kalten Morgen Sehnsucht nach dem wohltuenden Geschmack heißen Kaffees. Die kommunistischen Kopfgeldjäger waren ihnen auf der Spur und bemerkten den Rauch des Feuers. Assan hatte gerade sein Geschäft hinter ein paar Bäumen verrichtet, als er aus der Ferne sah, wie sich sein Bruder zur Wehr setzte und ihm einer der Kommunisten in den Kopf schoss. Und er erzählte Demetri auch nicht von dem Mann, den er selbst hatte töten müssen. Assan trank aus einem Bach neben dem Weg, als ein Mann aus der Gegend praktisch über ihn stolperte. Der Mann trug ein Parteiabzeichen an der zerschlissenen Jacke, und ein Blick in seine Augen sagte Assan alles, was er wissen musste. Der Mann machte sich auf den Weg zum nächsten Dorf, um einen Verräter zu melden, der über die Grenze wollte, aber Assan folgte ihm, erschlug ihn mit einem Stein und warf seinen Körper in eine Schlucht. Und Assan schwieg auch darüber, wie es ihm ergangen war, als er nach Athen gekommen war und sich mit jemandem anfreundete, der ihm sagte, er solle in ein bestimmtes Haus gehen, in dem Flüchtlinge wie er wohnten. Als Assan dort hinkam, wurde er zusammengeschlagen, in einen zivilen Lastwagen geworfen und mit Handschellen an andere gefesselt, die wie er auf den Trick des Verräters hereingefallen waren. So hatten sie ihn über die Grenze zurück nach Bulgarien geschafft. Assan sagte auch nichts von dem kommunistischen Kommandanten, der ihn an einen Stuhl kettete, ihm Fragen ins Gesicht schrie und, weil ihm die Antworten nicht gefielen, mit den Fäusten und schließlich mit speziellen Werkzeugen nachhalf, während er wieder und wieder dieselben Fragen brüllte. Er sagte nichts von dem Lager, von den Gefangenen, die vor seinen Augen erschossen worden waren, nichts von den Aufgehängten.

Er erzählte ihm auch nichts von dem Mädchen, das er nach seiner Freilassung kennengelernt hatte, von ihrer kurzen Romanze und wie hungrig sie immer waren. Er erzählte ihm nicht, dass sie Nadeschda hieß und schwanger wurde, nichts von ihrer Heirat, nur Monate bevor sein Sohn, er hieß Petar, geboren wurde. Er erzählte nichts vom Kampf seiner Frau bei der Geburt und der Hebamme, die nicht wusste, wie sie die Blutung stillen sollte. Ohne die Milch seiner Mutter lebte der Junge nur einen Monat. Demetri erfuhr nichts von Assans Sohn Petar.

Assan sagte ihm nicht, dass er für das Stehlen leerer Flaschen eingesperrt worden war, obwohl er gar keine leeren Flaschen gestohlen hatte. Sein Name stand auf einer Liste, also wurde er wieder ins Gefängnis gesteckt. Assan erzählte nichts von seinem vierten Fluchtversuch, seiner Verhaftung, seinem Jahr im Arbeitslager, wo er Ibrahim kennengelernt hatte, und der Nacht, als der Zug vorbeikam und sie von den Wärtern auf der anderen Seite der Gleise trennte, und wie sie da ihre Schaufeln weggeworfen hatten und in den Fluss gesprungen waren. Er erzählte nichts von dem Bauern, der sie kilometerweit weg fand, nass und frierend, und sie dem Parteioffiziellen im Dorf hätte ausliefern können, der ihnen aber stattdessen zu essen gab, etwas Warmes, während ihre Kleider trockneten. Und er gab ihnen auch ein wenig Geld, jedem zwanzig Lew.

Assan und Ibrahim kauften sich Busfahrkarten in die Berge nahe der griechischen Grenze. Als die Polizei den Bus aufhielt und ihre Papiere sehen wollte, hatten sie keine. Aber ihre Gefängnisuniformen waren die gleichen wie die von einfachen Gefreiten in der Armee, nur dass ihnen die Rangabzeichen fehlten, und als Assan dem Polizisten sagte, man habe sie ins Armeekrankenhaus geschickt, weil sie Typhus hätten, wurden dessen Augen riesig groß, und er konnte gar nicht schnell genug aus dem Bus kommen.

Sie überquerten die Grenze hoch in den Bergen. In Athen verdienten sie sich fast den ganzen Rest des Jahres mit Hacke und Schaufel ein paar Drachmen, schleppten und ackerten, bis Assan eine Stelle als Heizer auf der *Despotiko* bekam und Kohle in den Kessel schaufelte, während die Fähre von Piräus zwischen den Inseln hin und her fuhr.

Von alldem sagte Assan nichts, sondern nur, dass er Heizer auf der *Berengaria* gewesen war, die Blasen im Dieselschlauch im Auge behalten hatte und in Amerika ohne Papiere an Land gegangen war.

Demetri wusste, dass Assans Geschichte weit länger war, doch das war ihm egal. »Wissen Sie, was ich für Sie tun kann, hier aus diesem Büro heraus?«

»Mir das Schreibmaschineschreiben beibringen?« Dorothy war jetzt bei *Umschalttaste ... klonk ... kuh ... klack ... Leerstelle ... klonk ... Umschalttaste ... klonk ... weh ... klack ... Leerstelle ... klonk.*

Demetri lachte laut. »Wir haben gute Leute, die uns helfen, Ihnen zu helfen. Es braucht nur etwas Zeit. Aber lassen Sie es mich Ihnen gleich sagen, wenn Sie irgendein Problem mit dem Gesetz bekommen, wenn es was mit der Polizei gibt, wird es schwer. Verstanden?«

»Ja. Natürlich.«

»Okay. Nun. Sie werden Englisch lernen. Hier ist die Adresse einer Schule, die nichts kostet. Der Unterricht findet abends statt. Gehen Sie hin, tragen Sie sich ein, und hören Sie zu.«

Assan nahm die Adresse.

»Haben Sie etwas Wertvolles, das Sie verkaufen können? Etwas aus Gold oder etwas Ausgefallenes aus der Heimat?«

»Nichts. Ich habe alles auf dem Schiff gelassen.«

»Mein Vater hat's genauso gemacht. 1910.« Demetri zog eine Zigarre aus der Tasche. »Kommen Sie in ein paar Tagen wieder her, dann haben wir noch etwas zum Anziehen für Sie. Dorothy! Schreiben Sie sich mal Assans Größe auf, für ein paar Hosen. Und ein paar Hemden!«

»Wenn ich fertig bin!« Dorothy hob den Blick nicht von ihrer Tastatur. *Umschalttaste ... te ... Leerstelle ... Umschalttaste ... ge ... Leerstelle. Klonk-klack-klonk-klack ...*

»Haben Sie eine Aussicht auf einen Job, Assan?« Demetri steckte sich seine Zigarre mit dem Feuerball eines riesigen Streichholzes an.

Assan hatte keine Aussicht auf einen Job.

»Gehen Sie dahin. Ist downtown.« Demetri schrieb etwas

auf ein Stück Papier und gab es Assan. »Fragen Sie nach Costas.«

»Costas. Okay.« Assan verließ das Büro, als die Schallplatte zu Ende war und Dorothy sie umdrehte, um sich Lektion zwei zu widmen.

———

Die Adresse lag weit unten auf Assans Hand, da, wo die Straßen keine Zahlen mehr hatten und in alle Richtungen führten. Er verbrachte den Großteil des Tages damit, um die seltsam geformten Blocks zu laufen, immer im Kreis, und mehr als einmal kam er an bereits bekannten Stellen vorbei. Endlich fand er die Adresse, ein kleines Restaurant mit einem Schild, auf dem *Olympic Grill* stand, umfasst von einem griechischen Schmuckrahmen. Es gab vier kleine, an der Wand befestigte Tische mit lederbezogenen Bänken und acht feststehende Hocker vor einer Theke. Alle Plätze waren besetzt, und es war heiß. Hinter der Theke stand eine Frau, die viel zu viel zu tun hatte, als dass sie Assan bemerkt hätte. Doch als er schließlich zu lange an einer Stelle gestanden hatte, bellte sie ihn auf Griechisch an: »Warte draußen, bis was frei wird, Dummkopf!«

»Ich würde gern Costas sprechen«, sagte Assan.

»Was?«, rief die Frau.

»Ich würde gern Costas sprechen!«, rief jetzt auch Assan.

»Schatzi!«, brüllte die Frau und drehte Assan den Rücken zu. »Da will irgend so ein Dummkopf was von dir!«

Costas war ein kleiner Mann mit einem Bürstenschnäuzer. Er hatte keine Zeit, um mit Assan zu sprechen, tat es aber trotzdem.

»Was wollen Sie?«

»Sind Sie Costas?«, fragte Assan.

»Was wollen Sie?«

»Einen Job«, sagte Assan mit einem Lachen.

»Großer Gott«, sagte Costas und wandte sich ab.

»Demetri Bakas schickt mich zu Ihnen.«

»Wer?« Costas räumte einen Tisch ab und kassierte einen Gast ab.

»Demetri Bakas. Er meinte, Sie hätten einen Job für mich.«

Costas hielt inne und starrte Assan an. Er war so klein, dass er sich zurücklehnen musste, um ihm in die Augen zu sehen.

»Verpiss dich, verdammt noch mal. Aber schnell!« Die Gäste, die Griechisch sprachen, sahen von ihrem Essen auf. Die, die nur Englisch verstanden, ließen sich nicht stören. »Und lass dich hier nicht wieder blicken!«

Assan drehte sich um und verpisste sich, verdammt noch mal.

———

Der Weg zurück zu den zwei Mittelfingern des Central Park war sehr weit, die Luft so heiß und schwer. Assans Hemd klebte ihm auf dem Rücken und wollte nicht wieder trocknen. Er ging eine Avenue entlang, immer und immer weiter, bis hell blinkende Lichter über einen Platz strahlten, auf dem neun Straßen in einem Sturm von Menschen, Bussen, gelben Autos und sogar berittenen Soldaten (und vielleicht waren auch Polizisten dabei) zusammenstießen. Assan war noch niemals unter so vielen Menschen gewesen, und alle waren irgendwohin unterwegs.

In einer riesigen Cafeteria gab er ein paar Münzen für einen weiteren H O T D O G und einen Becher mit einem süßen Saft aus, eiskalt und köstlicher als alles, was er je getrunken hatte, selbst Coca-Cola. Er aß im Stehen wie auch die meisten anderen Leute dort, obwohl er, mehr als alles auf der Welt, seine Schuhe ausziehen wollte. Jenseits des Dreiecks aus Straßen und Menschen sah er ein Kino mit einer Lichterkette, die sich selbst im Kreis jagte. Der Preis war außen angeschlagen, fünfundvierzig Cent. Das waren vier der kleinsten Münzen in seiner Tasche und eine größere, dickere, auf der eine bucklige Kuh zu sehen war. Assan wollte plötzlich auf einem bequemen Platz sitzen, seine Schuhe ausziehen und einen Film sehen. Er hoffte, dass er von Chicago handelte.

Das Kino war wie eine Kathedrale, mit Frauen und Männern in Uniform, die die Besucher aus dem Strom zu ihren Plätzen führten, schwatzende Pärchen, Gruppen von jungen Männern, und alle redeten laut miteinander und lachten. Die Säulen waren wie die im Pantheon in Athen, moderne Engel goldfarben in die Wände geprägt, und ein tiefroter Vorhang reichte dreißig Meter hoch. Assan zog die Schuhe aus, als sich der Vorhang öffnete und ein kurzer Film auf der Leinwand lief, die groß war wie der Rumpf der *Berengaria*. Musik ertönte, und dazu tauchten blitzschnell fremdartige Wörter auf der Leinwand auf und wirbelten so schnell dahin, dass Assan nicht einen Buchstaben zu fassen bekam. Der Film zeigte tanzende Frauen und streitende Männer. Dann lief ein anderer kurzer Film, wieder mit Musik und fliegenden Worten. Es kamen Boxer und Himmel voller Flugzeuge vor. In einem dritten kurzen Film sagte eine sehr ernste Frau sehr ernste Dinge, weinte, lief eine Straße hinunter und rief einen Namen. Dann war der Film zu Ende. Einen Moment darauf schon explodierte die Leinwand in leuchtenden Farben. Ein komisch aussehender Mann, der wie ein Cowboy angezogen

war, ohne wirklich einer zu sein, und eine hinreißende Frau
mit schwarzem Haar und sehr roten Lippen sangen Lieder
und sagten Sachen, die das Publikum zum Lachen brachten,
und ihr Gelächter füllte die Kathedrale. Dennoch fiel Assan
in einen tiefen und festen Schlaf.

———

Am nächsten Tag war niemand in der Hellenischen Gesellschaft. Die ganze Stadt schien weit ruhiger, weniger Leute
kamen die Treppen aus den Tunneln herauf, und viele Ge-
bäude schienen leer zu sein. Assan fand die Adresse für den
Englischunterricht, ein Haus in der Dreiundvierzigsten
Straße, doch auch dort traf er niemanden, mit dem er hätte
Englisch sprechen können. Als Assan jedoch in den Park
zurückkam, schien es, als hätten sich alle Gebäude um die
beiden mittleren Finger in ihn hinein entleert, zwischen die
Bäume, auf die Wege, die Spielplätze und die großen, grünen
Wiesen. Überall waren Kinder und Familien, im Zoo, in
Ruderbooten, unterwegs auf Schuhen mit Rädern, bei Kon-
zerten, mit Hunden spielend, und die Kinder warfen, fingen
und spielten alle möglichen Bälle hin und her. Die Hunde
gefielen Assan am besten, er sah ihnen lange zu.
    Als spät am Nachmittag dunkle Wolken am Himmel auf-
zogen, packten die Familien ihre Sachen zusammen, die
Ballspiele nahmen ein Ende, und der Park leerte sich. Bald
darauf fing es an zu regnen, und Assan suchte sich eine Un-
terführung, in der er schließlich auch die Nacht verbrachte.
Er teilte sich den Platz mit einigen anderen Männern, die auf
Pappen schliefen und sich mit ihren Jacken zudeckten. Keiner von ihnen sprach eine Sprache, die Assan verstand, und
keiner von ihnen schien glücklich. Aber Assan hatte schon
öfter im Regen festgesessen, und er fühlte sich ganz und gar

nicht elend. Unter Brücken hatte er sich versteckt, völlig durchnässt, war tagelang gelaufen und sogar vor Männern mit den gleichen trübseligen Gesichtern wie hier weggerannt. Das jetzt? Das war gar nichts.

Am Morgen wachte Assan mit einem Kratzen im Hals auf.

―――――――

»Diese Hose sollte passen.« Dorothy sprach Griechisch. »Das Paar Stiefel auch. Probieren Sie die Sachen im *Lavatory* hinten im Gang an.«

»Was ist ein *Lavatory?*« Assan hatte das Wort noch nie gehört.

»Die Toilette. Das Männerklo.«

Die Hose passte gut genug, und die gebrauchten Stiefel hatten nicht nur die perfekte Größe für seine kleinen Füße, sie waren auch bereits eingelaufen. Dorothy gab ihm Strümpfe, ein paar Hemden und noch zwei wärmere Hosen. Das alles fühlte sich gut an nach so vielen Tagen in seinem Nadelstreifenanzug, den Dorothy an sich nahm, um ihn reinigen zu lassen.

»Was ist mit dem Kerl aus Bulgarien, der am Freitag hier war?« Demetri kam mit einer Tüte Gebäck mit Loch in der Mitte und mehr süßem amerikanischen Kaffee herein. »Assan? Sie sehen aus, als kämen Sie aus Jersey!«

Dorothy setzte sich zurück an die Schreibmaschine und legte eine Platte auf. Die Musik war jetzt schneller: *Umschalt Te ha eh Leer kuh uh ich si ka Leer* … Dorothy folgte auf den Tasten.

»Waren Sie bei Costas?«, fragte Demetri.

Assan nippte an seinem Kaffee und biss in ein rundes Gebäckstück, das in seinem Hals schmerzte, aber gut schmeckte. »Ja. Er sagte, ich soll mich verdammt noch mal verpissen.« Assan sah durch die Tür zu Dorothy, die den Ausdruck zum Glück nicht gehört hatte.

»Ha! Ihm wird nicht gefallen haben, wie Sie aussahen. Aber jetzt wirken Sie wie einer aus Hoboken, wie Sinatra am Wochenende.« Assan hatte keine Ahnung, was er damit meinte. »Costas schuldet mir was, gehen Sie noch mal hin, und sagen Sie ihm, dass ich Sie geschickt habe. Sie haben ihm doch gesagt, dass ich Sie geschickt habe?«

»Das war ihm egal.«

»Sagen Sie ihm, ich habe Sie geschickt.«

———

Wieder lief Assan die ganze Strecke. Als er im *Olympic Grill* ankam, war nur die Hälfte der Plätze besetzt. Costas saß auf dem am weitesten von der Tür entfernten Hocker und las Zeitung. Vor ihm stand eine Tasse Kaffee, und klein, wie er war, baumelten seine Beine in der Luft wie bei einem Jungen. Assan ging auf ihn zu und wartete darauf, dass Costas den Blick hob, doch das tat er nicht.

»Demetri sagt, Sie geben mir einen Job.«

Costas las weiter. »Äh?«, sagte er und schrieb mit einem Bleistift ein Wort auf einen Block. Es standen viele Wörter auf dem Blatt.

»Demetri Bakas. Er schickt mich zu Ihnen.«

Costas rührte sich nicht, schaffte es aber, seine Aufmerksamkeit von der Zeitung und der Wortliste zu lösen und auf Assan zu richten.

»Was zum Teufel? Was soll das?«

»Demetri Bakas. Sagt, ich soll Sie nach einem Job fragen. Weil Sie ihm was schulden.«

Costas wandte sich wieder seiner Lektüre und seiner Liste

zu. »Ich schulde Bakas einen Scheiß. Bestell was oder raus hier.«

»Er sagte, ich soll Sie nach einem Job fragen.«

Costas sprang von seinem Hocker, und in seinen dunklen Augen blitzte es. »Wo bist du her?«, schrie er.

»Bulgarien, aber ich komme aus Athen.«

»Dann geh zurück nach Athen! Ich kann nichts für dich tun! Weißt du, wo ich war, als du dir in deiner verschissenen Scheune in Bulgarien einen runtergeholt hast? Hier war ich! In Amerika. Und weißt du, was ich gemacht habe? Arschtritte hab ich gekriegt, weil ich auch nur an dieses Restaurant gedacht habe!«

»Aber Demetri sagt, geh zu Costas. Deshalb bin ich hier.«

»Der kann mich mal und du mich auch. Ich bewirte hier Polizisten, und die schlagen dir den Schädel ein, wenn ich sie darum bitte. Komm noch mal her, und ich hetz dir die Polizei auf den Hals!«

Assan floh aus dem Diner. Was hätte er tun sollen? Er wollte keinen Ärger mit der Polizei.

Es war so heiß wie nur je. Autos und Busse rauschten laut wie ein Sturmwind. Das Reden und Schwatzen der Leute um ihn herum verstopfte Assan die Ohren, sie alle hatten Jobs, Geld in der Tasche und kaum irgendwelche Sorgen. Assans Kehle brannte, und seine Beine fühlten sich an wie Sandsäcke.

Er war unterwegs in die Dreiundvierzigste Straße zu seinem Englischunterricht, aber auf einem kleinen dreieckigen Stück Rasen mit Bäumen blieb er stehen. Ein Schmerz durchfuhr ihn, ein neuer Schmerz, und er pochte und pochte in seinem Kopf, direkt über den Augen. An einem Trinkbrunnen füllte Assan die Hände mit Wasser und trank, doch das Feuer in seiner Kehle wollte nicht verlöschen. Er sah zwei Männer auf einer Bank im Schatten, einer Bank, die groß genug war für vier, und er wollte sich ganz schnell setzen. Da ließ ihn ein heftiger, unsichtbarer Schlag in den Magen einknicken, Übelkeit stieg aus seinem Inneren auf.

Ein Mann stellte ihm Fragen, die er nicht verstand, ein anderer fasste ihn bei der Schulter und führte ihn in den Schatten der Bank, und noch jemand, eine Frau vielleicht, gab ihm ein Taschentuch, damit er sich den Mund abwischen konnte. Einer gab ihm eine Flasche warmes Sodawasser, womit Assan sich den Mund ausspülte und es anschließend ausspuckte, weswegen ihn jemand anschrie. Aber Assan sagte nichts. Er lehnte den Kopf zurück auf die Bank und schloss die Augen.

————

Er dachte, er hätte ein paar Minuten geschlafen, doch als er die Augen öffnete, waren die Schatten länger, und andere Leute bevölkerten den winzigen Park. Amerikaner, die sich nicht an dem Mann störten, der da auf einer Bank ein Nickerchen machte.

Assan fasste in seine Tasche. Sein amerikanisches Papiergeld war weg. Nur noch ein paar Münzen fand er, das war alles. Es war genau das passiert, wovor ihn der Chef gewarnt hatte: Er hatte sich nicht weiterbewegt, und ein Dieb hatte ihn bestohlen. Sein Kopf schmerzte, und er saß noch sehr lange da.

Aus dem Nachmittag wurde Abend, und er wollte nicht wieder das ganze Stück hinauf bis in den Central Park laufen. Aber ein Polizist kam und sah zu ihm herüber, und so stand er auf und ging los. Etwa eine Stunde später schlief er unter einem Baum im Park, den Kopf auf seiner zusammengerollten zweiten Hose.

Es waren andere Leute in Demetris Büro, alle in Anzügen und mit Ledertaschen voller Papiere. Keiner von ihnen schien Grieche zu sein. Demetri stand am Fenster und schrie etwas auf Englisch ins Telefon, wie am ersten Tag, als Assan ihn gesehen hatte. Zwei der Männer in Anzügen lachten über etwas, was Demetri sagte, andere steckten sich Zigaretten an. Einer blies Rauchringe, und Assan konnte Dorothy tippen hören, *klack, klack, klack*, ohne die Hilfe einer Schallplatte mit Musik.

»Moment mal«, sagte Demetri, als er Assan sah. Er legte die Hand über die Sprechmuschel. »Dorothy hat Ihren Anzug … Dorothy!«

Alle im Büro blickten Assan an, seine zerknitterten Sachen, das unrasierte Gesicht, und erkannten einen weiteren der armen, ungebildeten Kerle, die ständig in Demetris Büro auftauchten. Dorothy kam mit Assans Anzug auf einem Drahtbügel. Jacke und Hose sahen glatt und frisch aus, und sein Hemd war wie eine Tischdecke zu einem Rechteck gefaltet. Assan nahm seine Sachen und zog sich, seinen Dank nickend, aus dem Büro zurück. Die Augen und Gesichter der Männer ließen ihn sich klein fühlen, wie zu Hause, wenn die Soldaten ihn durchsucht, geschlagen und weit länger als nötig seine Papiere überprüft hatten. Wenn die Wärter ihn stramm stehen ließen und wieder und wieder mit den gleichen Fragen drangsalierten. Oder wenn er und die anderen Gefangenen im Lager stundenlang zum Appell antreten mussten.

Als er die Treppe zur Straße hinunterging, hörte er, wie

die Männer in Lachen ausbrachen. Dorothy tippte längst wieder: *klack-klack-klack. Klack.*

———

Costas zählte das Wechselgeld in seiner Kasse, als sich ein Mann in einem sauberen Nadelstreifenanzug an die Theke setzte. Gleich kamen die Leute zum Mittagessen, bis etwa um drei würde es ein reges Kommen und Gehen von Stammgästen geben, und Costas musste ihr Papiergeld wechseln können. Danach würde er die Zeitung lesen und seine Liste neuer Wörter fortsetzen. Englisch war nicht schwer zu lernen, solange man nur jeden Tag die Zeitung studierte und viele amerikanische Gäste hatte, denen man unablässig zuhören konnte.

Seine Frau wischte die Tische ab, und so war es Costas, der den Mann in seinem sauberen, frisch gebügelten blauen Nadelstreifenanzug fragte: »Was kann ich dir bringen, Kumpel?«

Assan legte ein paar Münzen auf die Theke, das letzte Geld aus seiner Tasche. »Einen Kaffee, bitte. Amerikanischen Kaffee, bitte, süß, mit Milch.«

Costas erkannte Assan und wurde rot vor Wut. »Bist du so was wie ein Spaßvogel?«

»Ich mache keine Witze.«

»Demetri hat dich geschickt? Schon wieder?«

»Nein, ich möchte nur einen Kaffee trinken.«

»Unsinn. Du willst nicht einfach nur einen Kaffee!« Costas war wütend und knallte die Kaffeetasse so fest vor die Kaffeemaschine, dass sie zerbrach. »Nico!«, schrie er.

Ein Junge, klein wie Costas, streckte den Kopf aus der Küche. »Was?«

»Mehr Kaffeetassen!«

Nico trug ein Tablett mit schweren Kaffeebechern für amerikanischen Kaffee herbei. Es war ohne jeden Zweifel Costas' Sohn. Sie unterschieden sich nur in zwanzig Jahren und zehn Kilogramm.

Costas schüttete den heißen Kaffee beinahe auf Assans Schoß. »Das macht 'n Nickel!«, sagte er und nahm eine der dicken Münzen von der Theke, eine von denen mit der buckligen Kuh. Assan schüttete Milch und Zucker in die Tasse und rührte langsam um.

»Du kommst bei mir rein und denkst, bloß weil du es nach Amerika geschafft hast, wartet hier ein Job auf dich.« Costas lehnte sich gegen die Theke. Er war so klein, dass er sich auf Augenhöhe mit Assan befand. »Du heulst diesem Dreckskerl aus Korfu was vor, und er sagt: ›Geh zu Costas‹, und ich soll dafür zahlen, dass du für mich arbeitest?«

Assan nippte an seinem Kaffee.

»Wie zum Teufel heißt du?«

»Assan.«

»Assan? Nicht mal ein Grieche und willst hier einen Job?«

»Heute will ich nur einen Kaffee.«

Costas wippte auf den Fußballen vor und zurück. Er schien so außer sich, als könnte er gleich über die Theke springen und eine Prügelei anfangen. »Ich bin natürlich so reich, dass ich Jobs für alle habe, wie? ›Costas, der hat's dicke! Der hat sein eigenes Restaurant! Der verdient so viel, dass er Jobs scheißen kann! Du kannst nach Amerika kommen und für ihn arbeiten!‹ Schwachsinn!«

Assans Tasse war fast leer. »Kann ich noch einen bekommen, bitte?«

»Nein! Keinen Kaffee mehr für dich!« Costas sah Assan in die Augen. »Bulgare, was?«

»Ja.« Assan hatte seine Tasse geleert und stellte sie zurück auf die Theke.

»Also gut«, sagte Costas. »Zieh dein schönes Jackett aus, und häng es hinten an einen Haken. Nico zeigt dir, wie man die Töpfe sauber scheuert.«

Unsere Stadt heute
von
Hank Fiset

Deine Evangelista *Esperanza*

Tasse Kaffee, Meister? Bin abhängig von dem Zeug! Kaffee, meine ich. Ich bin ein Nachrichtenmann, verstehen Sie, und eine Redaktion, die nicht von Kaffee lebt, produziert eine lausige Zeitung, darauf wette ich ... Die Kannen beim *Tri-Cities Daily News Herald* sind immer randvoll, auch wenn die Leute ständig rauslaufen in diese allgegenwärtigen Kaffeetempel mit Baristas und besonderen Geschmacksnoten für sechs Dollar die Tasse. Eine Tour durch die Koffeinsalons unserer drei miteinander verbundenen Metropolen beweist, dass der Wachmacher hier bei uns auf verdammt gute Weise geröstet, gebraut, dampfgepresst und ausgeschenkt wird. Versuchen Sie ihn mal bei Amy's Drive-Thru, einer umgebauten Tacobude an der Miracle Mile. Amy lässt Ihnen die Augen übergehen mit ihrem gepfefferten dreifachen Espressoknaller ... Der

Corker & Smythe Coffeeshop im alten Kahle Mercantile Building am Triumph Square bietet erst seit Kurzem Kaffee zum Mitnehmen an, und das auch nur ungern. Wie viel besser ist es doch, sich an die Theke zu setzen und den *Nectar de noir* aus tiefen Porzellantassen zu schlürfen ... Der Kaffee Boss hat drei Filialen, davon eine an der Ecke Wadsworth und Sequoia, wo die örtlichen Genießer den Kaffee aus in Leder gehüllten Einmachgläsern trinken. Fragen Sie auf keinen Fall nach Milch oder Kaffeeweißer, diese Leute sind Puristen und erklären Ihnen ausführlich, warum das nicht geht. Aber das Java-Va-Voom am Second Boulevard bei North Payne in East Corning hat etwas, woran niemand sonst herankommt: eine einzigartige Geräuschkulisse. Das feine Zischen des Aufschäumers, die gediegenen Unterhaltungen von Personal und Publikum, leise im Hintergrund spielende Musik, als liefe gleich nebenan ein Film – und gelegentlich gesellt sich das *Klick-Klack* einer Schreibmaschine hinzu, allerdings nicht in der gewohnten Bedeutung des Wortes ...

Esperanza Cruz-Bustermente, geboren und aufgewachsen im nahen Orangeville, arbeitet als Kundenberaterin bei einer örtlichen Bank, doch für manche Leute ist das nur ihr zweiter Job. Viele kennen sie als *Evangelista*, eine Schreibkraft, die ihre Anschläge pro Minute für andere Leute einsetzt. Im alten Mexiko halfen kundige Nonnen ihren Schäfchen beim Tippen wichtiger Dokumente. Für Analphabeten und all die, die keinen Zugang zum ehemaligen Technikwunder Schreibmaschine hatten, verfassten sie Bewerbungen, Empfangsbestätigungen, offizielle Anfragen, Steuerauskünfte und manchmal sogar Liebesbriefe. Auch Esperanzas Eltern lernten das Zehn-Finger-Schreiben von diesen sogenannten *Evangelistas* und verdienten anschließend ihren Lebensunterhalt mit dem Schreiben von Nachrichten, Briefen und Vermerken für die bedürftige Öffentlichkeit. Sie wurden nicht reich davon, aber Sätze gelangten auf Papier.

Esperanza hat einen Tisch im Java-Va-Voom, wo sie mit einem großen Gefilterten mit Sojamilch und einem Stapel leerer Blätter hinter ihrer Schreibmaschine sitzt. Sie kommt jetzt schon eine Weile hierher. Alle, denen das Geräusch und der Rhythmus einer Schreibmaschine nicht vertraut waren, mussten sich an Esperanzas *Klick-Klack-Klack* erst mal gewöhnen. »Zu Anfang gab es Beschwerden«, erzählte mir Esperanza. »Ich tippte, und die Leute fragten, warum ich keinen Laptop benutzen würde, der doch leiser und einfacher zu handhaben sei. Einmal kamen zwei Polizisten, und ich fragte mich schon, ob mir da womöglich einer die Polizei auf den Hals gehetzt hat. Aber sie wollten nur zwei Milchkaffee.«

Warum wieder analog? »Mein E-Mail-Account wurde gehackt«, erklärte mir Esperanza. »Von wem? Den Russen? Dem nationalen Sicherheitsrat? Falschen nigerianischen Prinzen? Wer weiß. Jedenfalls wurden meine Daten gestohlen, und über Monate hinweg war mein Leben ein Chaos.« Heute benutzt sie das Internet kaum noch. Sie hat ein altmodisches Klapphandy, mit dem sie Textnachrichten verschicken kann, aber sie verwendet es lieber auf die alte Weise – zum Anrufen und Angerufen-Werden. Nie muss sie nach einem WLAN-Passwort fragen. Facebook, Snapchat, Instagram und so weiter? »Lass ich sein«, sagt sie fast angeberisch. »Seit ich gehackt wurde und keine soziale Medien mehr benutze, ist mein Tag um etwa sechs Stunden länger. Alle paar Minuten hab ich früher auf mein Handy geschaut, und wir wollen gar nicht davon reden, wie viel Zeit ich mit SnoKon verschwendet habe. Und alles nur, um für ein paar Punkte bunte Eisbälle mit einem dreieckigen Becher aufzufangen.« Der einzige Nachteil? »Meine Freunde mussten lernen, wie sie mich erreichen können.« Was sie da eigentlich auf ihrer Schreibmaschine schreibt? »Eine Menge! Ich habe eine große Familie. Zum Geburtstag bekommen meine Nichten und Neffen einen Brief und einen Fünf- oder Zehn-Dollar-Schein. Im Übrigen tippe ich Memos für die Arbeit, die ich im Büro entweder kopiere, neu schreibe oder maile. Und hier ...« Sie hielt ein Blatt mit dem ordentlichsten, absolut perfekt formatierten Dokument in die Höhe. »Das ist meine Einkaufsliste.«

Die Leute suchen Esperanza für kleine Nonnendienste auf. »Kinder lieben meine Schreibmaschine. Ich lasse sie ihren Namen tippen, während ihre Mom auf die Bestellung wartet. Ältere schreiben Raps und Gedichte.« Und auch Erwachsene kommen zu ihr. »Keiner hat mehr eine Schreibmaschine, zumindest keine, die noch funktioniert. Aber getippte Briefe sind etwas Besonderes. Manche kommen mit einem Brief, den sie am Computer geschrieben haben, und wollen, dass ich ihn abtippe und ein Einzelstück daraus mache. Vorm Valentinstag oder Muttertag könnte ich stundenlang hier sitzen und kleine Briefe für Leute tippen. Die Schlange würde rund um den Block reichen. Nähme ich Geld dafür, verdiente ich so viel wie ein guter Blumenladen.« Für einen so persönlichen Service nimmt Esperanza höchstens einen Kaffee. Morgens einen mit, nachmittags einen ohne Koffein.

»Da war dieser alte Knabe, der auf seinen Kaffee wartete und mir von einer alten Schreibmaschine erzählte, die er weggeworfen hatte. Er wünschte, er hätte sie noch. Er hatte vor, seine Freundin zu fragen, ob sie ihn heiraten wolle. Täte er das mit einem getippten Brief, sagte er, würde der Moment ewig überleben. Wie hätte ich mich nicht hinsetzen und ein frisches Blatt für ihn einspannen können? Es war sein Liebes-Stenogramm. Es gab sechs Fassungen.« Wie hat er seine Frage gestellt?, fragte ich. »Das geht Sie nichts an.« Hat die Freundin eingewilligt? »Keine Ahnung. Er hat den Brief ein Dutzend Mal gelesen, um sicherzugehen, dass kein unpassendes Wort darin vorkam. Dann nahm er ihn und seinen Vanille-Cappuccino, ging und ward nie wieder gesehen.«

Ihre tragbare Schreibmaschine erlaubt es Esperanza, ihre Dienste überall anzubieten, aber das Java-Va-Voom ist ihre vermeintliche Plaza Centrale. »Hier ertragen sie mich, und die Atmosphäre hilft meinen Gedanken auf die Sprünge. Ich bin gerne unter Leuten«, sagte sie. »Und einige von denen hier brauchen mich.« Oh, mehr als du womöglich denkst, *Evangelista* Esperanza!

Steve Wong ist perfekt

Weil Videos im Bruchteil von Sekunden rund um die Welt gehen, werden kleine Schweine dafür gefeiert, kleine Lämmchen vor dem Ertrinken zu retten. Nein, Moment. Das war ein Internethoax. Was Steve Wong tat, geschah jedoch wirklich, vor Zeugen, und es wurde ein Riesenerfolg.

Wir gingen eines Abends zum Bowling, wissen Sie, und Steve war wirklich der *Allez-Hopper!*, der eine unglaubliche Anzahl Strikes warf – *bowlte* – und sich so die Ehrfurcht aller verdiente, die aus Spaß oder für Geld bowlen. Trotzdem, wer nicht dabei war und selbst miterlebt hat, was für einen Lauf Steve hatte, mag denken, Anna, MDash und ich hätten das alles frei erfunden.

Steves Leistung wurde nicht widerlegt, und sie war auch kein Glückstreffer. Er war mal der Kapitän des Freshman-Bowling-Teams an der St. Anthony's Country Day High School gewesen und hatte Pokale bei den Turnieren für junge Bowler im Surfside Lanes Center gewonnen. Schon mit dreizehn schaffte er ein perfektes Spiel, zwölf Strikes in Folge mit einem Ergebnis von 300. Sein Name kam in die Zeitung, und er wurde vom Surfside mit allen möglichen Gratisgeschichten bedacht.

Es war MDashs Einjähriges als Bürger der Vereinigten Staaten, und zur Feier des Tages wollten wir mit ihm bowlen. Wir überzeugten ihn, dass es eine alte amerikanische Tradition sei und Einwanderer aus Vietnam, Chile und so weiter alle ein Jahr nach ihrer Einbürgerung bowlen gingen, was er auch tun solle. Er kaufte es uns ab. Steve Wong kam mit seinem Bowlinghandschuh in Profiqualität und seinen maßgefertigten Bowlingschuhen! Wir anderen trugen schäbige Leihschuhe mit verschiedenfarbigen Schnürsenkeln, die in einem feuchtkalten Schrank hinter der Empfangstheke aufbewahrt wurden, während er in seine gelb-braunen Unikate schlüpfte. STEVE und WONG stand quer über die Zehen geschrieben, und hinten auf den Fersen prangte dreimal der Buchstabe X – XXX –, was für den letzten Durchgang, den letzten Frame, seines perfekten Spiels von vor Jahren stand. Für die Schuhe hatte er eine passende Tasche im gleichen hässlichen Braun-Gelb. Wir rieben über die Schuhe und hofften, einen Geist daraus hervorlocken zu können, als wären es Zauberflaschen. Als unsere Biere kamen, rief ich: »Mein Wunsch ist in Erfüllung gegangen!«

MDash hatte in seinem Geburtsort südlich der Sahara niemals Bowling gespielt, also bekam er seine eigene Bahn, und wir ließen einen der Mitarbeiter die Kinderleitplanken hochfahren, die dafür sorgen, dass die Bälle nicht in den seitlichen Rinnen landen. So wanderten MDashs Würfe denn zwischen den Planken hin und her, er traf immer ein paar Pins, und sein bestes Ergebnis lag bei 58. Ich schaffte 138, was angesichts all der Rolling Rocks, die ich schluckte, durchaus respektabel war. Anna, Gott segne sie, konzentrierte sich so auf ihre Bewegungen, dass sie mich um sechs Pins schlug und bei 144 landete. Ganz erhitzt und trunken vor Begeisterung durch ihren Sieg über mich, schlang sie die Arme um MDash, hielt ihn fest an sich gedrückt und nannte ihn »unseren amerikanischen Freund«.

Die Überraschung des Abends war Steve Wong mit seinem Können. Seine drei Spiele – 236, 243 und am Ende eine

269 – ließen unsere ehrgeizigen Ambitionen ins Leere laufen. Er war so gut, dass wir es müde wurden, darüber zu staunen, wie er selbst noch einen Split mit dem zweiten Wurf abräumte. Einmal erzielte er über zwei Spiele elf glatte Strikes in Folge. Ich drohte damit, seinen Handschuh zu stehlen und zu verbrennen.

»Das nächste Mal bringe ich meinen eigenen Ball mit«, sagte Steve. »Ich hab ihn nicht finden können.«

»Aber die hässlichen Schuhe hältst du immer griffbereit?«

In der Woche drauf bowlten wir wieder, wir vier, und mit meiner Hilfe fand Steve auch seinen Ball. Ich holte Steve aus seinem zu großen Haus in Oxnard ab und durchsuchte die Garage und drei Schränke. Seine Balltasche, ebenfalls entzückendes gelb-braunes Leder, lag hinter einem alten, zerschundenen karierten Schreibmaschinenkoffer im obersten Fach eines Schrankes, der einmal seiner Schwester gehört hatte, neben einer Kiste mit etwa hundert unmöglich schlanken alten Barbiepuppen, die mich mit einem leeren Lächeln ansahen. Auch der Ball war in dieser seltsamen Farbkombination gehalten, wie eine Kugel falscher Kotze aus einem Scherzartikelladen, und zwischen der Trinität der Fingerlöcher war das chinesische Zeichen für »Blitz« eingraviert. Als wir zum Ventura Bowling Complex kamen, legte er den Ball in eine Maschine, die sich als Bowlingballpolierer entpuppte. Und er versorgte Anna mit einem eigenen Handschuh, der eine extra Handgelenksstütze hatte.

MDash spielte wieder auf der Leitplankenbahn nebenan und kam am Ende auf ein Topergebnis von 87. Mit meinem ersten Spiel kam ich auf 126, und von da ab war es mir egal, ich meine, wir hatten in der Woche zuvor schon gebowlt, und für mein Empfinden sind vier Spiele in einem Jahr absolut ausreichend. Anna? Wie besessen! Wieder mal! Im ersten

Spiel wechselte sie dreimal den Ball, bevor sie auf ihre ursprüngliche Wahl zurückkam. Mit ihrem Spezialhandschuh, ihrer Konzentration auf Anlauf und Abgabepunkt, sich die Handfläche immer wieder mit dem kleinen Ventilator über dem Ballrücklauf trocknend, flirtete die Frau den ganzen Abend mit einer 200 und schaffte am Ende eine 201. Sie war so blendend gelaunt, dass sie mit an meinem Bier nippte.

Und Steve Wong? Mit seinen drei Fingern in den präzisionsgefertigten Löchern seines glänzenden Balls lieferte er die Show überhaupt. Seine jahrelange Erfahrung zeigte sich in der Anmut seiner Beinarbeit, dem Bogen seines Schwunges und der Genauigkeit des Abgabeprozesses, nach dem die Hand hinauf zur Computeranzeige fuhr. Er verfügte über die Balance eines Tänzers, das Knie hielt er zurückgesetzt hinter den linken Schuh, und der rechte Zeh traf mit einem braun-gelben XXX-Kuss auf das Hartholz. Er bowlte an dem Abend nicht unter 270 und beendete ihn mit einer … 300.

Genau. Der Computer blinkte PERFECT GAME, PERFECT GAME, PERFECT GAME, und der Geschäftsführer läutete eine alte Schiffsglocke an seinem Tisch. Andere Gäste, die das Bowlen ernst nahmen, kamen, schüttelten Steve Wong die Hand, klopften ihm auf die Schulter und bezahlten jedes einzelne Rolling Rock, das ich bestellte, was erneut bewies, ja, seine Schuhe besaßen Zauberkraft.

Ein paar Tage später spielten wir wieder, MDashs wollte es so. Er hatte vom Bowlen geträumt. »Im Schlaf kann ich einen schwarzen Ball sehen, wie er auf den ersten Pin zudreht, um alle umzuwerfen, aber es klappt nicht so, wie ich will. Ich will sie alle abräumen!« Die 100 zu knacken war seine Vision und Aufgabe, und schon an seinem dritten Bowlingtag verzichtete er auf die Leitplanken und schickte nacheinander vier Bälle in die Rinne.

»Willkommen in der Schulmannschaft«, sagte ich, verpasste die Pins 9 und 10 um zwei Handbreit und blieb bei einer 8. Anna erwischte eine 7 und schaffte ein Spare, womit sie mich schon wieder schlug. Als Letzter kam Steve Wong und warf einen Strike.

Eine Sturzflut beginnt mit einem Regentropfen, der auf einen Stein fällt. Einen Waldbrand erkennt man zunächst an einer fernen Rauchwolke. Ein perfektes Spiel beim Bowling ist nur möglich, wenn ein X in dem kleinen Feld links im Frame Nummer 1 erscheint, das erste von zwölf in Folge. Steve Wong warf neun klare Strikes, und beim letzten Frame unseres ersten Spieles an diesem Abend – MDash buchte 33, ich hatte 118 und Anna 147 – hatte sich eine kleine Menge um unsere Bahn versammelt, etwa dreißig Leute (in Frame 6 hatten andere bereits zu spielen aufgehört, um zu sehen, ob Steve Wong in direkter Folge ein zweites perfektes Spiel gelang, was eine Seltenheit und ein Wunderding ist, ein doppelter Regenbogen).

Er eröffnete Frame 10 mit einem Strike. Die Menge frohlockte, und Anna rief: »Bestens, Baby!« Dann wurde es ruhig, Steve lief an, warf, und alle zehn Pins fielen, sein elfter Strike. Es fehlte nur noch einer, um die Vollkommenheit des letzten Spieles zu wiederholen. Steves letzter Wurf fand in völliger Stille statt, und als PERFECT GAME, PERFECT GAME, PERFECT GAME auf der Anzeigetafel blinkte, hätte man denken können, Neujahr, die Eröffnung der Brooklyn Bridge, Neil Armstrongs erster Schritt auf dem Mond und der Moment, in dem sie Saddam Hussein aus seinem Schlupfloch geholt hatten, fielen an diesem Abend zusammen. Ein wahres Wong-Fieber entbrannte, und wir kamen erst um drei Uhr morgens da wieder raus – um *drei* Uhr. Alles klar?

Hätten wir an diesem Abend noch ein weiteres Spiel gespielt, würden Sie das hier jetzt vielleicht nicht lesen. Steve hätte eine 220 werfen und noch etwas flippern können. Aber das Schicksal ist ein verrücktes Haus. Unser Spiel vier Abende später ging aufs Haus, für Steves vierundzwanzig »Zehn-auf-einen-Streich« in direkter Folge. Eigentlich waren wir nur auf den Spaß aus, MDash bei dem Versuch zu beobachten, mehr als eine leitplankenlose 33 zu erzielen. Aber Steve änderte den Verlauf des Abends, indem er gleich beim ersten Wurf mit seinem Chinesenblitz einen weiteren Strike hinlegte. Und noch einen. Ja, *Holy Cow*, wie sie auf den Bowlingbahnen des indischen Subkontinents sagen.

Steve warf Strike um Strike, redete immer weniger und trat in eine Konzentriertheit ein, die alles andere ausblendete. Bald schon sagte er nichts mehr, setzte sich nicht und achtete nicht auf das, was hinter ihm geschah. Die Leute schrieben ihren Bowlingkumpeln, sie sollten zu den Bahnen des PDQ zu kommen. Kostenlose Pizza wurde gebracht, Smartphone-Kameras liefen zu großer Form auf, und eine sechsköpfige Familie tauchte auf, wobei die Eltern ihre kleinen Kinder in Schlafanzügen aus dem Bett geholt und mitgebracht hatten, weil sich auf die Schnelle kein Babysitter fand und Mom und Dad kein weiteres perfektes Spiel verpassen wollten. Steve Wong hatte bisher im dritten Spiel in Folge noch nichts anderes geworfen als ein großes schwarzes X. In einer Atmosphäre tiefen, verzauberten Staunens warf er einen Dreißig-Punkt-Frame nach dem anderen, in seinem vierten, fünften und, warten Sie's nur ab, auch im sechsten Spiel. Nacheinander.

Uns stand der Mund offen, wir hatten uns heiser geschrien,

alle drei, an unserem kleinen Tisch zwischen Bahn 7 und 8, umgeben von hundertvierzig und mehr Leuten. Anna fing an, auf und ab zu laufen, statt endlich Frame 5 von Spiel 2 zu werfen, da sie nicht irgendwie dazwischenkommen und Steves Lauf verderben wollte. Nur MDash machte weiter, zwei Bälle in die Rinne für jeden, der zu den Pins fand.

Jauchzer stiegen in luftigste Höhen und versanken gleich darauf wieder in tiefer Stille und Schweigen mit angehaltenem Atem. Annas »Bestens, Baby!« wurde zu einem sich wiederholenden Beifallsruf nicht nur für jeden von Steves Strikes, sondern auch, wohltätigerweise, für MDashs Treffer. Als bei seinem sechsten aufeinanderfolgenden perfekten Spiel der zweiundsiebzigste Strike in Folge angezeigt wurde, stand der Mann in ganzer Größe an der Foullinie und rieb sich die Augen, im Rücken die rasende Menge, die schrie und trampelte und mit Bier- und Wasserflaschen trommelte. Keiner von uns war jemals Zeuge einer solchen Leistung geworden, die manchen trivial erscheinen mag, denn was ist Bowling anderes als ein Spiel? Aber jetzt mal! Sechs perfekte Was-auch-Immer vergisst man nun mal nie wieder.

Suchen Sie im Internet nach Videos des Abends, und Sie werden Steve mit steinerner Miene dastehen sehen, während ihn Fremde und Freunde wie den Sieger einer Kongresswahl feiern. Sehen Sie sich die Kommentare an: Etwa neunzig Prozent der anonymen Horde sprechen von einem Hoax, aber kümmern wir uns nicht um sie. Am nächsten Tag erhielt Steve Anrufe von allen möglichen Medien, die nach Stellungnahmen und Fotos fragten und ihn vor ihren Kameras wollten. Er kam in die Lokalnachrichten, die vier Kanäle filmten ihn nacheinander vor Bahn 7. Steif stand er da und fühlte sich sichtlich unwohl vor den Kameras. Haben Sie tatsächlich all diese perfekten Spiele gespielt? Wie fühlt es sich an, so viele perfekte Spiele zu spielen? Was haben Sie dabei gedacht? Haben Sie je gedacht, Sie könnten so viele Strikes werfen? Ja. Gut. Ich versuche noch einen. Nein.

Jedes Kamerateam bat ihn, das Interview mit einem Wurf zu beenden. Er kam dem mit vier Strikes nach, vor der Kamera, nacheinander. Die Reihe setzte sich fort. Der Höhepunkt war ein Anruf vom Sportsender ESPN, der ihn in einer Sendung mit dem Titel *Bowling Nation* wollte. Für sein bloßes Erscheinen wollten sie ihm siebzehnhundert Dollar zahlen, und wenn er ein weiteres perfektes Spiel hinlegte, würde er einen von diesen eins achtzig großen Schecks über hunderttausend Dollar bekommen.

Man sollte denken, so ein paar verrückte Tage mit Fernsehterminen und so weiter wären ein Spaß. Aber Steve ist der Nachkomme einer langen Reihe ruhiger, bescheidener Wongs. Er verschloss sich. MDash sah ihn bei der Arbeit im Home Depot, wie er stocksteif bei den Elektrowerkzeugen stand. Er sollte ein Regal mit Stichsägeblättern auffüllen, rührte sich aber nicht und starrte zwei verschiedene Blätter in ihrer Plastikverpackung an, als wären die Etiketten in einer Fremdsprache verfasst. Nachts wachte er auf und hatte Würgekrämpfe. Als ich ihn mit meinem VW-Bus abholte, um ihn zu der ESPN-Geschichte zu fahren, vergaß er beinahe seine Taschen mit den personalisierten Schuhen und dem chinesischen Blitz.

Die Sendung sollte im Crown Lanes Bowling Center in Fountains Valley aufgezeichnet werden, was ein ziemliches Stück zu fahren war, und so hielten wir erst mal bei einem In-N-Out-Burgerladen, bevor es auf den Freeway ging. Auf der Drive-Thru-Spur gestand mir Steve, was ihm schwer im Magen lag. Er wollte nicht im Fernsehen bowlen.

»Hast du was gegen die Vorstellung, Geld zu gewinnen?«, fragte ich ihn. »Ich war bisher noch nicht näher an hundert Riesen als mit zwei richtigen Ziffern auf einem Powerball-Los.«

»Bowling sollte ein Spaß sein«, sagte Steve. »Freude und Lachen nach einer formlosen gesellschaftlichen Abmachung. Wir werfen, wenn wir an der Reihe sind, und niemand achtet besonders darauf, was für ein Ergebnis dabei herauskommt.«

MDash wollte, dass er sich seinen Gewinn in Silberdollars auszahlen ließ.

Steve fuhr fort, während wir langsam in der Schlange weiter vorrückten. »Ich habe an der St. Anthony Country Day damit aufgehört, Wettbewerbe zu spielen, als das Bowlen zu einer prestigeträchtigen Angelegenheit wurde. Plötzlich musstest du Formulare ausfüllen und Ergebnisblätter unterschreiben. Einen bestimmten Schnitt halten. Da machte es keinen Spaß mehr. Es wurde stressig. Jetzt ist es auch stressig.«

»Sieh mich an, Baby«, sagte Anna, griff um ihren Sitz und fasste sein Gesicht. »Entspann dich! Es gibt nichts, was du an einem Tag wie heute nicht kannst!«

»Auf welchem Wartezimmerplakat hast du das wieder gelesen?«

»Ich sag nur, mach dir diesen Tag zu einem Riesenspaß. Heute, Steve Wong, kommst du ins Fernsehen, und es wird ein einziger Spaß. Spaß, Spaß, Spaß.«

»Ich glaube nicht«, sagte Steve. »Nein, nein, nein, nein.«

Im Crowne Lanes waren schon PBA-Turniere abgehalten worden. Es gab eine Tribüne und ESPN-Fahnen, Fernsehscheinwerfer und mehrere Kameras. Als Steve die Ränge voller Bowlingfans sah, fluchte er, was bei ihm selten vorkommt.

Eine erschöpfte Frau mit Kopfhörer und Klappbrett kam zu uns gelaufen.

»Wer von euch ist Steve Wong?« MDash und ich hoben die Hände. »Okay. Ihr seid auf Bahn vier nach dem Spiel zwischen Shaker Al Hassan und Kim Terrell-Kearny. Der Gewinner kommt ins Finale gegen den Gewinner aus der Partie zwischen Kyung Shin Park und Jason Belmonte. Bis dahin müsst ihr nichts tun.«

Steve ging hinaus und lief auf dem Parkplatz auf und ab, mit Anna auf den Fersen, die ihm erzählte, was für einen *Spaß* es machen müsse, für ESPN zu arbeiten. MDash und ich holten uns ein Wasser, setzten uns in den VIP-Bereich und sahen zu, wie Kyung Shin Park in einer ausgezeichneten Demonstration der Finessen des Hartholzbahnspiels Bowling Jason Belmonte mit zwölf Punkten schlug. Im zweiten Spiel fieberte MDash für Shaker Al Hassan (bevor er in die USA gekommen war, hatte er eine Menge Al Hassans gekannt), aber Kim Terrell-Kearny (ein weiblicher Profi übrigens) schaffte ihn mit 272 zu 269. Als die Kameras zu Bahn vier geschoben wurden, die Fernsehcrew die Scheinwerfer ausrichtete und die Leute wild herumliefen, kam Anna und suchte nach uns.

»Steve übergibt sich draußen auf dem Parkplatz«, erklärte sie uns, »zwischen den Übertragungswagen.«

»Ist er nervös?«, überlegte ich.

»Bist du schwer von Begriff?«, fragte sie.

MDash ging ein Selfie mit Shaker Al Hassan machen.

Ich fand Steve draußen auf einer niedrigen Mauer beim Eingang. Er hielt den Kopf in den Händen, als kämpfte er gegen ein Fieber an und müsste vielleicht wieder spucken.

»Wongo«, sagte ich und drückte ihm die Schulter. »Hör mal, was du gleich tust. Du machst ein paar Würfe mit deinem Chinesenblitz und fährst mit siebzehnhundert Dollar in der Tasche wieder nach Hause. Keine große Sache.«

»Ich kann das nicht, Mann.« Steve hob den Kopf, den Blick auf den Horizont jenseits des Parkplatzes gerichtet. »Alle erwarten die verdammte Perfektion. Fahr mich wieder nach Hause.«

Ich setzte mich zu ihm auf die niedrige Mauer. »Ich würde dir gern eine Frage stellen: Ist dieses Bowling Center nicht wie alle Bowling Center auf dem Planeten, mit einer Foullinie und Pfeilen im Holz? Stehen nicht auch hier zehn Pins am anderen Ende der Bahn? Kommt dein Ball nicht auch hier wie von Zauberhand aus einer Öffnung im Boden zurück zu dir?«

»Oh, ich verstehe. Du bedenkst mich mit aufmunternden Worten.«

»Beantworte meine einfühlsamen Fragen.«

»Ja. Stimmt. Menschenskinder, ich kapier's schon, du hast ja recht. Alles wird super-duper, jetzt, wo du mich zur Besinnung gebracht hast.« Steves Stimme war völlig monoton. »Ich bin etwas Besonderes, und ich kann alles, wenn ich nur will. Träume werden wahr, wenn ich nur … *Carpe diem!*«

»Bestens, Baby«, sagte ich. Ein paar Minuten lang rührten wir uns nicht. Dann kam die erschöpfte Frau mit dem Kopfhörer herausgelaufen und schrie, es sei Zeit für Steve Wong, in Stellung zu gehen.

Er fuhr sich mit den Händen durch das pechschwarze Haar, stand auf und ließ ein paar sehr unwongsche Kraftausdrücke hören. Gut, dass seine Eltern nicht da waren.

Während Steve seine hässlichen Bowlingschuhe anzog, ging ein Raunen durch die Menge: »Hey … das ist dieser *Typ* …«

Sein Internetruf eilte ihm voraus. Als die Kamera lief und er vom Moderator der *Bowling Nation* vorgestellt wurde, schallte Applaus durchs Center. Selbst die Profis sahen herüber zu Bahn vier.

»Steve Wong«, intonierte der Moderator. »Sechs perfekte Spiele nacheinander. Zweiundsiebzig Strikes in Folge. Aber es gibt immer noch Zweifel, ob Ihr unglaublicher Lauf nicht das Werk cleverer Bildbearbeitung und computergenerierter Spezialeffekte ist. Was sagen Sie zu solchen Vorwürfen?« Der Moderator hielt Steve das Mikro an die Lippen.

»Die sind verständlich, schließlich ist das Web das Web.« Steves Blick schoss vom Moderator zu den Zuschauern, zu uns, auf den Boden und wieder zum Moderator, so schnell, dass es aussah, als erlitte er einen aufmerksamkeitsbedingten Anfall.

»Haben Sie je gedacht, Sie könnten eine solche Technik und Form erlangen, dass Ihnen so viele Strikes gelingen?«

»Ich bowle aus Spaß.«

»Der offizielle Rekord für aufeinanderfolgende Strikes wird mit siebenundvierzig von Tommy Gollik gehalten, und Sie behaupten, vierundzwanzig Turkeys in Folge geworfen zu haben. Viele Leute in der Bowlingwelt fragen sich, ob so eine Reihe überhaupt möglich ist.«

Ich wandte mich an meinen Nachbarn, auf dessen Bowlinghemd das Logo des Crowne Lanes prangte und der ein Bürger der Bowling Nation sein musste. »Was meint der mit *Turkeys?*«, fragte ich ihn.

»Drei Strikes hintereinander, Pfeife. Und der Wichser hat ganz sicher nicht mehr als zwanzig geworfen.« Dann schrie er aus Leibeskräften: »*Lüge!*«

»Wie Sie vielleicht hören, Steve Wong, gibt es auch hier

einige Leute, die nicht nur Ihre Behauptung, sondern auch die des Geschäftsführers Ihrer Hausbahn bezweifeln, des Ventura Party Billiards & Bowling Complex.«

Steve blickte in die Menge und sah wahrscheinlich nur ungläubig stierende Augen. »Wie ich sagte, ich bowle aus Spaß.«

»Nun, wie ich immer sage, liegt die Wahrheit jedes Bowlers im Umfallen der Pins, und so treten Sie also, Steve Wong, an die Linie, und zeigen Sie uns, was für ein Spiel Sie heute mitgebracht haben. Und denkt dran, Leute, im nächsten Bowling Alley & Fun Center ganz in eurer Nähe wartet ein Riesenspaß auf euch. Fangt an zu bowlen, habt einen Lauf.«

Steve ging zum Ballkasten und zog seinen Handschuh an, während wir zu dritt johlten und »Bestens, Baby!« brüllten. Einige Leute buhten. Steve seufzte so tief und seelenvoll, dass wir sehen konnten, wie seine Schultern wegsackten, dabei saßen wir weit entfernt ganz oben auf der Tribüne. Er wandte uns allen den Rücken zu und seufzte noch einmal. Als er den Chinesenblitz in die Hand nahm und die Finger in die maßgebohrten Löcher steckte, wussten wir, die wir Steve Wong kannten, dass das heute kein Spaß für ihn war.

Und doch waren seine Bewegungen wieder der Inbegriff von Anmut, das Loslassen des Balls geschah flüssig und mühelos, die Drehung der Hand schuf den gleichen Drall, den wir schon so viele Male gesehen hatten, die Hand selbst fuhr nach der Abgabe frei in die Höhe, und die Zehen seines rechten Fußes tippten über den Hartholzboden, im perfekten Verhältnis zum linken Schuh. An seinen Fersen leuchtete das XXX auf.

Das Rumpeln. Der Einschlag. Ein Strike. »Glück!«-Rufe

hallten durchs Crowne Lanes. Steve, der Welt den Rücken zugekehrt, kühlte seine Hand, während er auf die Rückkehr seines chinesischen Blitzes wartete. Den Ball in der Hand, ging er in Stellung und tat es wieder. Das Rumpeln. Der Einschlag. Strike Nummer zwei.

Es folgten die Strikes drei bis sechs, die das Ergebnis auf 120 im vierten Frame brachten. Mittlerweile hatte Steve die Menge eindeutig auf seiner Seite, aber ich bezweifle, dass er es merkte. Er schickte nicht mal einen kurzen Blick in unsere Richtung.

Die Strikes sieben, acht und neun veranlassten die vier Profis dazu, etwas über seine Balance, seine Bewegungen und seine Coolness trotz allen Drucks zu sagen. Kyung Shin Park sprach von einem »Tunnel«, und Jason Belmonte kannte es als den »Zug des Schicksals«. Kim Terrell-Kearny meinte, in der PBA sei Platz für einen Spieler von Steve Wongs Qualität.

Als das zehnte X im zehnten Frame eingeblendet wurde, war der Moderator baff und sagte auch: »Ich bin baff, die Leistung dieses jungen Mannes zu sehen, der ein wunderbares Vorbild für Bowler überall ist!« Die Menge hatte es längst von den Sitzen gerissen und feuerte Steve an wie einen Gladiatoren im alten Rom. Steves elfter Wurf war ein surreales, aus der Zeit fallendes Erlebnis, ein Traumballett, ein freier Fall aus dem Himmel, perfekt schlug der Wurf zwischen Pin 1 und 3 ein und riss auch die übrigen acht mit sich.

Ein letzter Strike fehlte noch für ein perfektes Spiel, für die hunderttausend Dollar und Steves ESPN-Unsterblichkeit. Ruhig ging er zum Ballkasten, ohne dass ihm eine Regung anzumerken gewesen wäre – keine Vorfreude, keine Nervosität, keine Angst. Auch kein Spaß. Soweit ich es von der Haltung seines Hinterkopfes beurteilen konnte, musste sein Gesicht eine offenäugige Totenmaske sein.

Als er den Ball vorbereitend vor sein Herz hielt, für den Abschluss, senkte sich etwas Größeres als bloßes Schweigen über die Crowne Lanes – eine Leere von allem Geräusch, als wäre jedwede Atmosphäre aus dem Raum gepumpt worden und mögliche Schallwellen ihrer Grundlage beraubt. Annas Finger gruben sich in MDashs und meinen Arm, und die Worte »Bestens, Baby!« formten sich tonlos auf ihren Lippen.

Der genaue Anfang von Steves letztem Wurf war so wenig wahrnehmbar wie der langsame Start einer Rakete zum Mond, die so schwer ist, dass sich trotz der Zündung des Triebwerks, trotz all der Flammen und der unbändigen Kraft nichts bewegt. Und in der Nanosekunde, als der chinesische Blitz auf das Hartholz traf, brach ein Brüllen und Schreien los, dass man hätte denken können, jedes einzelne Mitglied der Bowling Nation sei absolut zeitgleich auf dem Höhepunkt eines rauschenden Orgasmus mit der Liebe seines oder ihres Lebens. Ein SABRE-Raketenantrieb ist nicht so laut wie der das Dach wegsprengende Donner, der immer noch weiter anwuchs, während die braun-gelbe Kugel ihren Bogen beschrieb … Zentimeter vor dem Zusammentreffen von Ball und Pin wurden die Crowne Lanes von einer Lärmwand verschlungen.

Der Einschlag des Balls genau zwischen Pin 1 und 3 fand an einem anderen Ort statt, war ein Donnergrollen hundert Kilometer weit weg. Wir alle sahen das weiße Aufblitzen wie das Lächeln eines Riesen, dessen vollkommen weiße Zähne plötzlich eingeschlagen wurden, alle zehn Pins flogen und schlugen davon, bis nur noch ein leerer Raum da war. Ein leerer Raum mit zehn toten Soldaten.

Steve stand an der Foullinie und sah in die Leere am anderen Ende der Bahn, bis die Pins wieder auftauchten und aufrecht hingestellt wurden. Und als der Moderator in sein Mikro brüllte: »Steve Wong ist perfekt!«, ging unser Freund auf ein Knie hinunter und schien Gott, wie er ihn kannte, für solch einen Triumph zu danken.

Stattdessen aber band er seinen linken Schuh auf – STEVE. Zog ihn aus und stellte ihn mit der Spitze auf die Foullinie. Es folgte der rechte, WONG. Steve richtete seine maßgefertigten Bowlingschuhe akkurat so aus, dass die XXX auf den Bildschirmen zu sehen waren.

Im Strümpfen ging er zum Ballkasten und nahm, was bereits zurückgekommen war. Mit beiden Händen trug er den Chinesenblitz wie einen Pflasterstein zu seinen Schuhen und legte ihn mit einer Geste darauf, die, wie Anna, MDash und ich begriffen, nur eines bedeuten konnte: »Ich werde nicht mehr bowlen. Nie wieder.«

Seinen Handschuh warf er in die Menge, was zu einem Handgemenge der Devotionalienjäger führte, und Kim Terrell-Kearny kam zu ihm gelaufen, küsste ihn auf die Wange und umarmte ihn, während die anderen Profis ihm die Hand schüttelten und durchs Haar fuhren.

Während wir uns einen Weg durch die bewundernden Bowler bahnten, alle waren jetzt Fans, liefen Anna die Tränen herunter. Sie schlang die Arme um Steve und schluchzte so sehr, dass ich Angst hatte, sie könnte ohnmächtig werden. MDash sagte etwas in seiner Muttersprache, es war, da bin ich mir sicher, ein Superlativ. Ich prostete Steve mit einem Bier zu, das ich in einer Kühlbox neben einer der Kameras gefunden hatte, sammelte seine Ausrüstung ein und stopfte alles in seine Bowlingtasche.

Nur wir drei hörten ihn sagen: »Ich bin froh, dass es vorbei ist.«

Während der nächsten Monate ging keiner von uns bowlen, auch wenn das nicht bewusst so geplant war. Ich hatte eine dime-große Wucherung auf dem Bein, die wuchs und mir unheimlich wurde, und ich vereinbarte einen Termin, um sie ambulant entfernen zu lassen, wegzuschneiden, wegzuschälen. Nichts Ernstes. MDash nahm einen neuen Job an, ließ seine Karriereoptionen bei Home Depot für eine Stelle bei Target hinter sich, wobei seine neue Arbeitsstelle von der alten nur durch einen riesigen, gemeinsam genutzten Parkplatz getrennt war. Er ging in den anderen Laden, wechselte das Poloshirt und blickte nie zurück. Anna nahm Unterricht im Fliegenfischen, organisiert von einer Abteilung der Parkverwaltung, den Stanley P. Swett Municipal Casting Ponds, von denen noch nie jemand gehört hatte und die nur mithilfe von Google Maps zu finden waren. Sie wollte, dass ich mich mit ihr zusammen einschrieb, doch ich fand Fliegenfischen ähnlich attraktiv wie Rennrodeln – weder das eine noch das andere werde ich je tun.

Steve Wongs Leben gelangte zurück in ruhige Bahnen. Er rechnete sich aus, wie viele der ESPN-Dollar von der Steuer geschluckt werden würden, und plante entsprechend, ging arbeiten, musste eine Weile lang mit Kunden Selfies machen und erklärte MDash, von Home Depot zu Target zu wechseln sei ähnlich, wie aus seiner Sub-Sahara-Heimat nach Nordkorea auszuwandern (das ist die Wettbewerbsrhetorik des Home-Depot-Managements). Über Bowling redete Steve nie. Aber eines Abends war es so weit, wir gingen wieder bowlen, für umsonst, und die Stammgäste des Centers schlichen sich an Steve heran und wollten ihre Faust gegen seine stoßen, die so viele perfekte Spiele geworfen hatte. Steve und ich kamen als Erste an. Ich hatte ihn abgeholt, doch er war mit leeren Händen aus dem Haus gekommen.

»Du Pflaume!«, sagte ich, als er auf den Beifahrersitz meines VW-Busses stieg.

»Was?«

»Geh wieder rein, und hol deine Sachen. Deine Schuhe, deine Tasche und den Chinesenblitz.«

»Okay«, sagte er nach einer langen Pause.

Als Anna kam und dann auch MDash, hatte ich bereits ein Rolling Rock getrunken, und Steve pumpte einen Vierteldollar in ein Motocross-Videospiel. Wir trugen seine Ausrüstung zu unserer Bahn, zogen unsere Leihschuhe an und suchten uns unsere Bälle aus. Anna besah sich jeden einzelnen, denke ich.

Als wir Steve zuriefen, dass wir so weit seien, fuhr er noch Motocross und winkte blind zu uns rüber, wir sollten schon mal ohne ihn anfangen. Wir spielten zwei Spiele, nur wir drei. Anna gewann beide, ich verlor, und MDash brüstete sich mit seiner Silbermedaille.

Steve kam herüber und sah den letzten Frames des zweiten Spiels zu. Wir debattierten, ob wir wieder gehen sollten, da es bereits spät wurde und ein Donnerstag war. Ich wollte nach Hause, aber MDash hatte vor, Anna das Gold streitig zu machen, und sie war entschlossen, unsere Träume zum dritten Mal an diesem Abend platzen zu lassen. Steve war es egal, er sagte, er werde zusehen und sich vielleicht ein, zwei Bier gönnen.

»Willst du nicht mit uns bowlen?«, fragte Anna ungläubig. »Warum trägst du die Nase so hoch?«

»Komm schon, Steve«, bat ihn MDash. »Du und das Bowlen, das ist Amerika für mich.«

»Zieh deine Schuhe an«, sagte ich. »Oder du gehst zu Fuß nach Hause.«

Steve saß noch eine Weile da, nannte uns schließlich einen

Trupp Idioten und ersetzte seine Straßenschuhe durch seine hässlichen Bowlingsandalen.

Ich fing an, warf eine armselige 4 und verpasste die stehen gebliebenen Pins anschließend um Millimeter. MDash wäre vor Lachen beinahe gestorben. Sein erster Ball ließ drei Pins stehen, die er anschließend zu einem Spare abräumte.

»Heute Abend«, zischte er Anna zu, »wirst du sterben!«

»Trag nicht so dick auf«, erwiderte sie. »Niemand stirbt beim Bowlen, es sei denn, ein Tornado kommt ins Spiel.« Dann räumte sie neun der zehn Pins ab und fällte den zehnten gekonnt mit dem zweiten Ball. Sie und MDash lagen gleichauf.

Jetzt kam Steve Wong, seufzte, als er seinen Spezialball aus seiner Spezialtasche nahm, der kugelrunde Grundstein seiner legendären Bahnkarriere. Vielleicht übertreibe ich, wenn ich sage, dass die anderen Bowler im Center innehielten, um dem Meister bei der Arbeit zuzusehen, dass die ganze Bude mit einem Mal verstummte und sich fragte, ob, irgendwie, der Blitz wieder einschlug, eine Kettenreaktion perfekter Spiele auslöste und bewies, dass Steve Wong der wahre Gott der Turkeys war. Ich denke, das entsprang meiner Fantasie.

Steve stand ruhig auf der Bahn und hob den Ball ans Herz, den Blick auf das ferne Dreieck weißer Pins gerichtet. Er begann den Schwung und trat-trat-trat an den Rand der Foullinie, setzte den Blitz auf die Bahn und hob die Hand zum Himmel. Sein rechter Zeh klopfte hinter der linken Ferse auf den Boden, und alle sechs XXX waren klar für uns zu sehen. Der Ball bog und drehte über die langen Linien das glänzenden Hartholzes, zielte auf die Öffnung zwischen Pin 1 und 3, und es sah aus, als würde es sicher wieder ein Strike.

Dank

Vielen Dank an Anne Springfield, Steve Martin, Esther Newberg und Peter Gethers, die vier Schwiegereltern dieser verbandelten Worte.

Ganz besondere Anerkennung an E. A. Hanks für ihren blauen Stift und ihre scharfen, ehrlichen Augen.

Dazu ein dankender Gruß und jeweils einen Dollar für Gail Collins und Deborah Triesman.

Und ein Dank an all die bei Penguin Random House, die diese Geschichten durchleuchtet, bewundert, verbessert und vorzeigbar gemacht haben.